Weet wie je date

Rachel Gibson

Weet wie je date

Karakter Uitgevers B.V.

Oorspronkelijke titel: Not another bad date
© 2008 by Rachel Gibson
Published by arrangement with Sterling Lord Literistic
Vertaling: Frances van Gool
© 2009 Karakter Uitgevers B.V., Uithoorn
Opmaak binnenwerk: ZetSpiegel, Best
Omslag: Caroline Torenbeek
Omslagbeeld: Shutterstock

ISBN 978 90 6112 649 2
NUR 340

Proloog

Devon Hamilton-Zemaitis was een beeldschone vrouw. Dat ze dood was veranderde daar niets aan.

Op een druilerige, donkere vrijdagmiddag moesten alle aanwezigen in de Grace Baptist Church, gelegen op de kruising van 31st en Elm Street, beamen dat de dode Devon er schitterend bij lag. Als lijk zag ze er precies zo uit als haar moeder haar had opgevoed: mooi en elegant; om jaloers op te worden. Ze lag sereen op haar rug in het lichtroze satijn van haar mahoniehouten doodskist. Het gedempte licht gaf een zachte gloed aan haar asblonde lokken en streelde haar gelaatstrekken, die piepjong leken, omdat ze haar huid altijd had onderworpen aan botoxbehandelingen en een streng regime van oefeningen. Langs haar ogen en lippen was een subtiel lijntje getatoeëerd en Oscar Seinger, van begrafenisondernemer Seinger and Sons, had de gapende wond in haar linkerslaap en de deuk in haar schedel uitstekend weten te maskeren.

Vriendinnen en leden van de Junior League liepen in een rij langs haar kist en weenden bevallig in hun met monogram versierde zakdoekjes, onderwijl God op hun blote knietjes dankend dat het Devon was geweest en niet zij die het stopbord had genegeerd op de kruising van Vine Street en 6th Avenue, waardoor ze frontaal in aanraking was gekomen met een vuilniswagen van de Gebr. Wilson.

Een vuilniswagen, dacht Meme Sanders toen ze op het stoffe-

5

lijk overschot van haar jeugdvriendin neerkeek. Dat was niet echt een keurig einde aan je leven, maar het was wel typisch Devon om afscheid te nemen in een Chanel-pakje van witte boucléstof en een snoer Mikimoto-parels om haar hals.

Een vuilniswagen. Geneviève Brooks depte een ooghoek droog en verborg een stiekem glimlachje achter haar zakdoek. Uitgerekend op de dag dat ze tijdens de ballotage van de Junior League tegen het lidmaatschap van Lee Ann Wilson had gestemd, was Devon tegen een vuilniswagen van de Gebr. Wilson aan gereden. Geneviève vroeg zich af of anderen deze ironische speling van het lot ook konden waarderen. Natuurlijk zag Devon er prachtig uit, dat moest Geneviève toegeven, met haar blik op de vrouw die ze al kende sinds hun eerste gezamenlijke schoonheidswedstrijd toen ze zes jaar waren. Devon zou nog niet dood willen worden aangetroffen als, tja, als lijk, en Geneviève vroeg zich af of Devon de bijpassende Chanel-pumps zou dragen of dat mensen inderdaad zonder schoenen begraven werden.

Een vuilnisauto. Cecilia Blackworth Hamilton Taylor Marks-Davis' tranen drupten in de revers van het Brooks Brothers-pak van haar nieuwste echtgenoot. Haar meisje was overreden door een vuilnisauto. Hoe verschrikkelijk. Pas tweeëndertig jaar oud en ineens weg. Wat zonde van zo'n mooie vrouw en van zo'n mooi leven. Gelukkig had haar man ervoor gezorgd dat ze er mooi uitzag, maar eerlijk gezegd paste wit bouclé niet bij het seizoen.

Cecilia keek over haar schouder naar haar schoonzoon en kleindochter. Het meisje klampte zich vast aan haar vader en verborg haar gezicht in zijn zwarte maatpak. Cecilia was nooit dol geweest op Zachary Zemaitis. Ze had nooit begrepen wat Devon in hem had gezien. Toegegeven, hij was knap; hij was alleen zo... mannelijk. Hij had gespierde armen en een brede borstkas en schouderpartij, en Cecilia had zich altijd ongemakkelijk gevoeld in de nabijheid van mannen bij wie zuiver testosteron door de aderen vloeide.

Een vuilniskar. Godsamme. Zach zat vooraan in de aula met zijn arm om zijn tienjarige dochter. Het idee alleen al had Devon afgrijselijk gevonden en Zach wist zeker dat zijn vrouw, waar ze nu ook mocht zijn, dat zou laten blijken...

'... Een vuilniswagen!' klaagde Devon Hamilton-Zemaitis tegen de dode vent die achter haar in de rij stond. Deze was er echter niet in geïnteresseerd en zei: 'Mevrouwtje, we zitten hier allemaal met hetzelfde probleem.' Maar Devon vond zijn probleem van een heel andere orde; zijn familie had hem begraven in een goedkoop pak.

Devon huiverde. Zij was door Zach tenminste naar de hemel gestuurd in haar Chanel-pakje en haar mooiste parelsnoer. Hoewel de boucléstof natuurlijk niet bij dit seizoen hoorde en de bijpassende pumps ontbraken. Ze keek naar haar blote voeten, die werden bedekt door zachte witte wolken. Ze hoopte maar dat Zach haar spullen niet zou wegdoen naar de liefdadigheidsveiling van de Junior League, want dan was de kans groot dat Geneviève Brooks er met haar Chanel-pumps vandoor zou gaan. Geneviève was al jaloers geweest op Devon sinds hun eerste missverkiezing, tig jaar geleden. Devon haatte het idee dat Geneviève haar grote, knokige voeten in die prachtige schoenen zou steken.

Zonder een stap te zetten schoof Devon naar voren. Het was een vreemde gewaarwording, alsof ze zich voortbewoog op een onzichtbare lopende band. Maar ja, dood zijn was sowieso vreemd. Het ene moment racete ze naar huis om Zach zijn vet te kunnen geven en het volgende moment werd ze door een wit licht opgenomen om op een vreemde plaats terecht te komen waar tijd noch ruimte een rol speelde. Ze dacht dat ze nu een uurtje in de rij stond, misschien twee, maar dat kon onmogelijk kloppen. Ergens wist ze dat er een begrafenis was geweest en dat ze was begraven in haar witte mantelpakje. Maar dan moesten er vier of vijf dágen voorbij zijn gegaan sinds het ongeluk. Alleen, hoe was dat nou mogelijk?

Ze dacht aan haar kleine meisje en kreeg een vreemde sensatie. Geen echte pijn, zoals toen ze nog leefde. Het was meer een warm gevoel vanbinnen; een gevoel van liefde en verlangen. Hoe zou het haar arme, kleine Tiffany vergaan? Zach was een goede vader, als hij tenminste thuis was. En dat was niet vaak, bovendien had een meisje een moeder nodig.

Ze ging nog een stukje vooruit en kwam terecht voor een hoog, wit bureau dat voor een gouden hek stond. 'Eindelijk,' zei ze met een zucht.

'Devon Zemaitis,' zei de man achter het bureau zonder zijn mond open te doen of op te kijken van de rol perkament die hij voor zich had.

'Devon Hámilton-Zemaitis,' corrigeerde ze hem.

Hij keek eindelijk op en de zachte witte wolken weerspiegelden in zijn ogen; zijn gezich was uitdrukkingloos. Hij wenkte met een hand en daar verscheen een oudere vrouw. Ze had een strenge knot en droeg een lila pak met gouden knopen.

'Mevrouw Highbanger?'

'Highbarger,' corrigeerde de oud-lerares wiskunde haar.

'Wanneer bent u overleden?'

'Vijf jaar geleden, gerekend in een mensenleven, maar één dag bij God telt wel duizend jaar, en duizend jaar is maar een dag lang.'

Devon voelde zich net alsof ze weer op school zat en juffrouw Highbarger haar doorzaagde over breuken.

'Pardon?'

'God telt niet zoals de mensen op aarde.'

'O.' Dat zou verklaren waarom het voelde alsof ze pas één uur dood was. 'Dus u bent hier om mij naar de hemel te brengen?' Ze was er helemaal op voorbereid om God te ontmoeten. Ze wilde Hem een paar dingen vragen. Belangrijke dingen, zoals waarom hij had toegestaan dat er rampen bestonden als cellulitis, eksterogen en *bad hair days*. Ook wilde ze van God wel het antwoord op een aantal prangende vragen weten, zoals wie toch JFK had doodgeschoten en...

'Ik dacht het niet,' onderbrak mevrouw Highbarger Devons gedachtestroom.

'Wat?' Ze had het vast niet goed gehoord. 'Ik ga toch zeker naar de hemel?'

'Tijdens je verblijf op de aarde heb je geen plaats in de hemel verdiend.'

'Is dat een grap?'

In plaats van daarop te antwoorden bewoog mevrouw Highbarger zich bij haar vandaan zonder haar benen te bewegen, en Devon werd met haar mee getrokken.

'Ik heb heel veel verdiend! Ik heb meer geld verzameld dan andere leden van de Junior League. Ik verdiende altijd het meeste.'

'Jij hielp anderen alleen maar om jezelf te helpen, om met je foto op de voorpagina te komen en je beter voor te doen dan je vriendinnen.'

Nou en, dacht Devon.

'Nou, dat vindt God belangrijk,' antwoordde de lerares.

'Kunt u mijn gedachten lezen?'

'Ja.'

Bah.

Reken maar.

Ze gingen langzaam naar beneden, alsof ze over een onzichtbare roltrap gingen, en voor het eerst sloeg bij Devon de paniek toe. 'Ga ik dan naar de hel? Met de duivel en het hellevuur?'

'Nee.' Mevrouw Highbarger rilde ervan. 'Je gaat naar iets ertussenin, waar ieders versie van de hel er anders uitziet.'

Devon dacht aan Geneviève Brooks die de notulen voorlas van de Junior League en kreeg acuut hoofdpijn. Een eeuwigheid moeten luisteren naar Geneviève zou een hel betekenen.

'Omdat God vol liefde is, krijg je een kans om hogerop te komen.'

Wat een opluchting. Meteen zag alles er weer rooskleuriger uit. Devon had ooit een plaatsje veroverd bij de cheerleaders van de Universiteit van Texas. Dan moest dit een eitje zijn. 'Hoe dan?'

'Om te beginnen moet je het goedmaken met degene die je slecht hebt behandeld.'

Devon dacht hard na. Ze was een goed mens. Bijna perfect. 'Ik heb helemaal niemand slecht behandeld.'

Mevrouw Highbarger draaide zich om en keek haar aan. Er kwam een herinnering op bij Devon. Een herinnering aan blond krullend haar, felblauwe ogen en elfjes. 'O.' Ze wuifde de herinnering weg. 'Dat was helemaal zijn type niet. Hij hield niet van haar. Niet echt, tenminste. Hij hield van mij. Ik heb ze allebei gered. Ze is nu vast getrouwd en heeft een hele trits rare kinderen.'

'Ze heeft nooit meer de liefde kunnen vinden.'

Devon bedacht dat God wilde dat ze zich daar schuldig over voelde, maar dat deed ze niet. Die meid had bijna Zach van haar afgepikt en iedereen wist dat Zach van Devon was. Ze had zich op heel glad ijs begeven en precies gekregen wat ze verdiende.

Ze gingen nog steeds naar beneden en Devon begon het toch benauwd te krijgen. 'Wat moet ik dan doen?'

'Het goedmaken.'

'Moet ik soms drie wensen van haar vervullen?' Ze waren eindelijk aangekomen waar ze moesten zijn en stonden tussen een paar grijze wolken.

'Zie het als een geschenk.' Mevrouw Hoogbeuker stak een vinger op. 'Je krijgt één kans om het goed te maken. Als je het er goed van afbrengt, kom je een stukje dichter bij de hemel. Daar krijg je nog een kansje, enzovoort.'

Dus ze moest het bijleggen met hoe heette ze ook alweer, die met die krullen. Het meisje aan wie ze sinds de lagere school een hekel had gehad. Dat deed pijn. En niet zo'n klein beetje ook.

'Je hebt geen eeuwigheid de tijd,' waarschuwde haar vroegere lerares wiskunde haar. 'Als zij haar liefde heeft gevonden voordat jij het goed hebt gemaakt, dan is je kans verkeken om hogerop te komen.'

Devon glimlachte en dacht aan het perfecte geschenk. 'Dat is het,' zei ze tegen mevrouw Highbarger, maar deze schudde haar hoofd.

'Je leert het ook nooit.' De lerares deed een stap achteruit en stapte door een glazen schuifdeur die vanuit het niets was verschenen. De deuren zoefden dicht en de grijze wolken vormden een stevige muur. Heel even, één verschrikkelijke tel lang, dacht Devon dat ze in een soort gevangenis was beland. Toen voelde ze haar huid tintelen en zag ze hoe haar prachtige Chanel-pakje langzaam vervaagde en overging in een grijs joggingpak met Tweety voorop. 'Waar ben ik?' vroeg ze hardop, terwijl mevrouw Highbarger langzaamaan in het wolkendek verdween.

Ze draaide zich om en staarde naar rijen winkelwagentjes en borden met 'Koopje!' erop. Een klein oud vrouwtje met een roze jasschort aan en daaronder een lichtblauw truitje met een gele smiley erop stond voor haar neus.

'Welkom in Wal-Mart.'

Hoofdstuk 1

'Kus me, schatje.'

'Nee, echt.' In het licht van haar buitenlamp van 60 watt legde Adele Harris een hand tegen de borstkas van de man met wie ze uit was geweest. 'Ik heb al genoeg opwinding gehad voor één avond.' Investeringsbankier Sam King, die vroeger een studiebol was maar nu een gewone eikel, begreep de aanwezigheid van haar hand op zijn borst totaal verkeerd en kwam nog dichterbij, waardoor Adele nu met haar rug tegen haar voordeur gedrukt stond. De koele oktoberwind streek langs haar wangen en woei tussen de knopen van haar jas door, en ze zag geschrokken hoe Sam zijn gezicht dichter bij het hare bracht. 'Schatje, je weet pas echt wat opwinding is als ik jou kus.'

'Nou, ik sla hem deze keer graag over. Ik geloof niet – bllg...' Sam perste zijn mond op de hare en legde haar letterlijk het zwijgen op. Hij duwde zijn tong in haar mond en begon er vreemde draaiende bewegingen mee te maken. Drie keer naar rechts, dan drie keer naar links. En nog een keer. Zo'n amateuristische kus had ze niet meer gehad sinds die keer met Carl Wilson in de brugklas.

Ze wurmde haar vrije hand tussen hen in en gaf hem een duw. 'Stop!' hijgde ze. Ze pakte haar sleutels uit het kleine handtasje dat om haar schouder hing. 'Welterusten, Sam.'

Zijn mond viel open en hij fronste. 'Mag ik niet mee naar binnen?'

'Nee.' Ze draaide zich om en maakte haar voordeur open.

'Wat krijgen we nou? Ik geef honderdtwintig dollar aan je uit en ik krijg niet eens een wip?'

Ze deed de deur open en keek over haar schouder naar de hufter die op haar stoep stond. De avond was aardig begonnen, maar na de salade was het al snel bergafwaarts gegaan. 'Ik ben geen prostituee. Als het je om seks te doen was, had je een escortbureau moeten bellen.'

'Maar de vrouwtjes zijn dol op me! Ik hoef toch niet te betalen voor seks,' wierp hij tegen, een ietsepietsie té luid. 'De vrouwtjes staan in de rij voor een portie Sammy.'

Tegen de tijd dat de borden werden afgeruimd, had de avond een dieptepunt bereikt en het laatste uur had ze haar best gedaan om aardig te blijven.

'Natuurlijk,' zei ze, maar ze kon haar sarcasme niet verbergen. Ze stapte over de drempel en draaide zich naar hem om.

'Geen wonder dat je op je vijfendertigste nog alleen bent,' smaalde hij. 'Je moet eens leren hoe je een man behandelt.'

Het afgelopen uur had ze net gedaan of ze werkelijk geïnteresseerd was in zijn narcistische gebabbel, zijn opschepperij en het waanidee dat het heel wat was dat zij met hem uit mocht en dat ze zich gelukkig mocht prijzen. Ze had ontzettend haar best gedaan zichzelf voor te houden dat het háár fout was. Dat het nu toch steeds duidelijker werd dat alle mannen raar deden als ze met haar op stap waren. Maar hij was echt over de schreef gegaan en had tegen een heel gevoelig plekje geschopt. 'En jij moet eens leren zoenen als een vent,' zei ze, waarna ze de voordeur in zijn verbijsterde gezicht dichtsloeg.

Wat is er in godsnaam aan de hand met mij? Ze schoof haar weelderige krullen achter haar oren en liet zich tegen de voordeur vallen. Het werd gewoon belachelijk. Alle mannen met wie ze had afgesproken in de afgelopen... tja, wat was het?... twee of drie jáár waren rasechte eikels geweest. Eerst dacht ze dat ze gewoon rare mannen aantrok. Dat ze werd aangetrokken door mafketels, maar de laatste tijd leek het alsof er iets anders aan de hand was. Dat ze iets had waardoor normale mannen veranderden in randdebielen. Want het was natuurlijk bespottelijk; zoveel eikels bestonden er toch niet op deze wereld? En hoe groot was de kans dat zíj degene was die al die rotte appels tegenkwam? De een na de ander?

Heel klein. Adele deed de deur op het nachtslot. Toch was ze de afgelopen maanden aan zichzelf gaan twijfelen; het leek alsof er een vloek op haar rustte. Ze was vervloekt, zodat ze alleen maar eikels ontmoette.

Ze liep naar de gangkast om haar jas op te hangen en liep toen door naar haar woonkamer. Ze gooide haar tas op de groene bank en reikte naar de afstandsbediening op haar glazen salontafel. Een paar maanden geleden had ze haar vriendin Maddie nog verteld dat ze dacht dat ze vervloekt was, maar Maddie had erom gelachen en Adele had het er niet meer over gehad.

Er waren mensen die dachten dat ze een beetje anders was – misschien wel heel erg anders. Als kind hield ze veel van magie; van toverstof, eenhoorns en elfjes. Toen ze jong was dacht ze dat het mogelijk was om door de tijd te reizen en dat er leven was op andere planeten. Geesten en de vierde dimensie. Dat alles kon en alles mocht. Als volwassene geloofde ze allang niet meer dat alles kon en alles mocht, enkele uitzonderingen daargelaten.

Ze zette de televisie aan en ging op de leuning van de bank zitten. Ze mocht tegenwoordig dan niet meer geloven dat alles kan en alles mag, maar ze verdiende een dik belegde boterham met haar verbeelding en de dingen waarin ze nog geloofde toen ze een kind was. Inmiddels had ze tien sciencefiction- en fantasyromans uitgegeven. Onderzoek voor die boeken had haar op de raarste plaatsen gebracht en ze had met eigen ogen gezien dat er paranormale dingen konden gebeuren die je niet zomaar wetenschappelijk kon wegredeneren.

Ze zapte langs de kanalen en bleef hangen bij het journaal van tien uur. Ondanks alle boeken die ze had geschreven, had ze zich nog nooit verdiept in vervloekingen en ze wist er weinig van. Ze wist niet hoe je vervloekt kon worden; werden vloeken uitgevoerd door heksen of door zwarte magie? En kon iedereen gewoon maar iemand vervloeken, of had je een zekere kennis nodig om iemand te kunnen vervloeken of betoveren?

Ik ben gek. Adele voelde hoe haar hersenen kraakten en ze liet de afstandsbediening op de bank vallen. Zo gek als andere mensen dachten dat ze was. Ze stond op en liep naar haar badkamer. Want, zeg eerlijk, wie haalt het nou in z'n hoofd om te denken dat er een vloek op haar rust?

Een gek zoals ik natuurlijk.

Ze rolde haar mouwen op, draaide de kraan boven haar wastafel open en pakte de zeep. Een gek mens dat al in jaren geen leuke vent was tegengekomen, laat staan prettige seks. Het eeuwige bruidsmeisje dat nooit de bruid zou zijn. In de afgelopen twee jaar was ze op de huwelijken geweest van twee dierbare vriendinnen, terwijl een derde vriendin, Maddie, onlangs had aangekondigd dat ze dit voorjaar zou trouwen. Maddie, die dacht dat alle mannen potentiële serieverkrachters waren. Maddie, die zo paranoïde was dat ze een heel arsenaal bij zich droeg, waaronder pepperspray, een koperen boksbeugel en een *taser gun*. En zelfs zij had iemand gevonden die van haar hield. Gekke Maddie had iemand ontmoet die zijn leven met haar wilde delen en Adele kon niet eens iemand vinden die langer dan één nacht bij haar wilde zijn.

Ze liet de zeep uit haar handen glijden toen haar handen vol schuim stonden. Ze keek in de spiegel en masseerde de zeep in haar huid. Het was om depressief van te worden. Een paar jaar geleden waren de vriendinnen nog alle vier single geweest en gingen ze regelmatig samen lunchen of met vakantie naar de Bahama's. Ze schreven allemaal boeken en hadden elkaar veel te vertellen. Maar ineens waren ze allemaal getrouwd of stonden ze op het punt te gaan trouwen en was Adele de enige die nog alleen was. Ze kon niet meer op elk uur van de dag opbellen om over plots te praten, over mannen te lullen of de laatste aflevering van CSI te bespreken. Na de jarenlange uitgebreide contacten voelde ze zich eenzaam en in de steek gelaten. Ze had medelijden met zichzelf. Ze háátte het als ze zelfmedelijden had, dat vond ze net zo erg als zich het hoofd te breken over wat er allemaal aan haar mankeerde.

Ze pakte een washandje, maakte het nat en een waste de zeep van haar gezicht. Ze was tweemaal echt verliefd geweest. De laatste keer zo'n drie jaar geleden. Zijn naam was Dwayne Larkin en hij was lang, blond en heel lekker. Hij was niet perfect, maar ze had zijn hinderlijke gewoonte om aan de oksels van zijn shirts te ruiken willens en wetens genegeerd, evenals het luchtgitaar spelen met de rits van zijn gulp. Ondanks zijn gebreken hadden ze veel gemeen gehad. Allebei hielden ze van oude sciencefictionfilms, lui rondhangen op zaterdagmiddag. Ook wisten ze beiden hoe het was om op jonge leeftijd al een ouder te verliezen. Dwayne was leuk en grappig en ze dacht dat het haar wel zou lukken de rest van haar leven mevrouw Larkin te zijn. Ze had zelfs zitten dagdromen over haar uitzet. Tot die fatale dag, drie jaar geleden, toen hij in haar keuken stond en opeens zei dat ze een dikke reet had. Het ene moment nog vertelde hij over zijn werk en nog geen tel later, midden in de zin, keek hij haar ineens van opzij aan als een soort van robot en zei: 'Je hebt een dikke reet.'

Ze was met stomheid geslagen en vroeg of hij dat kon herhalen. Helaas deed hij dat ook.

'Adele, je hebt een dikke reet.' Hij had zijn biertje op tafel gezet en hield zijn handen wijd uit elkaar. 'Wel zo dik.'

Van alle pijnlijke dingen die hij had kunnen zeggen, was dat wel het pijnlijkste. Hij had haar stom kunnen noemen, of lelijk zelfs; dat zou haar niet zoveel pijn hebben gedaan als zeggen dat ze een dikke reet had. Niet alleen omdat het haar grootste angst was, maar vooral omdat hij wist hoeveel pijn het haar zou doen. Hij wist dat ze de dikke kont van haar oma Sally had geërfd en

17

dat ze elke dag, elke dag, verdomme, vijf mijl jogde om te voorkomen dat haar kont het meest in het oog springende lichaamsdeel zou worden. Vóór die bewuste avond had hij altijd gezegd dat hij dol was op de manier waarop haar billen precies in zijn handen pasten. Kennelijk had hij dat gelogen. Sterker nog, hij was nog gemeen ook.

Adele had hem de deur uit geschopt, maar om de een of andere reden kon Dwayne niet helemaal vertrekken. Om de zoveel weken vond ze op haar stoep zomaar wat spullen. Een sok, een haarborstel of een Darth Vader-poppetje zonder kop; allemaal dingen die ze ooit had laten liggen bij Dwayne en niet had opgehaald toen het uitging.

Ze draaide de kraan dicht en droogde haar gezicht af. Haar vriendinnen vonden dat ze Dwayne had moeten laten arresteren of iemand had moeten inhuren om hem een pak slaag te geven. Natuurlijk stalkte hij haar in feite, bedacht ze terwijl ze naar haar slaapkamer liep, maar hij maakte haar niet bang.

Op haar eikenhouten ladekastje lag een berg wokkels en ze draaide een ervan om haar lange krullen. Als ze er al iets bij voelde, dan was het irritatie: ze wilde dat hij de draad van zijn eigen leven weer zou oppakken. Dat had zijzelf ook gedaan, al was het niet gemakkelijk geweest.

Ze trok een wit T-shirt aan en liep terug naar haar zitkamer. Ze kocht al tijden geen leuke, spannende lingerie meer. Sinds de vloek leek sexy ondergoed zonde van het geld en ze sliep heerlijk in een doodgewoon T-shirt.

Na elk verlies en iedere tegenslag in haar leven was ze verdergegaan. Ze was over de dood van haar moeder heen gekomen toen ze tien was, en toen haar hart gebroken was door haar eerste liefde was het uiteindelijk ook geheeld. Niet dat de dood van haar moeder gelijk was aan gedumpt worden door de eerste jongen van wie ze had gehouden, maar beide gebeurtenissen waren op hun eigen manier traumatisch geweest en hadden haar leven veranderd. Dat ze haar moeder verloor, had haar geleerd hoe ze voor zichzelf moest zorgen. Toen ze haar eerste liefde kwijt-raakte, leerde ze dat ze haar vertrouwen niet zo snel moest schenken.

Het nieuws maakte plaats voor *The Tonight Show* en Adele zapte weg. Ze had al jaren niet aan haar eerste grote liefde ge-dacht, maar na al die tijd geneerde ze zich eigenlijk een beetje over hoe diep en hoe snel ze voor hem gevallen was. Ze was sta-pelgek op Zach Zemaitis geweest. Gek op zijn snelle glimlach en het geluid van zijn lach. Gek op het gevoel van zijn arm om haar schouder en de geur van zijn T-shirt en zijn warme huid. De eer-ste keer dat hij haar gezoend had, had ze het echt óveral gevoeld – in haar hart, in haar weke knieën – en had ze vlinders in haar buik gehad.

Ze had hem voor het eerst gesproken in haar laatste jaar aan de universiteit van Texas, maar ze kende hem al vanaf haar eer-ste dag op de campus. Iedereen kende Zach Zemaitis. Op de uni-versiteit van Texas was American football enorm belangrijk en iedereen kende de beroemde quarterback van UT, vanwege zijn knappe kop en zijn geweldige prestaties. Iedereen wist dat hij voorbestemd was een footballpro te worden en iedereen wist dat hij verkering had met de belangrijkste cheerleader, Devon Ha-milton.

Hoewel Adele Zach niet kende voordat ze naar de universi-teit ging, kende ze Devon al zo'n beetje haar hele leven. De twee meisjes waren afkomstig uit hetzelfde stadje. Ze hadden twaalf jaar doorgebracht op dezelfde scholen, maar waren nooit vrien-dinnen geworden. Integendeel zelfs. Devons familie was rijk, terwijl Adeles vader met moeite de eindjes aan elkaar kon kno-pen voor hemzelf en zijn twee dochters. Devon ging niet om met meisjes wier familie niet behoorde tot de Cedar Creek Country-Club of wier moeders geen lid waren van de Junior League. Adele was altijd te min geweest voor Devon – tot ze twaalf waren, toen Adele klaarblijkelijk een ongelooflijke misstap be-ging. De meisjes wilden allebei de rol van Tinkerbell hebben in de musical *Peter Pan* en Adele was het uiteindelijk geworden. Nadien had Devon tot ambitie Adele het leven zuur te maken. En de laatste keer was dat gebeurd in hun afstudeerjaar aan de UT, toen ze allebei de vriendin van Zach wilden worden.

Adele bleef hangen bij een programma op een sciencefiction-kanaal. Ze ging op de bank zitten en bedacht dat er ergere dingen waren dan kijken naar een lekkere scifi op zaterdagavond, waarin paranormale misdaden werden opgelost en vampiers, weerwolven en ander gespuis voorkwamen. Ergere dingen, zoals voor de zoveelste keer miskleunen met een date.

Maar deze avond kon ze haar aandacht er moeilijk bij houden, omdat haar gedachten steeds afdwaalden naar Zach Zemaitis en hoe die eruit had gezien in een oude spijkerbroek en een oud T-shirt.

Ze hadden samen dezelfde colleges communicatie gevolgd, in de tijd dat ze nog dacht dat ze journalist wilde worden. In de eerste weken van dat semester had zij achterin gezeten en haar best gedaan niet te letten op Zachs blonde lokken die over zijn oren en langs zijn nek krulden. Net als de andere studentes in de zaal probeerde ze zich niet te laten afleiden door zijn brede schouders en gespierde armen, maar faalde jammerlijk.

Zach was niet alleen knap om te zien. Hij werd behandeld als een filmster, maar iedereen leek hem ook werkelijk aardig te vinden. Adele kon zijn gespierde lichaam en leuke kop wel waarderen, maar er was vast iets mis met zijn verstand. Het kon niet anders of hij moest een geestelijke achterstand hebben, vanwege al die klappen tegen zijn kop; jammer, met zo'n perfect lichaam. Maar waarom zou een stuk als Zach anders met zo'n secreet als Devon Hamilton omgaan? Oké, Devon was beeldschoon, maar er liepen zoveel beeldschone meiden rond op de UT. Dus was hij achterlijk, of hij had geen hersenen. Misschien wel allebei.

Tot hij op een dag in de stoel voor haar neerplofte en zich naar haar omdraaide. En alsof de blik van zijn donkerbruine ogen, omzoomd door lange, dikke wimpers, niet schokkend genoeg was, zei hij, met het ietwat slome accent dat gebruikelijk is in de zuidelijke staten van Amerika: "k Vraag me steeds af hoe je dat doet, met je haar.'

'Wat?' Ze was zo stomverbaasd dat ze zelfs achteromkeek om te zien of hij het tegen iemand achter haar had. Aangezien daar niemand zat, draaide ze zich weer terug en vroeg: 'Heb je het tegen mij?' Want sportieve jongens als Zach, met beeldschone vriendinnen die cheerleader waren, spraken niet met meisjes als Adele. Zíj hield zich bezig met theater en ging om met mensen die discussies voerden over teleportatie naar andere sterrenstelsels.

Niet dat ze niet goed of mooi genoeg zou zijn, maar ze begaf zich gewoon niet in dezelfde kringen als hij, waar iedereen tegen je liep te slijmen omdat je football speelde of cheerleader was.

Zijn zachte lachen verbrak de stilte. 'Ja, ik heb het tegen jou. Heb je een permanentje of zo?'

Zat hij haar voor de gek te houden? Het was het tijdperk van vóór Shakira en Carrie Bradshaw, en ze had altijd een hekel gehad aan haar krullen en nooit begrepen waarom iemand haar haren liet permanenten als ze juist steil haar had. 'Ik doe er helemaal niets aan,' antwoordde ze en ze zette zich schrap voor de grap. Vroeger, op de middelbare school, werd ze juist altijd het schaap met schaamhaar genoemd. Meestal door die vriendin van hem.

'Dus dit is de natuurlijke versie?' Zijn blik ging van haar gezicht naar haar bos krullen.

'Ja.' Hij had de langste wimpers die ze bij een vent ooit had gezien, en tegelijkertijd was hij de mannelijkste man die ze ooit was tegengekomen.

'Hmm. Heel mooi. Ik vind het heel mooi.' Hij keek haar weer recht aan en zei, met een brede glimlach waardoor hij zijn witte tanden toonde: 'Ik ben Zach.'

Had hij nou net gezegd dat hij haar krullen mooi vond? Ongelóóflijk. 'Adele.'

'Weet ik.'

Schok nummer twee. 'Weet je dat?'

'Tuurlijk.'

Daarna had hij zich weer omgedraaid, een aantekenblok en een potlood op het tafeltje voor hem neergelegd en had zij het moeten doen met het zicht op zijn aantrekkelijke nek, terwijl ze zich afvroeg wat er zojuist toch gebeurd was.

De eerstvolgende keer bij college zat hij weer vlak voor haar. En opnieuw draaide hij zich naar haar om. Ditmaal vroeg hij haar naar de zilveren armband met de drie Keltische knopen die ze droeg.

'Deze symboliseert de onderlinge afhankelijkheid van dingen in de natuur,' legde ze uit en tegelijkertijd vroeg ze zich af waarom hij al weer tegen haar sprak. 'Dit staat voor de relatie tussen de mens en de aarde. En dit is de knoop van de verbintenis tussen geliefden.'

Hij keek op en grijnsde. 'De verbintenis tussen geliefden?'

Ze haalde haar schouders op en trok haar hand terug. 'Tenminste, dat denken sommige archeologen. De Kelten hebben niets op schrift nagelaten, dus niemand weet het zeker.'

Hij reikte weer naar haar hand, pakte met zijn warme hand haar vingers en trok die zacht naar hem toe. 'Ik heb nog nooit een liefdesknoop gezien die er zo uitzag.'

Ze probeerde zich los te trekken, maar hij hield haar stevig vast. 'Die vind je ook niet in de *Penthouse* of de *Hustler*.'

Hij grinnikte en liet haar los. 'Dat zal het wel zijn.' Hij keek haar nog een keer langdurig in de ogen totdat het college begon en toen draaide hij zich om.

Met haar vingers nog nagloeiend van zijn aanraking pakte ze haar pen en deed net alsof ze geïnteresseerd was in de docent die voor in de collegezaal stond. Maar om deze te kunnen zien moest ze wel langs Zachs brede schouderpartij kijken, in een T-shirt dat strak om zijn spierbundels zat en zijn biceps nauwelijks de ruimte bood. Ze gaf het op en concentreerde zich maar op zijn achterhoofd met de goudblonde lokken.

Zach bleek helemaal niet achterlijk als gevolg van de vele klappen op zijn hoofd. Hij bleek zelfs aardig te zijn, maar er móést wel iets mis zijn. Het kón gewoon niet kloppen. Een leuke vent ging niet om met Devon Hamilton.

Vijf uur later, toen Zach het restaurant binnenliep waar ze vijf avonden per week pizza's serveerde, was ze hier nog steeds over aan het nadenken. Hij was in gezelschap van drie van zijn footballvrienden, maar bleef als enige wachten tot ze klaar was met werken.

'Waar is je vriendinnetje?' vroeg ze, toen hij de deur voor haar openhield.

'Welk vriendinnetje?'

Het was fris buiten en Adele stak een arm in haar vest. 'Je weet best welk vriendinnetje ik bedoel.'

Hij ging achter haar staan en hield haar vest vast terwijl ze haar andere arm erin hees. 'Beschrijf haar eens.'

'Blond. Dun. Springt rond in een cheerleaderrokje.'

'O, dat vriendinnetje.' Hij trok haar krullen tevoorschijn uit de kraag van haar vest en ze voelde zijn warme vingers in haar nek. 'Ze is mijn vriendinnetje niet.'

Adele keek op naar zijn gezicht. 'Sinds wanneer?'

'Jij stelt veel te veel vragen.'

Het ging haar natuurlijk ook niets aan. Het leek alleen alsof hij nu met háár ging. 'Heb jij het niet koud?'

'Ik ben net een kachel, ik heb het nooit koud.'

Dat had vast te maken met dat gespierde lijf van hem. Hij begeleidde haar naar haar kamer en vertrok daar weer met niet meer dan een handdruk. Maar de volgende avond liep hij weer met haar naar huis en toen ze bij haar deur waren aangekomen, drukte hij haar tegen de muur en kuste haar tot ze geen adem meer kon halen. Hij zei tegen haar dat hij alleen nog maar aan haar kon denken en binnen twee maanden was ze zo smoorverliefd op hem dat haar adem stokte als ze hem alleen maar zag. Dat ze alleen nog maar aan hem kon denken. Ze was zo tot over haar oren verliefd op hem, dat ze er geen enkel punt in zag zichzelf volledig aan hem te geven.

Adele was nooit van plan geweest haar maagdelijkheid te bewaren tot het huwelijk, maar de eerste keer dat ze met iemand naar bed zou gaan, moest het wel met een speciaal iemand zijn. Ze vond dat Zach dat zou zijn, maar vlak na de allereerste keer liet hij haar als een baksteen vallen. Hij dumpte haar en ging weer terug naar Devon. Adele was zo ontroostbaar geweest dat ze de universiteit midden in het semester had verlaten, en honderden kilometers verderop in Boise, Idaho, bij haar grootmoeder introk. Een paar maanden later kreeg ze per post een uitnodiging. Het was Cecilia Blackwort Hamilton Taylor-Marks en Charla May en James Zemaitis een eer Adele uit te nodigen voor het huwelijk van Devon Lynn Hamilton en Zachary James Zemaitis. Er had geen afzender op de envelop gestaan, maar Adele wist precies wie hem had verzonden.

Adele wist dat Zach met Devon zou trouwen, maar voor Devon was het kennelijk niet voldoende om Zach te hebben. Ze wilde het Adele ook nog even flink inpeperen.

Ze had nooit iemand verteld over haar korte relatie met Zach. Haar vriendinnen niet en ook haar zus niet. Nu ze erop terugkeek vroeg ze zich af hoe ze zo dom had kunnen zijn. Niet alleen had ze haar hart zo gemakkelijk weggegeven, ze had het ook nog eens verpand aan een footballspeler.

Het laatste wat ze over hem hoorde was dat Zach professional werd en in Denver ging spelen, maar ze bleef niet op de hoogte van zijn sportieve carrière. Af en toe hoorde ze zijn naam vallen tijdens het sportnieuws in het journaal of zag ze zijn gezicht in een tv-reclame voor een sportdrankje of sportkleding of toques. Oké, dat van die toques was niet waar.

Ze wist niet of hij nog steeds bij Denver speelde. Ze wist niet waar hij uithing of wat hij deed en het kon haar ook niets schelen. Hopelijk was hij nog steeds getrouwd met Devon en maakte zij hem het leven zuur.

Adele leunde zuchtend achterover in de kussens. Ze werd een beetje bitter. Over haar bestaan in het algemeen en over mannen in het bijzonder, en zo wilde ze helemaal niet zijn. Ze hield van haar bestaan en ze was dol op mannen, ondanks het feit dat het de laatste tijd niet zo wilde klikken en haar eerste liefde haar zo had laten vallen.

Toch?

Ze ging rechtop zitten en staarde in de verte. Hadden al die mislukte dates misschien te maken met boosheid en wrok die ze niet liet zien? Adele schudde haar hoofd. Nee, ze had geen verborgen boosheid of wrok. Tenminste, niet dat ze wist, maar... als dat verborgen was, hoe kon ze dat dan weten?

'O, jezus,' kreunde ze. Ze was écht gek.

De telefoon ging en maakte een einde aan haar gepieker. Ze stond op en liep naar de keuken om daar haar draadloze toestel op te pakken. Ze zag het nummer en zuchtte diep. Kennelijk had ze voor vanavond nog niet genoeg kwellingen meegemaakt. Ze had echt geen puf om haar oudere zus Sherilyn te spreken. Sherilyn de verantwoordelijke. Met haar leven dat op rolletjes liep. Met haar gelukkige huwelijk met een tandarts en haar heerlijke tienerdochter in Fort Worth. De perfecte zus die over vier maanden al weer een perfecte baby zou baren. Haar zus die niét vervloekt was of gek.

Heel even aarzelde ze, maar uiteindelijk nam ze toch maar op. Het was misschien belangrijk.

'Hoi, Sheri. Alles goed?'

'William is weg.'

Adele trok verbaasd haar wenkbrauwen op. 'Waar naartoe?'

'Ingetrokken bij zijn assistente van eenentwintig.'

'Nee.' Adele trok met haar voet een keukenstoel dichterbij en ging zitten. Ze was nooit dol geweest op William, maar dat hij zó diep zou zinken; zijn zwangere echtgenote laten zitten!

'Ja. Ze heet Stormy Winter.'

Bij nader inzien bedacht Adele dat ze wel verstandiger vragen had kunnen stellen, maar ze vroeg: 'Is ze soms paaldanseres?'

'Hij zegt van niet.'

Dan had zij het hem ook gevraagd. 'En hoe is het met Kendra?' vroeg Adele. Dat was haar nichtje van dertien.

'Boos. Op mij. Op William. Op de wereld. Ze vindt het vreselijk dat ik zwanger ben en dat haar vader nu samenwoont met iemand die maar acht jaar ouder is dan zij.'

Jeetje, het leventje van Sherilyn was een puinhoop vergeleken met dat van haar. Dat mocht in de krant.

'Mijn leven is één grote puinhoop.' Sherilyn begon te huilen. 'Ik snap niet hoe het zo gekomen is. De ene dag lijkt alles nog perfect en de volgende dag is William verdwenen.'

Adele vermoedde dat er vast signalen waren geweest die Sherilyn niet had willen waarnemen. 'Kan ik iets voor je doen?' vroeg ze, maar ja, ze kon natuurlijk alleen maar een luisterend oor bieden.

'Ik ga terug naar Cedar Creek. Kom met me mee naar huis.'

Adele wás al thuis.

'Ik heb je nodig, Dele.'

Adele was sinds de begrafenis van haar vader, zeven jaar geleden, niet meer in Cedar Creek geweest.

Sherilyns huilbui begon nu echt door te zetten en het duurde even voor ze weer kon spreken: 'Ik heb mijn familie nodig in deze crisistijd.' Het klonk echter alsof de crisis al voorbij was en Sherilyn er nog zwaar overspannen van was. 'Alsjeblieft. Ik wil naar huis. Ik kan het hier niet aan zonder William. Al onze vrienden weten het al en ze hebben zo'n medelijden met me. Mijn hele wereld stort in.'

Sherilyn was een van de meest capabele vrouwen die Adele kende, en ze kende er een heleboel. Dat was een van de vele redenen waarom zij en Sherilyn het nooit langer dan vijf minuten met elkaar konden uithouden. 'O, Sheri...' Maar nu waren de rollen omgedraaid en had Sherilyn haar nodig, omdat Adele het enige familielid was dat ze nog overhad. Alleen... Adeles leven speelde zich hier af, in Boise. Ze had een huis gekocht en was plannen aan het maken om haar kantoor te schilderen. Ook dacht ze erover een mopshondje te nemen.

'Al is het maar voor een poosje. Tot Kendra en ik gesetteld zijn in ons nieuwe huis.'

Ze had hier een prima bestaan en vrienden. Fijne vriendinnen... die net waren getrouwd of binnenkort gingen trouwen en van wie het leven inmiddels zo anders was dan het hare. Bovendien rustte er hoogstwaarschijnlijk een vloek op haar en was de kans groot dat ze gek was. Misschien was het wel goed om even weg te gaan. Even iets anders te doen.

Een paar weken maar. 'Wanneer zal ik komen?'

Hoofdstuk 2

Texanen houden van God, familie en football, maar niet per se in die volgorde. Dat is afhankelijk van het jaargetijde en de nieuwste vrouw van je broer.

De schat.

De zondag behoorde toe aan de Here en hij regeerde met strakke hand over de Bible Belt. Door zijn Woord werden de gelovigen aangespoord tot religieus fanatisme en preken over zonde en verlossing en kreeg alles een zekere geestelijke energie.

Amen!

God mocht de zondagen houden. Maar op vrijdag werd op de middelbare scholen football gespeeld. Op alle scholen in de uitgestrekte cowboystaat was football het belangrijkste en daardoor werden de gelovigen aangespoord tot sportief fanatisme en kreeg alles de energie van duizenden waanzinnige fans.

Halleluja!

Terwijl de zon onderging achter vlaktes rond Cedar Creek, floepten in het Warren P. Bradshaw stadion alle vijftienhonderd-wattlampen een voor een aan. Bewapend met sjaaltjes, kleurige pompoms en warme dekens kwam de helft van de bevolking van Cedar Creek opdraven om de Cedar Creek Cougars te zien strijden tegen hun grootste rivalen: de Lincoln Panthers, afkomstig uit het dichtstbijzijnde stadje. Omdat er kans was in het staatsteam te komen, was de spanning om te snijden.

Vanaf het moment van de kickoff ontbrandde er een hevige

strijd en de fans schreeuwden om het hardst, terwijl de coach van de Panthers tegen de scheidsrechters schreeuwde en zijn clipboard op de grond smeet. De coach van de Cougars bleef daarentegen zo koel als een glas ijsthee langs de zijlijn staan. Alleen zijn intense blik verried de innerlijke spanning van coach Zach Zemaitis, terwijl hij probeerde de strategie van de defensie van de tegenpartij te doorgronden, zijn eigen jongens aanwijzingen te geven en hun opstellingen te wijzigen. Hij leefde voor football. Hij had het zelf van jongs af aan gespeeld, maar dat was geen excuus om je zo aan te stellen dat je het risico liep op een aneurysma. Omdat hij in de buurt van Austin was opgegroeid, wist hij dat je met het coachen van een schoolteam een hartkwaal kon oplopen. Evenzeer wist hij dat de toekomst van die jongens afhing van de score van vandaag, maar hij wist tegelijkertijd dat het maar een spelletje was en dat het leuk moest blijven. Dit was misschien wel hun laatste kans om het spel in zijn puurste vorm te beleven, voordat allerlei scouts van universiteiten hen het hoofd op hol zouden brengen met aandacht, geld en sportbeurzen.

De beide teams bleven op elkaar inbeuken tot de laatste momenten van de wedstrijd, toen de Cougars een touchdown scoorden die het team één punt dichter bij een gelijkspel bracht. Met nog drie seconden te gaan stelden ze zich op bij de twee-yard lijn van hun tegenstanders. De center wierp de bal en de quarterback gooide hem op zijn beurt naar zijn running back, die achter de tweepuntslijn dook. Eén helft van het stadion barstte uit zijn voegen toen de vereiste twee punten zichtbaar werden op het scorebord. Maar helaas was het eindspel dat de Cougars de overwinning had gegeven, funest voor hun sterspeler en hij werd afgevoerd naar het West Central Baptist Hospital.

Daar gaf het tl-licht de EHBO-afdeling een steriele uitstraling, ondanks de beige met bruine gordijnen die de verschillende ruimtes afscheidden, waarachter patiënten met verschillende aandoeningen, trauma's en overdoses werden behandeld.

Zach Zemaitis stond gespannen met zijn handen in de zij te kijken naar de jongeman op de brancard voor hem. De pijn was van het smalle, donkere gezicht van Don Tate af te lezen.

Zach draaide zich om naar de arts naast hem. 'Hoe lang?' vroeg hij, ook al wist hij het antwoord wel zo'n beetje; daarvoor had hij zelf lang genoeg gespeeld.

'Na de operatie zeker twee maanden,' antwoordde de dokter.

Dat had hij al gedacht. 'Shit.' Ook al was hij nog jong, Don was de snelste running back die Cedar Creek High School ooit had gekend, misschien wel de snelste van de hele staat Texas. Zijn score was ontzettend hoog. Scouts uit Nebraska, Ohio én Texas hadden opnames gezien van Dons spel en waren onder de indruk van de zeventienjarige. Met behulp van het football zou Don West-Texas achter zich kunnen laten, en nu dit. Een knieblessure die hem al aan het begin van zijn carrière buiten de lijnen zou houden. Shit.

Don likte over zijn droge lippen en keek angstig. Een zeer herkenbare angst voor Zach. 'Coach, het is onmogelijk dat ik twee maanden niet meespeel.'

'Het komt allemaal in orde,' beloofde Zach hem, ook al was hij daar helemaal niet zeker van. Don had twee banden gescheurd in zijn linkerknie en sommige kerels met eenzelfde blessure waren daarna nooit meer helemaal de oude geworden.

Zach liet zijn handen zakken en deed hem nog een belofte die hij misschien helemaal niet waar kon maken, maar waarvoor hij alles op alles zou zetten. 'Niemand zal jouw plaats innemen in het team.'

'Ik moet in het All-State team komen.'

'Dat lukt je ook. Volgend jaar. Verdorie, Gerry Palteer kreeg een kapotte knie in de wedstrijd tegen de Gophers in 1989 en zat het jaar daarop in het All-State. En hij was lang zo snel niet als jij.' Zach keek van Don naar diens moeder, die aan de andere kant van het bed stond. Om de schouder van Rose Tate hing een geelgroene tas in de vorm van een football, met het woord 'Cougars' in het nepleer gestikt. De tassen waren de afgelopen zomer door het promotieteam verkocht om nieuwe helmen te kunnen kopen. 'Hoeveel gaat deze operatie kosten?' Rose staarde met een bezorgde blik naar de papieren in haar hand. 'Niet dat het uitmaakt. Als Don onder het mes moet, dan moet het gebeuren, maar sinds Gorman dicht is zijn we niet meer verzekerd.'

Veel families waren hun banen kwijtgeraakt toen het softwarebedrijf vorig jaar de deuren had moeten sluiten.

'Maakt u zich daar geen zorgen om, mevrouw.' Zach stak een hand uit. 'Ik vul die verklaring wel in. De verzekering van de school regelt de medische kosten van Don.' Rose overhandigde hem de papieren en hij schoof ze onder zijn arm. 'Zorgt u nou maar goed voor uw zoon, dan ga ik deze formulieren invullen.' Hij wendde zich weer tot de speler. Over een paar uur zou Don naar de kliniek in Lubbock worden overgebracht. 'Ik zie je straks weer.' Hij liep naar het voeteneind. Vlak voordat hij door de opening van het gordijn naar buiten ging, keek hij nog even achterom en zei: 'Ik weet dat je snel weer wilt beginnen, maar geef je lichaam de tijd om te helen, doe niets overhaasts.' Daarna liep hij de gang in en ging op weg naar de balie om de papieren in te vullen.

'Goeie wedstrijd, coach Z,' zei een van de verpleegkundigen die achter de balie bezig waren.

Zach keek op in een paar lichtblauwe ogen met een boel kraaienpootjes aan weerszijden en het opgestoken dunne, blonde haar. 'Dank je, schat. Aardig van je.' Het was geen mooie wedstrijd geweest, maar ze hadden wel gewonnen.

'In 2002 speelde mijn kleinzoon voor de Cougars. In de verdediging.'

Zach woonde dat jaar nog niet in Cedar Creek. Toen speelde hij nog in Denver en zag zijn leven er heel anders uit. Nu, zes jaar later, leidde hij een leven dat hij nooit voor zichzelf gepland zou hebben.

'Ik begrijp dat Don Tate naar het orthopedisch centrum in Lubbock gaat?'

'Dat klopt.' Zach keek aandachtig naar de verzekeringsformulieren. Met een bevolking van nog geen vijftigduizend zielen, had Cedar Creek niet de nodige medische voorzieningen.

'En hoe moet dat nou met het offensieve spel?'

Zach glimlachte maar was niet verrast door de vraag van de oudere vrouw. 'Dit houdt in dat Tyler Smith een kans mag wagen in deze divisie,' antwoordde hij, doelend op de running back die nu nog een divisie lager speelde.

Hij zette zijn handtekening en overhandigde de formulieren aan de arts, die net aan kwam lopen.

De dokter las ze aandachtig door. 'Ik zie dat de school niet verzekerd is?'

'Niet genoeg om alles te dekken, maar dat hoeft mevrouw Tate niet te weten.' Hij gaf de dokter een hand. 'Bedankt voor de goede zorgen voor Don.'

De zwarte zolen van zijn Puma's lieten hier en daar een zwarte veeg achter toen hij de EHBO uit liep. De elektrische deuren zoefden open en dicht en het schelle kunstlicht maakte plaats voor het typisch Texaanse avondlicht, waarbij miljoenen sterren fonkelden aan een inktzwart firmament. Hij ritste zijn groene jack dicht, waarop met gouddraad 'Cedar Creek Cougars' geborduurd stond. Er stonden nog maar weinig auto's op de parkeerplaats, vergeleken met een paar uur geleden. Hij pakte de mobiele telefoon die aan zijn riem hing en zette hem aan terwijl hij over het verlaten parkeerterrein naar zijn zilverkleurige Escalade liep. Dat hij in zo'n benzineslurper reed had niets te maken met een voorkeur voor SUV's, maar alles met ruimte. Vanwege zijn lengte en gewicht hield Zach van een beetje ruimte. Hij had een Porsche gehad, maar die na drie weken weer ingeleverd. Daarin rondrijden gaf hem het gevoel een ingeblikt sardientje te zijn.

Zijn mobiele telefoon piepte en het scherm lichtte op. Hij scrolde door de lijst met gemiste oproepen en keek naar de laatste oproep. Hij belde het nummer en na een paar tellen nam zijn dertienjarige dochter op.

'Waar ben je?' vroeg ze.

Als hij te laat was, werd Tiffany altijd ongerust. 'Precies waar ik je gezegd heb dat ik zou zijn.' Niet zo vreemd, aangezien haar moeder Devon drie jaar geleden was overleden. Ze maakte zich vreselijk zorgen als ze hem niet kon bereiken. 'Wat kan ik voor je doen?'

'We hebben geen cola meer. Kun je die meenemen?'

Zach tuurde op de zilveren Rolex die hij had gekregen op de dag dat hij ophield met NFL-football. 'Tiff, het is twaalf uur geweest.'

'We hebben dorst.'

Tiffany had een vriendinnetje gevraagd te komen logeren. Normaal gesproken was hij op dit tijdstip allang thuis geweest, maar hij was na de wedstrijd meteen doorgereden naar het ziekenhuis.

'En we hebben ook chips nodig,' voegde ze eraan toe.

Hij stak zijn handen in zijn zak en zocht naar zijn autosleutels. 'Ik kijk wel even bij de E-Z Mart onderweg.' Hij verwende zijn dochter. Dat wist hij, maar het kwam door zijn schuldgevoel. De eerste tien jaren van Tiffany's leven was hij nogal afwezig geweest. Nu was hij zowel haar vader als haar moeder en hij wist vrijwel zeker dat hij er een potje van maakte. 'Wat voor chips?'

'Barbecue.'

Hij tuurde over de motorkap van zijn eigen auto naar de bruine Toyota die er met de neus tegenaan stond geparkeerd en zijn blik ging als vanzelf naar de lange benen en pronte bilpartij van een vrouw die achter het open autoportier stond. Met één hand hield ze het portier open terwijl ze sprak tegen iemand in de auto. Ze droeg een spijkerbroek en een witte trui en ze stond onder een lantaarnpaal, zodat het schijnsel daarvan op haar weelderige bos krullen viel.

'Pap?'

De lange krullen deden Zach denken aan een meisje dat hij ooit gekend had. Een meisje met grote turkooizen ogen en zachte, roze lippen. Een meisje wier zachte kreunen hem, als hij haar vlak onder haar oren kuste, helemaal wild maakten.

'Pappie?'

Een mondhoek van Zach krulde op in een glimlach. Hij had al heel lang niet aan dat meisje gedacht.

'Pappie, ben je er nog?'

Hij rukte zijn blik los van de vrouw en keek naar de sleutels in zijn handen. 'Ik ben er nog. Wat hebben jullie nog meer nodig?'

'Niets, maar schiet je op?'

'Ik ben al onderweg, meisje.' Hij startte zijn SUV en keek voor een laatste maal naar de vrouw. Ze boog zich net voorover om iemand te helpen uitstappen en haar trui schoof omhoog, terwijl een haarlok net voor haar ogen viel. Zach deed zijn autolampen aan en reed het parkeerterrein af. Terwijl hij naar de E-Z Mart reed, moest hij weer aan de wedstrijd tegen de Panthers denken en hij ging in gedachten weer de hele wedstrijd na. Nu Don de rest van het wedstrijdseizoen was uitgeschakeld, zou het team meer moeten gaan profiteren van hun passes, maar dat leverde ook weer problemen op. Het grootste daarvan was dat de quarterback, Sean McGuire, moest leren sneller te passen tegen de stroom in. Sean was korter dan de meeste quarterbacks en hij had ook nog de neiging de bal een paar seconden vast te houden voordat hij vertrok. Zijn gebrek aan lengte kon gecompenseerd worden met krachttraining en Zach twijfelde er geen moment aan dat de jongen daar hard aan zou werken. Wat hij tekortkwam in lichaamslengte, maakte hij goed met zelfdiscipline, competitiedrang en natuurlijk overwicht. Dat waren aangeboren eigenschappen. Zach kende genoeg footballspelers die talent genoeg hadden, maar geen discipline. Met hun talent kwamen ze dan binnen bij de NFL, maar daar bleven ze niet lang, omdat de roem en de overdaad hun ondergang werden.

Zach stopte voor rood en draaide zijn raam omlaag. Terwijl het glas geruisloos omlaag gleed, waaide er een koude avondlucht naar binnen die de geuren van de herfst meevoerde; de aarde die afkoelde, bladeren die afstierven en de Concho-rivier. Als iemand hem drie jaar geleden zou hebben gezegd dat hij nu in Cedar Creek, Texas, zou wonen en het footballteam van een middelbare school zou coachen en dat nog leuk zou vinden ook, dan zou hij zich helemaal suf hebben gelachen en gezegd hebben dat diegene volkomen gestoord was.

Het licht sprong weer op groen en via het kruispunt reed hij naar het parkeerterrein van de supermarkt. Daar kocht hij zes blikjes cola, een zak barbecuechips en een doos cornflakes, omdat hij wist dat die op waren. Toen zijn vrouw nog leefde, had zij Tiffany zeven dagen per week, vierentwintig uur per dag laten snacken. Nou was Zach zelf ook niet vies van een lekkere burger op zijn tijd, maar hij probeerde hun slechte eetgewoonten te beperken tot het weekend. Voor Tiffany omdat zij voedzame dingen nodig had omdat ze nog in de groei was, en voor hemzelf omdat hij niet meer in de groei was.

'Goeie wedstrijd, coach Z,' zei de jongen achter de kassa terwijl hij de spullen in een tasje deed.

'Dank je.' Zach overhandigde een biljet van twintig dollar aan de jongen, die eyeliner droeg en op zijn hoofd een enorme hanenkam had, iets wat je zelden zag in dit deel van Texas.

'Mijn tweelingbroer speelde een paar jaar geleden voor de Cougars. Nu speelt hij voor Ohio.'

'En jij speelde niet?'

'Nee.' Hij gaf het wisselgeld terug aan Zach. 'Ik studeer aan de kunstacademie in Portland, Oregon.'

Zach grinnikte. Dat verklaarde het exotische kapsel.

'Ik ga volgend semester weer terug.'

'Succes, daar in Oregon,' zei Zach en hij stak het wisselgeld in zijn broekzak. Hij pakte zijn tas met boodschappen en liep naar buiten. Terwijl hij in de auto stapte, dacht hij terug aan wat hij deed in die tijd.

Hij woonde toen zelf in Denver, terwijl zijn vrouw en dochter in Cedar Creek bleven. Hij kwam bij ze langs en zij bij hem, maar eigenlijk leefden ze langs elkaar heen. De laatste zeven jaar van zijn tienjarig huwelijk woonden ze allebei in een andere staat. Dat hadden hij en Devon het prettigst gevonden.

In zijn laatste jaar aan de Universiteit van Texas waren zijn passes beroemd in het hele land en bij de eerste ronde transfers werd hij aangekocht door Miami. De zomer na het behalen van zijn bul was hij afgereisd met de Miami Dolphins voor een trainingskamp, terwijl Devon in Austin was achtergebleven om van Tiffany te bevallen. Toen het meisje was geboren, kwamen ze hem achterna naar Florida.

De eerste drie jaar in Florida waren ze gelukkig. Devon vond het er heerlijk en hij had gedacht dat zij van hem hield. Maar na drie jaar spelen bij de Dolphins werd Zach verkocht aan de Denver Bronco's. Hij vond het fijn onder het juk van trainer Dan Marino uit te komen, maar Devon vond het vreselijk in Denver. Al na een halfjaar was ze met Tiffany vertrokken naar het Texaanse stadje waar ze was opgegroeid. Waar iemand met een beetje status meteen opviel. Ook kwam hij erachter dat ze meer hield van het feit dat ze zijn vrouw was dan dat ze van Zach Zemaitis zelf hield.

Dus leidden ze zeven jaar lang een gescheiden bestaan. Zij in Texas. Hij in Denver. Hij had het erg naar zijn zin bij de Bronco's en dacht er nog zeker vijf jaar te blijven voordat hij eruit zou stappen, maar dat veranderde allemaal die bewuste achttiende november, tijdens de wedstrijd tegen Kansas City. Veel wist hij niet meer van die dag, behalve dat hij wakker werd in het ziekenhuis en te horen kreeg dat zijn carrière voorbij was.

In de tien jaar dat hij in de NFL had gespeeld, had hij acht keer een hersenschudding opgelopen. En dat waren alleen nog maar de keren dat ze ernstig genoeg waren om er melding van te maken. Na een hele serie scans en onderzoeken werd hem verteld dat een volgende hersenschudding hem fataal kon zijn. Zo werd hij gedwongen zich terug te trekken op het hoogtepunt van zijn carrière. Op zijn tweeëndertigste.

Het had hem in een diepe depressie kunnen storten, als hij niet een baantje aangeboden had gekregen bij een sportzender op televisie. Aan de universiteit was hij afgestudeerd in de communicatiewetenschap en hij zat midden in de onderhandelingen met de sportzender, toen zijn vrouw overleed en zijn leven een totaal andere wending nam.

Zach minderde vaart en sloeg rechts af, langs de rivier. Eigenlijk had hij destijds Tiffany willen ophalen en meenemen naar zijn eigen huis, maar op de dag van Devons begrafenis besefte hij dat hij haar niet kon weghalen uit haar eigen omgeving, van haar vriendinnen en uit haar huis. Bij elke traan die zijn dochter plengde in zijn jasje was hij zélf veranderd. Als een kompas dat altijd het noorden zocht, had zijn leven een heel andere richting gekregen.

Voor Devons dood kon hij zichzelf nog wijsmaken dat Tiffany beter af was bij haar moeder in Texas. Want het was algemeen bekend dat als Devon ongelukkig was, iedereen in haar omgeving ongelukkig was, en Devon leek alleen gelukkig als ze in Cedar Creek was. Maar toen hij daar in de kerk zat, zag hij in dat het allemaal leugens waren en voor het eerst in heel lange tijd liet hij de belangen en wensen van zijn kind vooropstaan.

Zach reed naar het hek van de afgesloten buurt en drukte de code in op de afstandsbediening op zijn zonneklep. Overdag was het hek open, zodat mensen gemakkelijk naar hun werk konden rijden en bezoekers naar binnen konden, maar elke avond om acht uur ging het op slot. Het hek ging voor hem open en sloot weer achter hem. Hij reed langs het paviljoen van de Cattail Creek Golf Club en de driving range. Links lichtte een villa in mediterrane stijl onwerkelijk op in de donkere Texaanse nacht. Na het paviljoen sloeg hij rechts af, waarna hij langs een modern huis reed dat eruitzag als drie op elkaar gestapelde blokkendozen, daarna volgde een victoriaans huis met allemaal torentjes en tot slot de lange oprit van het enorme huis in Toscaanse stijl. De garagedeur ging automatisch open toen hij langs de zuilengalerij reed en hij parkeerde zijn auto naast de acht meter lange boot.

Devon had het huis laten bouwen toen ze voorgoed terugkeerde naar Cedar Creek, en hoewel het een schitterend huis was, was het totaal Zachs stijl niet. Hij hield van grote ruimtes, maar dit pand, met een oppervlakte van vijfentwintighonderd vierkante meter, compleet met gastenverblijf en dienstbodekamers aan de overkant van het zwembad, was overdreven. Te groot voor drie mensen, van wie er eentje maar af en toe verbleef.

Tijdens de bouw had hij Devon herhaaldelijk gevraagd waarom ze juist een Toscaanse villa wilde, midden in het hart van Texas. Ze keek hem aan en zei bloedserieus: 'Om precies dezelfde reden waarom ik in een Mercedes rij en een vijf karaats diamanten ring draag. Omdat ik het me kan veroorloven.' Waarmee wijlen zijn vrouw zichzelf goed had omschreven en het tegelijkertijd meteen duidelijk werd waarom ze uit elkaar waren gegroeid. Ook al pikten mensen het vaak als je je arrogant gedroeg, dat wilde nog niet zeggen dat het oké was. Dat was iets wat hij geleerd had, maar Devon niet.

Zach pakte de tas van de EZ-Mart van de passagiersstoel en liep naar de zijdeur. Al in de bijkeuken hoorde hij de dreun van slechte hiphopmuziek via het stereosysteem dat in het huis was ingebouwd. Hij liep naar de controlekamer, van waaruit alles in het hele huis bestuurd werd, en schakelde de geluidsinstallatie uit. Nu hij al drie jaar in het huis woonde, had hij zo'n beetje in de gaten hoe alle knopjes, schakelaars en gadgets werkten.

'Tiffany!' riep hij terwijl hij naar de keuken liep en de boodschappen op het roze marmeren aanrechtblad zette. Hij hoorde haar voetstappen al op de trap. Daar was ze, met haar lange blonde haar in een paardenstaart, in een blauw T-shirt en een katoenen broek. Tiffany's armen en benen waren lang en dun en haar grote mond en groene ogen leken nog te groot voor haar. Maar je kon nu al zien dat ze net zo'n schoonheid zou worden als haar moeder.

Een meisje met donkerbruin haar en knalblauwe ogen volgde in Tiffany's kielzog.

'Heb je de cola?' vroeg zijn dochter terwijl ze in de tas graaide.

Een antwoord was overbodig; Tiffany had het sixpack gevonden en liep ermee naar de koelkast. 'Liefje, je moet je vriendinnetje nog even voorstellen.'

'O ja.' Tiffany maakte twee blikjes los en zette de rest in de koelkast. 'Kendra, dit is mijn vader.' Ze liep naar het andere meisje en overhandigde haar een gekoeld blikje. 'Pappie, dit is Kendra. Ze is nieuw op school.'

'Leuk je te ontmoeten, Kendra,' zei hij en hij deed een kastdeur open om de doos cornflakes op te ruimen. 'Waar kom je vandaan?'

'Fort Worth.'

'Ben je een fan van de Cowboys?'

'Nee, meneer, ik kijk geen football.' Ze klikte haar blikje open en nam een slok. 'Met mijn vader ging ik wel eens mee naar mijn grootmoeder in South Carolina, en daar gingen we wel eens naar Darlington kijken.'

'Aha, dus jij houdt van NASCAR.'

Ze haalde haar schouders op. 'Het was best saai.'

'Kun je je voorstellen dat ze niet van football houdt?' vroeg Tiffany, terwijl ze een zak chips pakte. 'Ik ken helemaal niemand die niet van football houdt.'

'Ik speelde Europees voetbal op school.' Kendra keek Zach aan. 'Dat lijkt er wel een beetje op.'

Tiffany proestte luidruchtig en Zach schoot ook in de lach. 'Dat moet je hier niet te hard roepen,' zei hij en hij bracht het gesprek op een ander onderwerp om haar te behoeden voor een volgende blunder. 'En waarom ben je in Cedar Creek komen wonen?'

'Mijn moeder woonde hier vroeger. Zij en mijn vader gaan scheiden, dus komen we hier een tijdje wonen.'

Kendra liet het daarbij en Zach drong niet aan.

'Kom mee.' Tiffany opende de zak chips en trok haar vriendin mee. 'Laten we een film gaan kijken.'

'Ik ga naar bed, dus hou het rustig. En ga alsjeblieft niet te laat slapen.' Zach sprak de woorden tegen de ruggen van de meisjes, die de trap af liepen naar wat zijn vrouw het 'theater' noemde, maar wat in werkelijkheid een ruime zitkamer was met een enorme hd-televisie.

Zach liet het licht in de keuken branden, maar deed alle andere lichten uit terwijl hij naar zijn eigen kamer liep. In de woonkamer waren de banken, stoelen en tafels allemaal aan de kant geschoven. Kennelijk had Tiffany haar danskunsten geoefend, wat meteen ook de harde muziek verklaarde toen hij thuiskwam. Ondanks haar moeder was Tiffany geen cheerleader. Zij had haar draai gevonden in de dansclub op haar school. Ze had het gevoel voor timing en balans van haar beide ouders geërfd, maar haar competitiedrang had ze duidelijk van hem. Mensen hadden Devon vaak ambitieus gevonden, maar het was eigenlijk eerder territoriaal.

Hij liep de gang door, langs de voordeur, en kwam in de gang waaraan zijn slaapkamer lag. Er waren zowel voor hem als voor haar grote inloopkasten, maar Zach gaf niet zoveel om kleding. Hij had een paar nette pakken, maar hij hield meer van vrijetijdskleding, waardoor zijn kast nagenoeg leeg was. Tot een jaar geleden, toen hij Tiffany eindelijk zover had dat ze de kleding van haar moeder weg kon doen, had zijn kast ook grotendeels vol gehangen met Devons kleren.

De zolen van Zachs schoenen zonken diep in het dikke vloerkleed terwijl hij naar de ladekast tegenover zijn bed liep. Het bed stond tussen twee grote ramen, waarvoor blauwgroen gestreepte gordijnen hingen. Toen hij had besloten hier te komen wonen, had hij de spullen uit zijn appartement in Denver laten overkomen en Devons romantische meubelen en pasteltinten vervangen door meer mannelijke kleuren. Deze slaapkamer was de enige ruimte die zijn eigen smaak weergaf en het was bovendien de enige ruimte in het huis die hij kon betreden zonder geconfronteerd te worden met portretten van zijn overleden vrouw.

Zach kleedde zich uit, op zijn boxer na, bedacht dat Tiffany een logeetje had en trok een grijze joggingbroek aan. Zijn dochter was er nog niet aan toe om Devons portretten weg te doen en hoewel het voor hem bevreemdend was om door het huis te lopen en voortdurend door Devons groene ogen te worden gevolgd, leken de portretten Tiffany juist op haar gemak te stellen.

Zach legde zijn horloge op de ladekast. In de tien jaar dat hij professioneel football had gespeeld, had hij zo'n vierduizend passes gegeven en zo'n duizend kilometer gesprint. Hij had drie pro-bowl competitierondes meegemaakt, een Super Bowl gewonnen, en was tot MVP benoemd. Hij was twee jaar na elkaar speler van het jaar geweest en... hij had meer geld verdiend dan hij in twee levens zou kunnen uitgeven en zijn vermogen groeide met de dag vanwege zijn investeringen. Hij had bedrijfjes in merchandisingartikelen en hij coachte het schoolteam voor vijfentwintigduizend dollar per jaar.

Zach liep naar het raam dat uitkeek over de tuin, over het zwembad met het uitschuifbare plexiglas koepeldak en het terrein om het huis dat hier en daar verlicht werd. Hij had werkelijk niets te klagen. Hij had een geweldig leven... op de liefde na. Omdat hij een tienerdochter had was het heel moeilijk, om niet te zeggen onmogelijk, er een soort van liefdesleven op na te houden. Van alle dingen die hij miste van het leven dat hij hiervoor had geleid, en dat waren er een heleboel, miste hij de seks het meest.

Hij legde een hand tegen het koele glas en dacht aan de vrouw die hij had gezien op de parkeerplaats van het ziekenhuis. Hij zag haar prachtige billen en mooie blonde krullen weer voor zich. Het deed hem denken aan het meisje dat hij had leren kennen in zijn laatste jaar aan de universiteit en dat hem gek kon maken met die grote blauwe ogen.

Hij had al in geen tijden aan Adele Harris gedacht, maar nu, al die jaren later, was haar herinnering weer zeer aanwezig. Zelfs na alle klappen op zijn kop, die hem af en toe dingen deden vergeten, kostte het hem geen moeite die wilde bos krullen te herinneren en haar prachtige ogen. Even makkelijk kon hij zich voorstellen hoe het voelde om haar aan te raken en hoe haar handen op zijn lichaam voelden. En het was helemaal geen probleem om terug te denken aan de eerste keer dat ze gezoend hadden in haar kamertje en de dag dat hij zijn handen over haar hele lichaam had laten gaan. Ze hadden maar kort een relatie gehad, maar hij wist het nog goed. Dat kon misschien te maken hebben met het feit dat ze nog maagd was tot die avond dat ze hem toestond haar overal aan te raken.

Zach staarde naar het terras beneden en naar het gastenverblijf. Adele was echt heel anders geweest dan alle meisjes met wie hij wat had gehad en dat vond hij juist geweldig aan haar. Sterker nog, in die tijd had hij zelfs gedacht dat hij van haar gehouden had.

Nu was hij ouder en misschien ook wijzer, en hij wist eigenlijk niet meer wat nou precies de waarheid was.

Hoofdstuk 3

Het huis was immens groot, zelfs voor Texaanse begrippen. Aan de buitenkant was het gestuukt en het had rode dakpannen. Adele begreep dat het een Italiaanse villa moest voorstellen. Het huis had ontegenzeggelijk een mediterrane uitstraling want ze kreeg ineens onzettende zin in scampi. Maar het kon natuurlijk ook zijn dat ze honger had omdat ze de hele nacht in het ziekenhuis had doorgebracht.

Ze parkeerde de auto van haar zus vlak bij een heuse zuilengalerij en liep via de lommerrijke galerij naar de dubbele houten deuren met gietijzeren beslag. Ze drukte op de bel en sloeg haar armen over elkaar. Het was fris zo vroeg op de ochtend en ze was gisteravond zo haastig vertrokken dat ze geen jasje had aangetrokken.

Toen ze de afgesloten buurt was binnengereden, voelde ze zich meteen wat ongemakkelijk. Het rook er naar geld en het bijbehorende dure gedrag dat haar altijd ongemakkelijk maakte. Omdat zij er niet bij hoorde. Niet omdat ze niet goed genoeg was of een gebrek aan zelfvertrouwen had. Ze was tenslotte een succesvol auteur en verdiende een aardige boterham, maar nu ze terug was in Cedar Creek moest ze weer denken aan hoe ze opgroeide in deze stad. Aan volwassen worden tussen de wal en het schip; tussen mensen die alles hebben en mensen die helemaal niets hebben.

Zij ging destijds met de bus naar een school in een betere wijk en ze had er nooit echt bij gehoord. Omdat ze niet uit een rijke familie kwam, maar ook omdat ze zo'n dromer was. Ze had op de middelbare school maar een paar vrienden gehad, en ze was ze allemaal uit het oog verloren toen ze ging studeren.

Ze voelde zich veel meer op haar gemak bij haar vriendinnen in Boise, Idaho. Ze voelde zich daar enorm thuis, meer dan ooit het geval was geweest in deze plaats, waar ze haar jeugd had doorgebracht. Maar ja, toch was ze er weer, in het hart van Texas, ditmaal op de stoep van een gigantische villa, helemaal uit haar goeie doen en gekleed in een dun wit vestje vol koffievlekken.

Ze was nog geen week in Cedar Creek. Zeven uitputtende dagen lang had ze haar zus geholpen, tot die uiteindelijk gister-avond in het ziekenhuis moest worden opgenomen. Goddank had Adele daar nog even haar gezicht kunnen wassen en haar tanden kunnen poetsen, voordat ze Kendra kwam ophalen.

Een van de twee zware houten deuren zwaaide open en daar stond een meisje met lang blond haar. 'Ben jij Kendra's mama?' vroeg ze, met de typische, vlakke intonatie van een Texaanse.

'Ik ben haar tante.' Het meisje was heel dun en ze had iets wat haar bekend voorkwam, maar Adele kon er niet precies de vinger op leggen. Misschien was het wel niets; tenslotte was ze doodop en was haar brein niet superscherp.

'Ik ben Tiffany.' Ze gooide de deur open en ontblootte met een brede grijns haar beugelbekje. 'Kom binnen. We zijn bijna klaar met het ontbijt.'

Adele stapte een hal binnen met een terracotta tegelvloer en een gekleurd medaillon in het midden. Haar teenslippers klets-ten op de vloer terwijl ze Tiffany volgde naar de keuken. Daar was alles van marmer, graniet of roestvrij staal. De ochtendzon speelde door een glas-in-loodraam, waardoor grillige, kleurrijke lichtpatronen speelden op de vloer en op de inbouwapparatuur.

Midden in de lichte ruimte stond Kendra tegen een aanrecht geleund. Alleen haar blauwe ogen verrieden haar Harris-genen; verder leek ze op haar vader.

'Waar is mama?' vroeg Kendra en ze nam een hap van haar donut.

'Die heb ik gisteravond naar het ziekenhuis gebracht.'

Kendra ging rechtop staan en slikte. 'Wat is er aan de hand? Is ze daar nog? Is ze ziek?'

'Ze heeft zwangerschapsvergiftiging.'

'Wat is dat?'

Dat wist Adele ook niet precies. De dokters hadden het de hele tijd over een verhoogd eiwitniveau en een gevaarlijk hoge bloeddruk, maar Adele had niet goed begrepen hoe en wat. Alleen dat het ernstig was. Ze legde het zo goed mogelijk uit. 'Dat is iets wat in de placenta gebeurt en een hoge bloeddruk veroorzaakt.' Dacht ze. 'Het gaat goed, maar de dokters zeggen dat ze een tijdje in het ziekenhuis moet blijven.' Er was een kans dat Sherilyn de vier laatste maanden van haar zwangerschap in het ziekenhuis moest doorbrengen en dat zou betekenen dat Adele langer in Texas moest blijven dan ze van plan was. Heel wat langer.

'Gaat het goed met de baby?'

'Prima.' Tenminste, nu nog wel. 'Ga je spullen maar pakken, dan breng ik je naar haar toe.'

Kendra knikte en haar sluike donkere haar viel voor haar ogen. Met de donut nog in haar hand liep ze de keuken uit. Adele wilde dat ze haar nichtje wat beter kende, zodat ze beter had kunnen reageren, maar dat was niet het geval en daar voelde ze zich toch een tikje schuldig over. Adele had Kendra niet meer gezien sinds haar zevende verjaardag en in de tussenliggende zes jaar was ze behoorlijk gegroeid. Ze werd nu langzaam maar zeker groter en droeg sinds het begin van dit schooljaar zelfs af en toe make-up. Niet veel, maar het zou niet lang meer duren of ze zou een echte puber zijn.

'Komt u ook uit Fort Worth?' vroeg Tiffany.

Adele wendde zich tot het andere meisje. 'Nee, ik kom uit Idaho.'

Tiffany knikte en streek haar lange haar achter een oor. 'Ik ben wel eens in Des Moines geweest.'

Dat lag in Iowa, maar Adele deed geen moeite om Tiffany te verbeteren. Tenslotte dachten ook een heleboel volwassenen dat Idaho in de Midwest lag. 'Hebben jullie het leuk gehad, gisteravond?' vroeg ze, in een poging het gesprek gaande te houden. Ze had sinds haar eigen puberjaren geen omgang meer gehad met kinderen van die leeftijd en ze had eigenlijk geen idee wat je zei tegen iemand die tweeëntwintig jaar jonger was. Waar waren tieners tegenwoordig in geïnteresseerd?

'Kendra wil graag meedoen met het dansteam, en ik help haar met de dansjes. Er zijn twee meisjes geschorst omdat ze bij een feestje gesnapt zijn terwijl ze aan de tap hingen.'

Kennelijk hingen tieners vandaag de dag aan de tap. Adele had pas voor het eerst bier gedronken toen ze ging studeren.

'Kendra danste ook al op haar vroegere school, maar dat wist u vast al.'

Nee, dat wist ze niet. Adele luisterde maar half naar Tiffany, die doorkletste over het dansteam en hun kansen om dit jaar aan de landelijke competitie mee te doen. En hoe meer ze praatte, des te meer dacht Adele dat ze haar kende. Maar waarvan, dat kon Adele niet precies zeggen.

'Ik kan mijn dansschoenen niet vinden.' Kendra liep de keuken weer in, met haar trui aan en een rugzak over haar schouder. Haar ogen waren rood en het leek of ze gehuild had. Tiffany draaide zich meteen om en liep de keuken uit. 'Je hebt ze vast in de zitkamer laten liggen.'

Adele sloeg een arm om de schouders van haar nichtje en samen gingen ze Tiffany achterna. 'Het gaat prima met je moeder en de baby. Toen ik wegging vanochtend zat je moeder aan het ontbijt en kon ze de baby voelen schoppen.' Maar zelf had ze het niet gevoeld.

'Echt?'

'Echt waar. Ze moet alleen heel veel rusten en daarom ben ik hier.' Ze waren in een donkere zitkamer aangekomen en Adele gaf haar nichtje nog een bemoedigend kneepje in de schouder.

'Maak je maar geen zorgen.'

'Ik heb altijd al een broertje willen hebben,' zei Tiffany en ze knipte het licht aan. Elegante kroonluchters verlichtten een grote ruimte waar alle meubelen tegen de kant waren geschoven en alle vloerkleden waren opgerold, zodat er een ruime dansvloer was ontstaan. 'Maar ik ben helaas enig kind,' voegde ze eraan toe.

'Ik had wel een oudere broer willen hebben.' Adele liep de kamer in en keek om zich heen, op zoek naar Kendra's schoenen. Aan de andere kant van de woonkamer stond een enorme open haard met een marmeren schouw. In het bronskleurige steen waren pilasters en acanthusbladeren uitgehouwen en het geheel was, net als zoveel dingen in dit huis, eigenlijk te veel van het goede. 'Maar een klein broertje zou ook leu...' Ze bleef halverwege de zin doodstil staan, terwijl haar mond open zakte en alle lucht uit haar longen verdween. Boven de schouw hing, aangelicht met een speciale spot, een levensgroot portret van Devon Hamilton. Adele herkende onmiddellijk de koude blik in de groene ogen die op haar neerkeken en de arrogante glimlach die om haar lippen speelde.

Tiffany kwam naast haar staan en keek er ook naar. 'Dat is mijn mammie.'

Adele probeerde iets te zeggen, maar er kwam geen woord over haar lippen. Ze voelde ineens een knoop in haar maag en tintelingen verspreidden zich van haar hart naar haar gezicht. Ze deed een pas naar achteren, en toen nog een.

'Ze is een paar jaar geleden overleden.'

Adele bleef stilstaan. Schok nummer twee. Devon was dood? 'Wat vreselijk,' bracht ze met moeite uit.

'Was ze niet beeldschoon? Net een engel.'

'Hmm-hmm,' mompelde Adele.

'Nu zijn alleen pappie en ik nog over.'

Pappie. Tiffany en Kendra zaten bij elkaar in de klas, dat be-

tekende dat Tiffany ook dertien jaar was. Wat betekende dat...
Gadverdamme! Door de schok vanwege Devon was ze 'pappie'
helemaal vergeten. 'Kendra, we moeten gaan. Nu!'

De twee meisjes staarden haar aan en Kendra zei: 'Maar, mijn
schoenen.'

'Die zoeken we een andere keer wel.' Adele liep al naar de deur.
'Misschien heb ik ze beneden laten liggen.'

'Ik wacht wel in de auto,' riep Adele over haar schouder terwijl ze door de gang snelde en de voordeur opentrok. 'Dit is niet
waar,' fluisterde ze tegen zichzelf. Haar vingers waren koud en
ze schudde even met haar handen. Ze verdraaide haar enkel op
de hobbelige keitjes voor het huis, maar ondanks de pijn zette ze
er stevig de pas in. 'O, jezus, dit geloof je toch niet.' Onder de
zuilengalerij sloeg ze rechts af, op weg naar de auto van Sherilyn.
Vrouwen fantaseerden wel vaker over het feit dat ze hun ex te-
genkwamen en dan wraak namen. Ook Adele had daar wel over
gefantaseerd. En zeker over wraak op Zach Zemaitis, maar ze
had zichzelf daarbij altijd heel sexy aangekleed, niet zoals nu, in
een spijkerbroek en een dun vestje vol koffievlekken.

Ze haalde de autosleutels uit haar broekzak. Alsjeblieft, laat
Kendra opschieten. Ze keek op en liet prompt de sleutels vallen
toen schok nummer drie de oprit op kwam joggen.

Zach Zemaitis' blonde haar straalde in het zonlicht. Op zijn
neus stond een zonnebril en uit zijn oren staken de kenmerkende
witte draadjes van een iPod. Haar hart bonsde in haar keel toen
hij soepeltjes over de oneffen keitjes haar kant op kwam rennen.

In de schaduw van de galerij bleef Adele doodstil staan en
hield haar adem in. Hij keek strak voor zich uit en met een beetje
mazzel zou hij gewoon voorbijlopen zonder haar te zien. Maar
de laatste tijd had Adele niet zo verschrikkelijk veel geluk gehad,
en dus draaide hij, vlak voordat hij uit het zicht zou verdwijnen,
zijn hoofd en zag haar staan. Hij stopte abrupt en deed een paar
passen achteruit, met een frons op zijn voorhoofd. Een paar tellen stond hij haar zwijgend aan te kijken, met een blik die Adele

tot in haar tenen voelde. Hij ademde zwaar van de inspanning en heel langzaam tastte hij naar de iPod om hem uit te zetten. Daarna trok hij de witte koordjes uit zijn oren en schoof de donkere zonnebril omhoog. Vanwaar hij stond bestudeerde hij haar met twee bruine ogen die haar vroeger helemaal wee konden maken en haar knieën lieten knikken. Hij fronste dieper en hij kwam op haar af lopen. Met elke stap bonsde haar hart nog harder in haar keel en ze zocht met één hand steun op de motorkap achter zich, om te voorkomen dat ze zou vallen... flauwvallen... of in de auto springen en de deuren op slot zou doen.

Hij bewoog zich nog precies hetzelfde als jaren geleden. Heel relaxed, alsof hij zijn energie bewaarde voor iets wat belangrijker was. Zoals een bal ver het veld in passen, langs een stevige verdediger sprinten of zich uitleven in bed. De oksels van zijn blauwe sportshirt zagen donker van het zweet. Zijn grijze korte sportbroek hing laag op zijn heupen en kwam tot halverwege zijn krachtige dijen. Hij was langer dan in haar herinnering en zijn gezicht leek hoekiger. Toch was hij, ondanks zijn leeftijd, nog net zo'n lekker ding als vroeger. Sterker nog, ze vond hem er nog knapper uitzien. En terwijl ze zichzelf dwong stil te blijven staan en hem aan te kijken, in plaats van in de auto te springen en ervandoor te scheuren, hoopte ze met heel haar hart dat hij haar niet meer herkende.

'Adele?' Daar ging haar hoop in rook op.

'Hallo,' stamelde ze. 'Hoe gaat het met je, Zach?'

'Wat een verrassing.' Zijn stem klonk anders. Dieper. Veel mannelijker dan ze zich kon herinneren, maar het accent was nog op en top Texaans. 'Wat lang geleden.'

Wel veertien jaar.

Zijn blik ging van haar gezicht naar haar bos krullen. 'Je bent niks veranderd.'

Hij wel. Hij zag er beter uit. Meer als een man. 'Ik kom mijn nichtje Kendra ophalen.'

'O.' Hij keek haar weer aan en na een paar tellen die een eeuwigheid leken te duren, zei hij: 'Ik zal haar wel even halen.' Hij draaide zich om en liep naar de voordeur.

'Ze weet dat ik hier wacht.'

Hij draaide zich weer naar haar om en lichtvlekken die ontstonden door de zon die door de begroeiing scheen, vielen over zijn gezicht en accentueerden zijn ogen en zijn zinnelijke mond.

'Haar moeder ligt in het ziekenhuis, vandaar,' legde Adele uit. 'Ik heb haar gisteren gebracht.'

Over zijn rechterslaap liep een zweetdruppel. Hij hief zijn arm en veegde zijn gezicht af met een mouw. 'Was dat gisteravond?'

'Ja.'

Hij liet zijn arm zakken en liet zijn blik over haar met koffie besmeurde vestje gaan. 'Ik hoop niet dat het ernstig is.'

'Valt mee,' loog ze en ze kneep hard in haar handen om deze ervan te weerhouden de koffievlekken te bedekken. 'Ik hoorde dat Devon overleden is.'

Hij keek weer op. 'Ja. Ze is drie jaar geleden gestorven, na een aanrijding.'

'Gecondoleerd.' Schok nummer vier. Dat had ze nog normaal uit haar strot gekregen ook.

'Dank je.' Hij deed een paar passen naar voren en ze moest zichzelf ertoe zetten door te ademen. 'De Junior League is niet meer wat het geweest is, zonder haar.' Hij boog zich voorover en raapte de sleutels op. 'Tenminste, dat heb ik me laten vertellen.' Toen hij weer rechtop stond, was hij zo dichtbij dat ze hem kon ruiken. Ooit zou ze vanwege die geur diep hebben ingeademd, maar die tijden waren voorbij. 'Ik wist niet dat je in Cedar Creek woonde,' zei hij.

'Ik woon hier ook niet. Ik ben hier alleen tot mijn zus bevallen is.'

'Wanneer is ze uitgerekend?'

Ja, wanneer? Hij stond nu zo dichtbij dat ze een stap achteruit deed en met haar enkel tegen de bumper stootte. 'Half februari,' antwoordde ze.

'Vier maanden dus.' Hij stak een hand uit en pakte haar pols vast. Met zijn warme hand draaide hij haar handpalm naar boven en legde er de sleutels in.

'Ja.' Ze keek naar hun handen en zag de woorden 'carpe diem' op zijn onderarm getatoeëerd staan. En tenzij hij ze had laten weghalen, stond er ook nog een interessant stel Z'en getatoeëerd op zijn linkerbiceps.

De voordeur ging open en weer dicht en de twee meisjes kwamen op hen af lopen. Adele trok haar hand terug. 'Veel te lang.' Ze wendde zich tot haar nichtje. 'Heb je je schoenen gevonden?'

Kendra knikte. 'Dank u wel, meneer Zemaitis. Ik vond het heel leuk.'

'Ik hoorde het net van je moeder, vervelend hoor.' Hij deed een paar passen naar achteren en Adele maakte van de gelegenheid gebruik om snel naar haar autoportier te lopen. 'Laat het ons maar weten als we iets voor jullie kunnen doen.' Zijn diepe stemgeluid klonk vriendelijk toen hij er nog aan toevoegde: 'Leuk je weer te zien, Adele.'

Adele opende het autoportier en keek hem aan. Er speelde een glimlach om zijn lippen, maar ze kon niet zeggen of zij het leuk vond hem weer te zien. Behalve de schok dat ze hem na zoveel jaar weer zag, voelde ze eigenlijk weinig. Haar hart gaf geen krimp en ze had geen vlinders in haar buik of knikkende knieën. 'Dag, Zach.' Ze ging naast Kendra in de auto zitten en keek bewust niet in de achteruitkijkspiegel terwijl ze wegreed. Toen ze de bocht maakte keek ze over haar schouder nog even naar de man die haar destijds gewoon aan de kant had gezet. Hij legde net zijn arm om de schouders van zijn dochter en voerde haar mee het huis in.

Adele richtte haar aandacht weer op de weg en reed naar het toegangshek. Hij was de eerste man met wie ze de liefde had bedreven. Ze was al die tijd maagd gebleven omdat ze vond dat ze echt van iemand moest houden voordat ze met hem naar bed zou gaan. 'Ja ja.' Ze maakte een spottend geluid en pakte haar zonnebril. Nooit zou ze die fout weer maken. Want in de afgelopen veertien jaar was ze erachter gekomen dat goede seks soms helemaal niets met liefde te maken had. Soms was het niet meer dan een ontlading van pure lust. Hoewel, de laatste paar jaren was ze heel weinig aan haar trekken gekomen. Tenslotte kwam er heel weinig van seks wanneer er een vloek op je rustte zodat je alleen maar dates met eikels had.

'Heeft iemand papa al gebeld?'

Ze zette de zonnebril op en tuurde naar Kendra. 'Ik weet het eigenlijk niet.' Maar ze dacht van niet. 'Wil jij hem graag bellen?'

Kendra haalde haar schouders op. 'Ik weet niet of hij wel geïnteresseerd is in ons.'

Adele richtte nu haar aandacht op haar nichtje en liet alle ex-vriendjes, gebrek aan seks en vervloekingen voor wat ze waren. 'Ik weet zeker dat hij wel in jóú geïnteresseerd is.'

'Nee hoor.' Kendra schudde haar hoofd. 'Ik dacht dat hij wel weer bij ons wilde wonen als hij hoorde dat de baby een jongetje was, maar hij is alleen maar geïnteresseerd in Stormy.'

'Stormy.' Adele maakte een kokhalsgeluid en trok haar neus op alsof ze iets smerigs rook. 'Wat een stomme naam.'

'Het is ook een stom wijf.' Kendra tuurde vanuit een ooghoek naar Adele alsof ze een standje verwachtte vanwege haar woordkeus.

'Precies, een stom wijf met een stomme naam,' voegde Adele eraan toe, terwijl ze het hek door reed en weer in de echte wereld terechtkwam, waar je tenminste normaal kon ademhalen.

'Mama zegt dat ik niemand mag haten, maar ik háát Stormy.'

Adele reikte naar de waterfles tussen de beide stoelen in en draaide de dop eraf. Sherilyn deed altijd zo ontzettend haar best om perfect te zijn. De perfécte *southern lady*, en wat had het haar gebracht? Adele had nooit haar best gedaan de perfectie van haar zus na te streven, maar wilde juist vooral aardig zijn. Aan andere mensen denken, en wat had dat háár opgeleverd? Ze nam een grote slok en zette de fles terug. Ze was dan wel niet zwanger en in de steek gelaten, maar ze was wél alleen en er rustte een vloek op elke date die ze had. 'Ik haat zoveel dingen.' Boven aan het lijstje prijkte momenteel onverwacht oog in oog met een ex-vriendje komen te staan.

'Ik háát erwtjes.' Kendra speelde met de rits van haar rugzak. 'Ik háát Cedar Creek. Het is zo'n gat.'

'Klopt, maar je hebt nu al vrienden gemaakt. Tiffany lijkt me een leuke vriendin.' Dat was waar en bovendien verrassend, gezien het feit dat haar moeder zo'n trut was geweest. Hoewel, Zach was altijd vriendelijk geweest, al deed hij soms sarcastisch. Zo vertelde hij haar ooit dat hij minder bang was voor een stevige verdediger dan voor zijn moeder, als hem per ongeluk een vloek ontsnapte of als hij in haar ogen niet behulpzaam genoeg was.

Leuk je weer te zien, Adele, had hij gezegd, maar dat was vast gewoon beleefdheid. Niet dat het haar wat kon schelen trouwens.

Adele had geen accent meer. Er speelde een glimlach om Zachs lippen. Nou, ze mocht dat zangerige, zoete, zuidelijke stemgeluid dat over haar volle rode lippen kwam dan kwijt zijn, ze was nog steeds net zo sexy als vroeger. En dan die mooie bos krullen en die zwoele lichtblauwe slaapkamerogen. Ook op andere plekken zag ze er nog geweldig uit.

Zach droogde zijn haar met zijn handdoek, en hing hem terug op het verwarmde handdoekenrek in zijn badkamer. Hij pakte zijn scheerapparaat en liep naar zijn slaapkamer. Hij had nog een halfuur voordat hij in zijn kantoor op de highschool van Cedar Creek moest zijn. Daar zou hij met de andere coaches de banden van de wedstrijd van de avond ervoor bekijken. Terwijl hij zich schoor schoot hij een boxer aan, een spijkerbroek en een sweatshirt van de Cougars.

Ze maakte niet de indruk dat ze het fijn vond hem weer te zien. Sterker nog, het leek eerder alsof ze zo snel mogelijk wilde vertrekken. Wat natuurlijk ook het beste was. Hij was niet het type dat in het verleden bleef hangen of veel nadacht over hoe het anders had kunnen lopen. Hij bleef nooit lang stilstaan bij zijn gloriedagen als prof, of bij alle fouten die hij ooit had gemaakt. En hij had er genoeg gemaakt.

Zach hief zijn kin en schoor zijn hals. En als hij al terugkeek op het verleden, dan onderscheidde hij drie verschillende periodes. Vóór zijn proftijd, tijdens zijn proftijd en zijn leven nu. Het was dus een aantal periodes geleden dat hij Adele had gekend en hij had geen zin om herinneringen op te halen. Vooral niet als het een vrouw betrof die klaarblijkelijk helemaal niets meer met hem van doen wilde hebben.

Hij deed het scheerapparaat uit en legde het op zijn ladekast. Maar ze zag er wel strak uit. Even mooi als vroeger en vooral de inhoud van haar vestje had hij interessant gevonden. De glimlach om zijn mond werd breder. Ze had het duidelijk een beetje koud gehad.

'Pappie,' hoorde hij voordat Tiffany een paar tellen later op zijn deur klopte. En – typisch zijn dochter – ze was al binnen voordat hij kon antwoorden. 'Wanneer kom je terug?'

'Waarschijnlijk om een uur of twee.' Hij ging op de rand van zijn bed zitten en trok schone sokken aan. Het team moest gaan werken aan de passes nu Don de rest van het seizoen niet mee kon spelen. Zach kende genoeg trucjes en de stevige aanval was een van zijn favoriete spelletjes. Hij moest met de andere coaches overleggen en zijn strategieën met hen doornemen.

'Mag ik een paar vriendinnen uitnodigen nu jij weggaat?'

'Jij moet de zitkamer opruimen.'

Tiffany liet haar schouders zakken. 'Pappie!'

Hij trok zijn zwarte Puma's aan en boog zich voorover om zijn veters te strikken. 'En in de televisiekamer is het ook nog een zootje. Er staan nog vieze glazen en bakjes.'

'We hebben een huishoudster nodig,' zei Tiffany met een diepe zucht en ze vouwde haar armen voor haar magere borstkas.

Toen Devon nog leefde hadden ze een huishoudster gehad. Nu kwam er één keer per week iemand schoonmaken. 'Nee.' Hij ging staan. 'Wat we nodig hebben, is dat jij je eigen rommel opruimt.'

'Als ik alles opruim, mag ik dan een feestje geven?'

Hij liep naar zijn ladekast en schoof zijn horloge om zijn pols. 'Wat voor feestje en wanneer?'

'Volgend weekend, met de meisjes van het dansteam.'

Twaalf bakvissen over de vloer. Twaalf hysterische tienermeisjes, die allemaal om het hardst zouden krijsen en zich aanstellen. Afgelopen zomer had een van Tiffany's vriendinnen zich met haar mobieltje opgesloten in de badkamer, waar ze de hele tijd tegen haar vriendje had zitten janken. Wat moest een dertienjarig meisje in godsnaam met een vriendje? Zach kreeg liever een schop in zijn ballen dan dat drama opnieuw meemaken. 'De volgende wedstrijd is op zaterdag en we spelen uit. Hij begint om één uur, dus ik vertrek vrijdagmiddag al.'

'Komt LeAnna oppassen?' vroeg ze. LeAnna was het oudere buurmeisje dat altijd op Tiffany paste als Zach de stad uit moest.

'Ja.'

'Vet. Mag ik dan zondag iedereen uitnodigen? Dan ben je toch thuis.'

'Liefje,' zei hij met een diepe zucht, 'dan moet ik uitrusten en bovendien moet je de dag daarna naar school.'

'Maar je mag uitslapen want ik doe al het werk.' Ze gebaarde heftig. Het kind was net zo'n doorzetter als haar moeder. 'En ik zorg ervoor dat iedereen op tijd naar huis gaat. Alsjeblieft, pappie?'

Hij fronste en dat interpreteerde ze als een ja, dus sprong ze van opwinding een gat in de lucht. 'Als het mooi weer is, mogen we dan barbecueën?' vroeg ze.

'Ik denk niet dat het mooi weer is.' Hij liep naar de deur. 'Maar als het mooi weer is, oké.'

Ze klapte in haar handen. 'Yes! Mag ik ook jongens uitnodigen?'

Hij maakte pas op de plaats en keek haar vorsend aan. Nog niet eerder had ze enige belangstelling voor jongens getoond. 'Nee. Geen jongens.' Hij duwde met zijn wijsvinger tegen haar neus. 'Nooit.'

'Waarom niet?'

Hij liep de kamer uit en de gang door. Omdat hij wist waar dertienjarige jongens aan dachten. Hij was er zelf ooit eentje geweest. 'Je moet uit de buurt van jongens blijven.'

'Jij bent toch ook een jongen.'

Hij was in de keuken aanbeland en greep een fles water uit de koelkast. Hij wilde niet over jongens praten. Praten over jongens leidde tot praten over seks en dat was een onderwerp waarover hij niet wilde praten met zijn kleine meisje. Nog niet, tenminste. Ze was nog te jong. Een paar maanden geleden hadden ze hun eerste gesprek over beha's moeten voeren en dat had hij vreselijk gevonden. 'Je vriendinnetje Kendra is een leuke meid,' zei hij, om van onderwerp te veranderen.

'Ja. Ik denk dat ze goed genoeg danst om in het team te komen.'

'Waarom ligt haar moeder in het ziekenhuis?' Hij draaide de dop van de waterfles en nam een slok.

'Ze heeft een te hoge bloeddruk.'

Zach likte een druppel water van zijn lip. Hoge bloeddruk? Dat was vast ernstiger dan het klonk. 'Heb je haar tante nog gesproken?'

'Die deed een beetje vreemd.'

Hij staarde naar de fles in zijn hand. 'Hoe bedoel je, vreemd?'

Tiffany haalde haar schouders op. 'Alsof ze ineens haast had.'

Dat was hem ook opgevallen. Hij keek weer naar zijn dochter. 'Komt zij ook uit Fort Worth, net als Kendra en haar moeder?'

Tiffany schudde haar hoofd. 'Ze vertelde dat ze uit Ohio komt. Des Moines, denk ik.'

'Schatje, dat ligt in Iowa.'

'O.'

Hij speelde met de dop van zijn waterfles. 'Zei ze ook of... eh...

ze getrouwd was?' Hij had geen ring gezien toen hij haar de sleutels had gegeven, maar dat zei niks. Getrouwde mensen droegen lang niet altijd een ring.

'Daar zei ze niks over.'

'Kinderen?'

'Weet ik niet.' Er verscheen een onderzoekende blik in Tiffany's ogen en ze leek sprekend op Devon. 'Waarom wil je dat weten?'

Tja, waarom eigenlijk? Zach haalde een schouder op en nam een slok water.

'Je vindt haar toch niet leuk, hè?'

Leuk? Kleine hondjes waren leuk. Een bezoek aan het circus was leuk. Adele Harris had meer sexappeal dan een hele troep paaldanseressen bij elkaar, en aangezien het enige tijd was geleden dat Zach iemand had zien dansen, rond een paal of op een bed of waar dan ook, wond dat beeld Zach enorm op. Hij liet de fles zakken. 'Meisje, ik wil gewoon weten waar Kendra vandaan komt,' loog hij, omdat je sommige gedachten maar beter niet hardop kon uitspreken.

Tiffany glimlachte. 'Dat soort dingen wilde mammie ook altijd weten.'

Ja, dat wist hij nog wel. Devon wilde altijd héél graag alles weten over iemands herkomst.

Tiffany sloeg ineens haar armen om zijn middel en liet haar hoofd op zijn borstkas rusten. 'Ik mis mammie zo, maar gelukkig heb ik jou en verder hebben we niemand nodig. Toch?'

Hij sloeg zijn armen om haar magere schoudertjes en drukte een kus op de scheiding in haar blonde haar. 'Nee,' antwoordde hij, omdat hij wist dat ze dat graag wilde horen. Ze wilde niets weten van vrouwen met vrolijke krullen, lichtblauwe ogen en een opwindend lichaam.

Hoofdstuk 4

'William heeft eindelijk gebeld,' deelde Sherilyn mee toen Adele op maandagmiddag haar kamer binnenstapte.

Adele zette een vaas met bloemen en een zakje met gummibeertjes op het tafeltje naast het bed. 'Nou, dat werd eens tijd,' zei ze en ze schikte de bloemen nog eens goed. Haar haren waren nog nat van de douche die ze had genomen na het hardlopen en ze had snel een zwarte Von Dutch-sweater aangetrokken op haar spijkerbroek.

Ze keek naar haar zus, die rechtop in bed zat, in een witte nachtjapon met kant langs de boordjes. Ze zag eruit als Nicole Kidman, met haar blonde haar samengebonden in haar nek en zo wit en puur. Ze zag er teer en tegelijkertijd mooi uit... behalve dan dat ze kraaienpootjes bij haar ogen had en haar gezicht en handen opgezet waren. Dat hoorde bij de zwangerschapsvergiftiging; net als snel geïrriteerd raken en hoofdpijn vanwege de hoge bloeddruk.

'Wat zei hij?' vroeg Adele.

'Hij wilde weten of er iets was wat hij kon doen. Ik heb hem gezegd dat hij maar één ding kon doen.' Sherilyn legde beide handen weer op haar buik en Adele hoopte dat haar zus niet was gaan huilen en smeken. Adele zou hem een klootzak hebben genoemd en daarna hebben opgehangen. Sherilyn had dat woord vast nog nooit van haar leven gebruikt. Ze was altijd zo druk met een dame zijn.

'Wat dan?' Ze pakte een plastic bekertje van het nachtkastje en schonk er wat water in.

'Nou, de schijt krijgen...'

Adeles adem stokte in haar keel en ze goot het water bijna over haar hand. De vrouw die daar in bed zat had wel het uiterlijk van haar zus, maar het leek wel of een buitenaards wezen het lichaam van Sherilyn had overgenomen. Zoiets zou de echte Sherilyn nooit zeggen.

'Ik weet dat het vulgair is en getuigt van een slechte opvoeding, maar dit wil ik al zo lang hardop zeggen.' Ze streelde zacht over haar buik, alsof ze het kind liefkoosde. 'Krijg de schijt, William.'

Een vrouw in een pluizige, zachtroze badjas schuifelde met behulp van een infuusstandaard langs de open deur en bracht Adele terug in de werkelijkheid. Ze zette de kan weer terug en ook het bekertje. Daarna legde ze haar hand op Sherilyns voorhoofd. Adele wist niet zeker of de artsen iets hadden gezegd over koorts als mogelijk symptoom van de zwangerschapsvergiftiging, maar hier gebeurde iets heel merkwaardigs.

'Ik voel me goed hoor.' Sherilyn keek Adele aan en duwde haar hand weg. 'Nou ja, behalve dan dat mijn bloeddruk gevaarlijk hoog is, dat ik hoofdpijn heb en er opgeblazen uitzie.'

'Ik heb je videocamera gevonden, in een doos bij je computer,' zei Adele, in een poging om haar zus af te leiden van haar precaire situatie. Ze ging op het bed zitten en sloeg haar benen over elkaar. 'Hij is opgeladen en helemaal gereed om opnames te maken van Kendra als ze meedoet aan de toelating voor het dansteam.'

'Ik wou dat ik er ook bij kon zijn.'

'Als de auditie voorbij is, komen we hierheen om samen naar de opname te kijken.'

'Kendra heeft het zo moeilijk. Eerst haar vader de deur uit en nu dit.' Sherilyn hief haar handen ten hemel en liet ze wanhopig weer vallen. Nou, dat was een geslaagde poging tot afleiden. 'Ik heb haar meegesleurd hiernaartoe, weg van al haar vriendinnen, en nu...'

Moet ze het doen met een tante die ze amper kent, dacht Adele. 'Maar ze maakt al nieuwe vriendinnen op school hoor. Tiffany is wel een leuk meisje.'

'Ik hoop het maar. Kendra kan wel een vriendin gebruiken. Jij hebt Tiffany's vader afgelopen zaterdag toch gezien?'

Ze had Tiffany's vader al vóór afgelopen zaterdag gezien. 'Ja.'

'Wat vond je van hem?'

Dit weekend had ze juist geprobeerd níéts van hem te vinden. Niet te denken aan hoe hij eruitzag als hij net hardgelopen had. Niet te denken aan hoe hij op haar af was komen lopen, met zijn relaxte tred. 'Wel oké.' Ze haalde haar schouders op.

'Waarom?'

'Kendra vertelde dat hij de footballcoach is op Cedar Creek High School en dat hij als prof football heeft gespeeld. Ze wist niet meer precies waar, maar Tiffany heeft haar posters en poppetjes en shirts laten zien.' Sherilyn leunde dieper in het kussen en zuchtte. 'Hij is vast een goede vader, maar ik wil altijd graag de ouders van Kendra's vriendinnen even zien, om zeker te weten dat ze niet omgaat met kinderen die veel te veel mogen van hun ouders.' Er verscheen een rimpel tussen haar vermoeide ogen. 'Een jaar geleden hebben we onze poot stijf moeten houden omdat ze bevriend was met een meisje dat nooit op tijd thuis hoefde te zijn, eruitzag als Britney Spears en gewoon veel te ouwelijk deed. Ineens wilde Kendra ook korte rokjes dragen en een string.'

'Ik zal mijn ogen en oren goed openhouden, maar ik geloof niet dat je je zorgen hoeft te maken om Tiffany.'

'Kendra vertelde dat ze geen moeder meer heeft, en het klinkt alsof haar vader het heel druk heeft.'

Ja, met zijn werk of met vrouwen, vroeg Adele zich af. Ze moest weer denken aan dat vreselijke, levensgrote portret van Devon en bedacht dat elke zichzelf respecterende vrouw meteen rechtsomkeert zou maken als ze vanaf elke muur aangestaard zou worden door de dode vrouw van haar vriend. 'Haar moeder is een paar jaar geleden overleden.'

'Ach, het arme kind.'

'Je kent Devon Hamilton toch nog wel?'

Sherilyn deed haar ogen dicht om na te denken. 'Is dat niet die griet die jou altijd zat te pesten met je haar?'

Onder andere. 'Ja. Dat was Tiffany's moeder.'

Sherilyn sperde haar ogen wijd open en ze keek naar Adele. 'Dat méén je niet!'

'Echt wel.'

Sherilyn reikte naar de zak gummibeertjes en maakte die open. 'Wat is de wereld toch klein.'

Ze moest eens weten.

'Ik voel me zo machteloos. Ik kan niet eens op mijn dochter letten.' Ze stopte een gummibeertje in haar mond. 'En door dat gedoe met William heb ik nog niets gekocht voor de baby. Arm kind.'

Voor iemand zoals Sherilyn, een controlfreak bij uitstek, was het natuurlijk een hel om aan je bed gekluisterd te zijn. 'Kendra en ik zullen alles wel regelen voor de baby. Dat is juist leuk.' En zodra Sherilyn was bevallen en alles in orde was, zou Adele weer rechtsomkeert maken. Terug naar huis, naar haar vriendinnen en haar eigen leven.

'Hartstikke fijn.' Sherilyn gooide het zakje snoep terug op haar nachtkastje. 'De baby beweegt weer.' Met zwangerschapsvergiftiging was het belangrijk goed op te letten op bewegingen van het kind. 'Geef je hand eens.' Ze greep Adeles pols en legde haar handpalm tegen de linkerkant van haar buik.

'Ik voel niets.'

'Sst... daar. Voelde je dat?'

Adele schudde haar hoofd. Gisteren had ze ook al niets gevoeld. Of eergisteren.

Even later liet Sherilyn haar hand weer los. 'Ik denk dat hij weer slaapt.' Ze wees naar haar nachtkastje. 'Pak eens een vel papier en een potlood en schrijf op wat ik zeg.'

Een uur later had Adele een lijst van drie kantjes met dingen die de baby nodig had, plus dingen, televisieprogramma's en activiteiten die Kendra wel of niet mocht zien en doen. Over het algemeen was dat alles waarbij gevloekt werd. Dat betekende dat Adele haar favoriete programma's pas kon zien als Kendra in bed lag.

Adele stak de lijst in haar tas, stapte in Sherilyns auto en reed naar de Sterling Park School. Op het moment dat ze daar de gymzaal binnenstapte, vielen haar twee dingen op. Ten eerste dat het er kleiner was dan in haar herinnering en ten tweede dat het er nog precies hetzelfde rook. Naar gymschoenen en rubberballen. Midden op de vloer stond een zwart met rood paard geschilderd. Aan de andere kant van de zaal waren Kendra en zo'n twintig andere meisjes in hun danstenue bezig met een warmingup. Kendra droeg een paardenstaart met daarin een rood en een wit lint. Adele zwaaide naar haar nichtje, maar Kendra zag haar kennelijk niet, want ze draaide zich om. Adele haalde haar schouders op en liep de tribune op om een geschikt plekje te zoeken. Onder haar zaten vier leraren en drie leerlingen achter een tafeltje om te jureren. Een van die leerlingen was Tiffany Zemaitis. Ze had haar haren opgestoken en hield een potlood in haar hand.

Nog maar een paar weken geleden had Adele nooit kunnen voorspellen dat ze nu in de gymzaal van haar oude school zou zitten. Ze mocht dan wel fantasyverhalen schrijven, maar ze had niet kunnen bedenken dat ze op een dag haar nichtje zou zien voordansen voor een dansteam van school, waarvan de dochter van Devon en Zach de leidster was. Nog in geen miljoen lichtjaren.

Ze legde de videocamera naast zich neer en leunde met haar ellebogen op het bankje achter haar om wat comfortabeler te kunnen wachten. Onvoorstelbaar ook dat ze de tijdelijke moeder was van haar nichtje van dertien. Ze wist helemaal niets van kinderen. Ze had al sinds vijf jaar, toen haar kameleon Steve van ouderdom was overleden, geen levend wezen meer gehad om voor te zorgen. En een tiener had zoveel meer nodig dan een vochtig terrarium, een warm plekje en een paar krekels.

Wat het ook was dat Kendra wel nodig had, Adele had het nog niet kunnen ontdekken. Kendra had een hekel aan kip want daar zaten 'draadjes' in. Ze hield niet van sla want dat 'smaakt naar zand' en ze háátte bananen want die waren 'zacht', ook al waren ze dat niet.

Al sinds haar achttiende woonde Adele op zichzelf en ze kookte eigenlijk weinig. Meestal gooide ze wat kip op haar grillplaat en maakte er een salade bij. Iets snels en makkelijks, maar Kendra had behoefte aan dingen die je moest plannen en echt moest koken, zoals spaghetti en macaroni. Of ze wilde – wat nog erger was – snacken. En als Adele uitlegde dat je niet elke dag naar de McDonald's of de KFC kon omdat dat heel ongezond was en je er dik van werd, keek Kendra haar aan en zei: 'Zo lomp.' Zoals Adele snel had uitgevogeld, was alles wat Kendra niet wilde zien of horen, gewoon 'lomp'. Adele had kunnen zeggen dat alles 'lomp' noemen niet echt netjes was, maar dan zou Kendra haar waarschijnlijk aankijken alsof ze oud, stom en 'lomp' was.

Een meisje in een zwarte outfit liep naar het midden van de gymzaal, ging klaarstaan met haar hoofd gebogen en wachtte. Even later schalde *Get Ready 4 This* uit een cd-speler op de tafel van de jury. Het meisje begon te dansen, en het was niet zozeer dat ze dat slecht deed, ze was gewoon niet zo goed. Het tweede meisje was iets beter, maar helaas voor haar kwamen er voortdurend mensen binnen door de piepende klapdeuren, waarna een jurylid een bordje maakte en dat aan de buitenkant van de deur moest ophangen. Daarna kwamen de kijkers via de kleedkamers binnen.

Er waren zes meisjes geweest toen Kendra naar voren liep. Ze deed haar cd in de cd-speler en wachtte tot de eerste maten klonken van Kelly Clarksons *Since U Been Gone*. Adele stond op en

keek mee op het schermpje van de videocamera. Kendra had gezegd dat ze al sinds haar vierde op balletles zat. Adele had ook
haar hele leven gedanst en ze kon iemand met talent wel her-
kennen. Toen Kendra klaar was joelde Adele uitgelaten, stak
twee vingers in haar mond en floot. Nu deed ze waarschijnlijk
precies wat Kendra 'lomp' vond, maar ze was te opgewonden en
te trots om het niet te laten blijken.

Na Kendra dansten er nog een paar meisjes en het was al na
zessen toen iedereen klaar was. Adele deed de videocamera in
haar tas en stapte de tribune af. Ze begaf zich naar de tafel van
de jury, waar ook alle meisjes zich verzameld hadden.

'Je deed het geweldig,' zei Adele tegen Kendra, toen die bij
haar kwam staan.

Kendra schudde haar hoofd. 'Ik maakte twee fouten.'

'Heb ik niet gezien.' En fluisterend voegde ze eraan toe: 'Je was
veel beter dan de rest.'

Kendra probeerde een glimlach te verbergen. Het was de eerste echte glimlach die Adele op het gezicht van haar nichtje had
gezien. 'Ik hoop het maar. Een paar andere meisjes waren goed.'

'Pak snel je spullen, dan gaan we naar het ziekenhuis om je
moeder te laten zien hoe goed je hebt gedanst.'

Kendra keek naar de jury. 'We moeten nog wachten tot ze zeggen wie er gewonnen heeft.'

Adele draaide zich om naar de tafel achter haar. Ze waren
druk in overleg, op gedempte toon. 'Gaan ze zo meteen al zeggen
of je mee mag doen?'

'Ja.'

De deuren van de gymzaal zwaaiden met veel lawaai open,
waardoor iedereen omkeek op het moment dat Zach Zemaitis
zijn entree maakte in de laatste stralen van de ondergaande zon.
Kennelijk had hij niet de moeite genomen om het briefje op de
deur te lezen. Voor de ingang bleef hij staan. Achter hem sloegen
de deuren weer dicht. Hij droeg een oude spijkerbroek en een
zwart Nike-sweatshirt met capuchon. Om zijn nek hing een fluit-

je en op zijn hoofd had hij een petje. Hij sloeg zijn armen over elkaar en zag er nogal intimiderend en groot uit, zoals hij daar voor de deur om zich heen stond te kijken. Hij liet zijn armen zakken en hoewel ze vanwege de pet zijn ogen niet kon zien, voelde ze dat zijn blik op haar rustte. Ze voelde hoe hij haar met zijn ogen helemaal aftastte, de contouren van haar lichaam volgde en zijn blik nu eens hier, dan weer daar liet rusten.

'Hé, pappie,' riep Tiffany.

Zach zette zijn pet af en liep naar de tafel. Hij streek met zijn vingers door zijn haar en toen hij op zijn bekende relaxte manier naderbij kwam, keek hij niet eens in de richting van Adele. Ze vroeg zich af of ze het verzonnen had dat hij haar had aangestaard. Ze vroeg zich nu af of hij haar überhaupt wel had gezien.

Zach bleef bij Tiffany staan en legde zijn pet op tafel. 'Zijn jullie zo klaar, schattebout?'

'Yep.'

Een van de gymleraressen keek op. 'Hallo Coach Z. Hoe gaat-ie?'

'Ik mag niet klagen, Mary Jo.' Zijn mondhoeken krulden op in een uiterst charmante zuidelijke glimlach. 'Wat zie je er voortreffelijk uit,' zei hij tegen de vrouw die zijn moeder had kunnen zijn. 'Heb je iets met je haar gedaan?'

'Ben alleen bij de kapper geweest,' zei ze met een lachje.

Adele rolde met haar ogen en wendde zich tot haar nichtje. 'Ik denk dat we het moeten gaan vieren. Laten we op de terugweg langs McDonald's rijden.'

Er verscheen een rimpel in Kendra's voorhoofd. 'Maar we weten nog niet of ik erin zit.'

'Maakt niet uit. Je hebt het geweldig gedaan. Dat is het belangrijkste,' zei ze. Het publiek had inmiddels de tribunes verlaten en stond in groepjes op de juryuitslag te wachten. Er klonken heel wat groeten voor 'Coach Z'. De meeste waren afkomstig van vrouwen.

'Ik ga bij de andere meisjes staan,' zei Kendra en ze verwijderde zich van Adele.

'Adele Harris. Ik dacht al dat jij het was.'

Adele draaide zich om en keek recht in een paar blauwe ogen die op gelijke hoogte als de hare zouden zijn, als zij geen hoge hakken had gedragen.

'Cletus Sawyer?'

'Inderdaad. Hoe gaat het met jou?'

'Prima.' Ze omhelsde hem vluchtig en bekeek hem nog eens goed. Op school was Cletus een echte nerd geweest, maar ze waren beiden lid geweest van de toneelclub. In Shakespeares *Tempest* was zij Ariel geweest en hij Prospero. Hij was destijds mager en had een enorme overbeet, maar nu was hij wat breder en hij had zijn tanden recht laten zetten. Hij had nog steeds rood haar, maar was toch uitgegroeid tot een knappe vent. Niet zo knap als de man die achter hem stond en alle aandacht van iedere aanwezige vrouw opeiste. Maar er waren dan ook weinig mannen die knapper waren dan Zach Zemaitis.

'Wat leuk om je te zien,' zei ze glimlachend. 'Wat doe jij tegenwoordig?'

'Gewoon, ik woon hier. Ik ben wiskundeleraar hier.'

Een wiskundeleraar. Zach keek over 's mans hoofd heen naar Adele. Die kon ze toch onmogelijk aantrekkelijk vinden.

'En wat doe jij?' vroeg de wiskundeleraar.

Dat zou Zach zelf ook wel graag willen weten.

'Ik schrijf sciencefiction- en fantasyboeken.'

'Wauw. En worden die verkocht?'

'Jazeker. Ik heb tien boeken op mijn naam, heb de elfde net ingeleverd bij de uitgever en sta op het punt aan de twaalfde te beginnen.' Ze keek langs de rode haren van Cletus recht in Zachs gezicht. Het verbaasde hem helemaal niet dat ze fantasy schreef. Ze had altijd al belangstelling gehad voor elven en druïdes en andere rare dingen. Het verbaasde hem evenmin dat haar boeken verkochten. Ze was een van de slimste vrouwen die hij kende.

'Schrijf je onder je eigen naam?'

Haar prachtige blauwe ogen keken de zijne nog een paar tellen aan, voordat ze haar blik terugbracht naar de leraar. 'Ja.'

'Hé, Zach!' riep LaDonna Simms terwijl ze op hem af liep. LaDonna was een vriendin van Devon geweest en ook lid van de Junior League-vrouwen.

'Hé, LaDonna.' Ze stond voor zijn neus, maar hij keek langs haar bos getoupeerde haar naar Adele. Hij had haar al zien staan toen hij de gymzaal binnen was gekomen. Vooral vanwege haar kont, in die strakke spijkerbroek. Ze was niet alleen ontzettend slim, ze had ook een schitterende kont. Nog steeds.

'Heb je de uitnodiging ontvangen voor het Night of a Million benefietgala?' vroeg LaDonna.

'Ja, heb ik, maar ik heb niemand voor de Junior League.' Net zoals vorig jaar en het jaar daarvoor.

'O, jammer.' LaDonna boog voorover en legde haar hand op zijn arm. 'We hielden allemaal zoveel van Devon dat je eigenlijk deel uitmaakt van de familie. Onofficieel dan.'

'Natuurlijk.' LaDonna ratelde maar door, maar Zach hoorde haar al niet meer en luisterde naar het gesprek achter haar. Dat was veel interessanter dan net te doen alsof hij geïnteresseerd was in de Junior League. Afluisteren was niet beleefd, dat had hij van zijn moeder geleerd, maar het kon hem eerlijk gezegd geen bal schelen.

'Je ziet er geweldig uit,' zei de wiskundeleraar. Zach kon bij wijze van spreken het kwijl uit zijn mond zien lopen.

'Dank je, Cletus, ik jog elke dag.'

'Ik ga wel eens naar de sportschool,' zei de wiskundeknobbel, wat volgens Zach flauwekul was. 'We moeten eens samen wat gaan drinken om bij te kletsen.'

Adele aarzelde en Zach dacht heel even dat ze hem zou afwijzen. Maar in plaats daarvan veegde ze haar krullen over een schouder en glimlachte hem toe. 'Dat lijkt me leuk, Cletus.' Ze gaf hem haar telefoonnummer en het ventje toetste het nummer in zijn telefoon.

'Mag ik even jullie aandacht!' riep Tiffany terwijl ze op een stoel ging staan. 'Iedereen heel erg bedankt voor jullie komst vanmiddag, en voor het voordansen voor de Stallionettes. Er zijn echter maar twee plaatsen beschikbaar.' Ze keek in haar aantekeningen. 'Het was een moeilijke beslissing, maar we zijn eruit: Lisa Ray Durke en Kendra Morgan zijn het geworden.'

Er klonk applaus en een paar kreten van blijdschap. Hier en daar barstten meisjes in tranen uit en vielen elkaar huilend in de armen. Zach zag hoe Adele wegdraaide van de wiskundeleraar en met een brede glimlach naar haar nichtje keek.

'O, verdorie, Roseanna is het niet geworden,' zei LaDonna en ze gebaarde naar een van de meisjes. 'Ze is er kapot van en moet ervan huilen, ach gut. Sorry.'

Kennelijk was Roseanna een van de huilebalken. Zach begreep niet waarom meisjes altijd zo emotioneel werden over van alles en waarom dat altijd in het openbaar moest. Dat je niet bij het dansteam zat was lang zo erg niet als een regionale of landelijke competitiewedstrijd verliezen. Dát was pas echt traumatisch.

'Hoi, pappie.'

Zach wendde zich tot zijn dochter. 'Kunnen we gaan?'

'Nog heel even. Ik moet nog even praten met Kendra en Lisa Ray.'

'Niet te lang graag,' zei hij. Hij zette zijn pet weer op en leunde tegen de tafel van de jury terwijl de gymzaal langzaam leegliep. Het duurde zo'n vijf minuten voordat Tiffany, Kendra en Adele op hem af kwamen.

'Gefeliciteerd, Kendra,' zei hij terwijl hij opstond. 'Dat betekent zeker dat je wel vaker bij ons thuis komt oefenen.'

'O, zeker,' antwoordde Tiffany voor haar. Toen ze met zijn allen naar de deur liepen, voegde ze eraan toe: 'Kendra moet zich alle dansen echt heel snel eigen maken. De volgende wedstrijd is over een paar weken.'

'Dat lukt me wel,' verzekerde Kendra haar.

De hakken van Adeles schoenen tikten op de houten vloer. Het geluid van sexy hoge hakken bracht zijn hoofd altijd op hol.

'Ik geef zondag een barbecue voor alle meisjes van het team,' kondigde Tiffany aan. 'Je móét komen, Kendra. Het wordt gezellig.'

Kendra keek over haar schouder naar Adele. 'Mag dat?'

'Dat bespreken we even met je moeder, maar ik zie niet in waarom niet.'

Zach hield de deur open voor de meisjes en toen Adele langs hem liep, hoorde hij zichzelf zeggen: 'Kom ook.' Het was niet zijn bedoeling om haar uit te nodigen. Wist niet eens zeker of dat wel een goed idee was. Nee, sterker nog, hij wist het zeker: het was geen goed idee.

Ze bleef even staan, met haar krullen maar een paar centimeter van zijn gezicht. Ze keek hem aan. 'Ik denk het niet.'

Hij had opgelucht moeten zijn. Maar om de een of andere reden was dat niet zo. 'Ben je bang?'

'Waarvoor?'

Ze zag er goed uit en ze rook nog lekkerder en hij antwoordde: 'Voor tien dertienjarige meisjes die giechelend en gillend de boel op stelten zetten met hun vreselijke, keiharde muziek.'

Ze moest bijna glimlachen, maar schudde haar hoofd. 'Ik heb al plannen.'

'Met die rooie?' Hij volgde haar en de deur viel achter hen dicht. Als hij zichzelf niet zo goed kende, zou hij zeggen dat hij jaloers was. Wat natuurlijk belachelijk was. Zelfs als hij enige belangstelling voor Adele had, wat niet het geval was, zou hij natuurlijk nooit jaloers kunnen zijn op een roodharige wiskundeknobbel.

'Misschien.' Ze groef in haar tas naar haar sleutels. 'Maar bijkletsen met Cletus zou gezellig zijn. Na deze week ben ik wel toe aan iets gezelligs.'

'Iets gezelligs?' Hij greep naar zijn pet, schoof hem naar achteren en zette hem weer terug. 'Onmogelijk.'

Ze hield haar pas in en keek naar hem op. 'Niet dat het mij iets kan schelen, maar hoezo?'

'Omdat één rode kop wel genoeg is.'

'Ik ga alleen met hem praten.' Ze fronste hoofdschuddend haar wenkbrauwen. 'Verder niks.'

Het was duidelijk dat ze allebei een heel ander idee hadden van 'iets gezelligs'.

'Hé, Z.' De footballcoach van de school naderde. 'Dat was me de wedstrijd wel, dit weekend. Jammer van Don.'

Adele keek op naar Zachs gezicht, dat zich in de schaduw van de klep van zijn pet bevond. Z, zo noemde iedereen hem ook op de universiteit. Nu ze het weer hoorde bracht het een heleboel herinneringen naar boven. Aan de lach op zijn gezicht. Aan het gevoel van zijn armen om haar heen.

'Hoe gaat het met hem?' vroeg de andere coach.

'Ik heb net met zijn artsen in Lubbock gebeld. Het gaat goed met hem.'

Adele deed een pas naar achteren. 'Sorry,' zei ze en ze liep om Zach heen naar de parkeerplaats. Ze dacht aan de dubbele Z die op zijn bovenarm getatoeëerd was. De laatste keer dat ze die gezien had, waren ze allebei naakt geweest en had ze met haar handen en mond zijn hele lichaam gestreeld.

'Adele!' riep hij haar achterna.

Een briesje blies een paar lokken in haar gezicht toen ze zich omdraaide.

'Tot ziens.'

Ze zei niets terug, maar bleef doorlopen. Het was duidelijk dat ze Zach vaker zou tegenkomen nu Kendra veel tijd bij Tiffany zou doorbrengen. Ze zou beleefd blijven, maar niet meer dan dat. Ze voelde helemaal niets meer voor hem. Ze hield niet van hem en had geen zin om oude herinneringen op te halen. Ze had ook geen hekel aan hem en was evenmin geïnteresseerd in een hernieuwde vriendschap.

Ze reed met Kendra in tien minuten naar het ziekenhuis en

samen lieten ze Sherilyn de video van de auditie zien. Daarna reden ze door naar McDonald's, waar Adele een salade bestelde en Kendra een Quarter Pounder, frietjes en een cola. Toen ze terug waren in het appartement, begon Kendra aan haar huiswerk en deed Adele de was.

In de dagen die volgden, begon het leven van Adele meer structuur te krijgen. Ze stond elke ochtend vroeg op, bracht Kendra naar school en liep dan vijf mijl. Daarna bezocht ze haar zus in het ziekenhuis en luisterde naar de laatste nieuwtjes over Sherilyn en de baby. Dan had Sherilyn altijd nog wel een paar toevoegingen aan de lijst van dingen die moesten gebeuren voordat de baby er was, en reed Adele vervolgens naar de stad om zoveel mogelijk dingen van de lijst weg te kunnen strepen. Rond het middaguur keerde ze dan naar huis terug om aan haar volgende boek te kunnen werken, een futuristisch verhaal dat zich afspeelde in een ander zonnestelsel. Als ze even pauzeerde, mailde ze met haar vriendinnen in Boise. Ze had ze alle drie jaren geleden ontmoet tijdens een congres over bibliotheken. Vanwege de dingen die ze met elkaar deelden – zoals deadlines, hoofdstukken die niet wilden vlotten en vervelende dates – waren ze binnen de kortste keren vriendinnen geworden. En hoewel ze in deze periode de enige was met vervelende dates, waren ze nog steeds haar beste vriendinnen. Als Sherilyn was bevallen en alles met moeder en kind in orde was, zou Adele zo snel mogelijk naar huis gaan om ze weer in levenden lijve te kunnen zien.

Toen de zaterdag aanbrak, was Adele wel toe aan het weekend. Cletus Sawyer had die week gebeld om iets af te spreken en hij zou haar die avond om zeven uur ophalen om uit eten te gaan. Kendra zou gaan oppassen bij de buren, die een dochter van vijf hadden, en Adele had haar eigen nummer in de telefoon van Kendra gezet, voor het geval er iets mis was.

Een uur voordat Cletus haar zou komen ophalen, trok Adele een rode jurk en de bijpassende rode pumps aan die ze in de kast van haar zus had gevonden. Ze ging niet op zoek naar sexy ondergoed; ze had niet eens mooie lingerie in haar koffer gestopt. Zelfs als haar date leuk was en ze zich enorm aangetrokken zou voelen tot Cletus, zou ze toch om elf uur thuis moeten zijn omdat Kendra dan terugkwam.

Tijdens het voorgerecht vertelde Cletus Adele over zijn scheiding en zijn tweejarige dochtertje. Hij vroeg van alles en leek werkelijk belangstelling te hebben voor haar. Ze lachten over de dingen die ze samen op school hadden meegemaakt, maar tegen de tijd dat Cletus het etentje afrekende, wist Adele al dat het niets zou worden met hem. Nooit. Hij was erg aardig, maar ze had totaal geen behoefte om zich voor hem uit te kleden en gekke dingen te doen, wat heel jammer was, omdat de date eigenlijk heel goed ging. Zo goed dat ze zich begon af te vragen of ze nog wel vervloekt was.

Tegen tienen bracht hij haar terug naar het appartement en liep met haar mee naar haar voordeur.

'Wanneer zien we elkaar weer?' vroeg hij.

Ze wilde best graag als vriend met Cletus omgaan. 'Ik weet het niet.' Ze haalde haar sleutels tevoorschijn uit haar handtasje. 'Ik heb het nogal druk met mijn zus en ik heb weinig vrije tijd. Maar bel gewoon en dan kunnen we misschien even koffie gaan drinken.'

'O, ben je er zo een.'

Ben je er zo een?

'Je vindt jezelf te goed voor mij. Je denkt dat ik niet leuk ben, alleen maar omdat ik wiskundeleraar ben. Je denkt dat ik genoegen neem met een kopje koffie.'

'Cletus, mijn zus ligt in het ziekenhuis en ik moet voor mijn nichtje zorgen,' zei ze met een zucht. 'Ik heb gewoon geen tijd om uitgebreid uit te gaan.'

'Tuurlijk niet. Ik durf te wedden dat als ik veel geld had, je wel tijd voor me zou hebben. Als ik een van de stoere jongens was op school, zou je wel met me uitgaan.'

Adele keek hem aan maar kon het niet opbrengen kwaad te worden. Het was zijn schuld niet dat hij zo idioot deed. Het was haar schuld. Het was de vloek die op haar rustte.

Hoofdstuk 5

Zo'n driehonderd kilometer verderop begon Zach zich langzamerhand af te vragen of hij soms vervloekt was. Vervloekt met een verdediging die voortdurend liep te aarzelen en de vastbesloten voorhoede van de tegenpartij niet kon passeren om ruimte te creëren voor de quarterback.

In de kleedkamer voor gastspelers van het Grande Communications stadion in Midland stonden hij en zijn assistenten te midden van het geluid van rammelende potjes pijnstillers, scheurende sporttape en de geur van gras, zweet en frustratie. In de eerste helft van de wedstrijd tegen Midland stonden de Cougars met veertien punten achter.

Zach vouwde zijn armen over zijn donkergroene Cougarsjack. Een van zijn assistenten, Joe Brunner, tekende zojuist een schema op een bord voor een nieuwe verdedigingstactiek. 'We hebben verdomme de hele week gekeken naar banden van de Bulldogs,' zei Joe en hij tekende kruisjes en nulletjes op het bord. 'Voordat we aan deze wedstrijd begonnen, wisten we dat zij hun zone beter verdedigen dan enig ander team waartegen we dit jaar hebben gespeeld. Hun quarterback kan gewoon achteroverleunen en hoge balletjes gooien zonder dat jullie er verdomme iets aan doen!' Joe zette woest pijlen en strepen op het bord.

Zach was gesteld op Joe. Hij had respect voor zijn ervaring en toewijding én zijn instinct. Joe had football gespeeld in Cedar

Creek en later aan de universiteit van Virginia. Er bestond geen grotere fan van het spel dan Joe Brunner, maar hij had één probleem dat hem ervan weerhield hoofdcoach te worden. Hij kon niet tegen stress. Onder spanning werd hij een knalrode, woest rondlopende, vuurspuwende maniak. Het is de taak van een coach om spelers tot de orde te roepen, maar dat lukt heel moeilijk als drieënvijftig jongens hun best doen om niet in lachen uit te barsten.

Zach stond samen met de andere assistent-coach, die verantwoordelijk was voor het aanvallende spel, op te letten of Joe niet zou ontploffen. Mocht het uit de hand lopen, dan zouden ze tussenbeide komen. Gelukkig pulseerden er maar twee aderen op Joe's rood aangelopen voorhoofd. Zach was voor het grootste deel van zijn leven quarterback geweest, geen coach, maar hij had gespeeld met zowel de beste als de slechtste coaches. Hij had teams naar kampioenschappen geleid en kende het verschil tussen hard zijn en de tiran uithangen. Hij wist dat spelers bereid waren alles te geven op het veld als ze iemand respecteerden die ook respect voor hen had. Een goede coach zette aan tot wederzijds respect.

Toen Joe klaar was, stapte Zach naar het bord. 'Jullie weten allemaal wat je moet doen,' zei hij. 'Jullie gaan het veld weer op en zorgen ervoor dat die gasten van Midland er spijt van krijgen dat ze vandaag moesten spelen.' Hij wees naar de achterhoede. 'Als jullie worden geblockt, dan moet ik dat kunnen horen vanwaar ik zit, en ik wil niet meer zien dat jullie je laten tegenhouden door een paar lullige blocks. Zorg dat je om die jongens heen loopt en het veld op rent alsof je reet in de fik staat. Dan ga je die quarterback achterna en dwing je hem die bal af te staan voordat hij ermee klaar is.' Hij zette zijn pet weer op en verzamelde het team om hem heen. 'De eerste helft van deze wedstrijd is voorbij, heren. Daar kunnen we niets meer aan veranderen. Die laten we achter ons.

Vorige week, toen we Don kwijtraakten, riep iedereen dat het voorbij was. Maar daar geloof ik niets van. Met één speler maak of breek je een team niet. Het gaat om het hart en het lef van de spelers, dát maakt of breekt een team. Het is nu aan jullie om het veld op te gaan en te laten zien dat je het hart en het lef hebt om de wedstrijd te winnen. Het is nog niet voorbij. We staan maar veertien punten achter. Nu gaan we ze eens laten zien dat wij kunnen winnen.'

Hij keek ze stuk voor stuk aan. 'Dus, wat gaan we doen: met hart en ziel voor de overwinning.'

'Met hart en ziel voor de overwinning!' riepen de teamspelers hem na.

'Nu naar buiten en laat die Bulldogs alle hoeken van het veld zien!'

Zach en de andere coaches volgden het team de tunnel in, het geluid van hun noppen weerkaatste tegen de wanden. De Cougars holden het gras op terwijl de schoolband uitbarstte in een strijdlied. De spelers beukten met hun helmen, schouders en vuisten tegen elkaar en die tweede helft lukte het ze eindelijk door de aanvalslinie van Midland heen te breken en hun quarterback op te vangen. Daarna liepen de Cougars snel hun verlies in en in de laatste seconden van de wedstrijd scoorden ze een fieldgoal vanaf de zevenendertigste yard, waarna ze met drie punten verschil wonnen.

Toen Zach met zijn jongens het veld verliet, dacht hij na over de fouten die ze in de eerste helft hadden gemaakt. De volgende wedstrijd was tegen Amarillo in Lubbock en dat team had een sterkere verdediging dan alle teams waartegen ze tot nu toe hadden gespeeld. Als de Cougars tegen hen speelden zoals ze vandaag tegen Midland hadden gedaan, dan zouden ze serieus op hun donder krijgen en was hun kans op het kampioenschap van de staat Texas verkeken.

Na de wedstrijd stonden er een tiental bussen klaar om de spelers, cheerleaders, bandleden, sponsors en supporters terug te brengen. Zach was met zijn auto naar Midland gereden, omdat hij het comfort van zijn Cadillac Escalade verkoos boven dat van een bus.

Meestal ging Tiffany mee, maar niet naar uitwedstrijden.

Hij reed in tweeënhalf uur naar huis en viel om één uur 's nachts zijn bed in. Omdat er op zondag geen training was, was hij van plan daar goed gebruik van te maken en uit te slapen. Maar Tiffany had andere plannen.

'Pappie,' zei ze, en ze schudde aan zijn schouder.

Hij deed met moeite zijn ogen open. 'Hoe laat is het?'

'Negen uur.'

'Dan moet je wel een heel goede reden hebben.'

'Klopt. We moeten alles regelen voor mijn feestje.'

'Welk feestje?'

'Het feestje voor mijn dansteam. Dat is vandaag. Ben je dat vergeten?'

Een paar gelukzalige uren lang was hij vergeten dat zijn huis vandaag zou worden overspoeld door een club gillende dertienjarige bakvissen. 'Godallemachtig,' kreunde hij.

'Niet vloeken,' zei zijn dochter, die daarmee sprekend op haar moeder leek.

'Sorry.'

'Opstaan. We moeten hamburgers en zo kopen, want ik wilde barbecueën. Je had gezegd dat dat mocht.'

'Willen jullie niet liever lekker rustig voor de buis zitten?'

'Doe niet zo gek, pappie!' Tiffany lachte. 'Ik heb de verwarming van het zwembad al aangezet en tegen de meisjes gezegd dat ze hun badpak mee moeten nemen. Laten we die grote terraswarmers uit het gastenverblijf halen en op het terras zetten. Of misschien kunnen we alles uit de televisiekamer halen en daar tafels neerzetten zodat we daar na het zwemmen kunnen eten. Wat vind jij, pappie?'

Zach ging op zijn buik liggen en trok een kussen over zijn hoofd. 'Ik maak me liever meteen van kant.'

Die middag scheen de zon door de voorruit toen Adele de auto langs de weg stilzette en haar tranen de vrije loop liet. Ze had zich kranig gehouden in het ziekenhuis. Ze moest wel, voor Sherilyn, maar ze was in haar hele leven nog nooit eerder zo bang geweest. De laatste twee uur had ze in de kamer van haar zus haar hand vastgehouden en ingespannen staan turen naar het apparaat dat haar stijgende bloeddruk liet zien. De voortdurende piep van de hartbewakingsapparatuur van de baby klonk nog na in haar oren.

Het had weinig gescheeld of ze hadden Sherilyn naar de operatiekamer gereden voor een spoedkeizersnede. Toen begon haar bloeddruk heel langzaamaan te dalen. Nu ze tweeëntwintig weken zwanger was, zou de baby eigenlijk geen kans hebben om te overleven.

'Het is al goed. Het is al goed,' had ze haar zus voortdurend bezworen, terwijl alles overduidelijk helemaal niet goed was. Maar ze wist niet wat ze anders had moeten zeggen. Wat ze anders had kunnen doen behalve daar te blijven wachten en zichzelf te beheersen.

De tranen drupten uit haar ogen en ze deed haar mond open om naar adem te happen. Snikkend probeerde ze de brok in haar keel weg te slikken, maar alle angst en zorgen om haar zus, die ze al zo lang voor zich had gehouden, kon ze niet langer inhouden en ze brulde het uit. De afgelopen twee uur waren afschuwelijk geweest, de ergste twee uur in haar leven, en ze had niets kunnen doen voor Sherilyn, behalve William Morgan nog meer haten dan ze al deed. Híj had daar moeten staan om de hand van zijn vrouw vast te houden en te knokken voor zijn kind. Maar in plaats daarvan gedroeg hij zich als een idioot en lag hij in bed met zijn assistente.

Adele zuchtte diep en liet de adem heel langzaam ontsnappen. De tranen droogden op en ze wreef met haar handen over haar natte wangen. In het vak tussen de beide voorstoelen in zocht ze naar een tissue, terwijl ze met haar andere hand de telefoon uit haar tas pakte. Omdat Sherilyn nu eenmaal Sherilyn was, had ze daar altijd een pakje zakdoeken liggen en dat kon Adele nu wel gebruiken. Ze snoot haar neus en klapte haar telefoon open.

Het was halfvier en ze was aan de late kant. Ze zou Kendra oppikken na het dansfeestje. Ze depte haar ogen en belde in plaats van het nummer van haar nichtje, dat van het oude huis van haar zus in Fort Worth, waar William nog steeds woonde. Na een poosje kreeg ze de voicemail.

'Dit is het antwoordapparaat van tandarts William Morgan,' hoorde ze haar zwager zeggen, en op de achtergrond giechelde een vrouw: 'en Stormy Winter.' Trut. 'Ik kan op het moment niet aan de telefoon komen,' ging William verder. 'Laat een boodschap achter, dan bel ik u terug.'

Echt iets voor William om zo'n keurig bericht in te spreken maar dan wel met gegiechel van zijn vriendinnetje op de achtergrond. Eikel.

Piep.

'William, met Adele. Ik bel om je te zeggen dat...' Ze zweeg. Het laatste wat Sherilyn kon gebruiken, was dat die eikel haar ging opbellen en haar van streek maken. Bovendien, hij had het recht niet om het te weten. 'Ik belde alleen maar om je te zeggen dat je de schijt kunt krijgen,' zei ze en ze klapte haar telefoon weer dicht. Goed, dat was dan misschien heel kinderachtig. Maar Sherilyn had wel gelijk. Het luchtte enorm op.

Ze keek in haar spiegel en kreunde. Haar ogen waren rood en haar huid was vlekkerig. Geen haar op haar hoofd die eraan dacht bij Zach aan te bellen als ze er zo slecht uitzag. Voor de tweede keer. Ze klapte haar telefoontje weer open en belde naar het mobieltje van Kendra. Als het haar lukte om Kendra buiten te laten wachten... het liefst helemaal aan het einde van de lange oprit... maar Kendra nam niet op.

Sherilyn had zelfs een klein vuilniszakje in haar auto opgehangen en Adele gooide het zakdoekje daarin terwijl ze de handrem lostrok. Ze reed de weg weer op en groef in haar handtas naar haar zonnebril. Ze probeerde nog drie keer Kendra te bereiken, maar was toen al bij de omheining.

'Verdomme.' Zuchtend zette ze de zwarte zonnebril op haar neus. Ze gooide haar telefoon op de passagiersstoel en reed weer om het belachelijk chique clubhuis heen tot ze bij Zachs oprit arriveerde. Toen ze nog in het ziekenhuis was had ze Kendra al willen bellen om haar te vertellen dat ze wat later zou zijn, maar ze wilde haar nichtje niet ongerust maken, omdat ze toch niets kon doen. Achteraf gezien had ze moeten vragen of een van de andere ouders Kendra misschien thuis had kunnen brengen.

Onder de zuilengalerij stonden twee Mercedessen en een Ford en Adele parkeerde haar zusters auto ernaast. Ze probeerde nog een keer Kendra te bereiken terwijl ze haar armen in een blauw vest dat bij haar joggingbroek hoorde stak, maar kreeg geen gehoor. Dus was ze genoodzaakt uit te stappen en het pad af te lopen naar de voordeur. Het vest had een rode ster met zwarte vleugels die zich over haar borsten uitstrekten. Ze trok de rits een stuk dicht. Haar sportkleding was leuk, maar niet spectaculair. Daarmee zou een man geen spijt krijgen dat hij haar gedumpt had; daarbij had ze een behuild gezicht dus al had ze iets fantastisch aangetrokken, dan nog was de moeite voor niets geweest.

Ze liep naar de voordeur, zette haar bril goed en gebruikte de klopper. Serieus, wie kon het nou schelen dat ze er vreselijk uitzag – voor de tweede keer? Wat kon haar het schelen wat Zach Zemaitis of wie dan ook van haar vond? Zach was een zak. Sterker nog, alle mannen waren klootzakken. Haar gezicht betrok en ze was verbaasd over haar cynisme. Ergens in de laatste week was ze haar gebruikelijke optimisme kwijtgeraakt.

De deur zwaaide open en daar stond Zach, lang en belachelijk knap om te zien, maar bij hem was het altijd meer zijn uitstraling geweest waar vrouwen voor vielen, dan zijn uiterlijk. Bij hem ging het meer om zijn zelfvertrouwen, gestaald door een hoop talent, dat vrouwen aantrok. Tenminste, dat was bij haar het geval geweest.

'Het spijt me dat ik zo laat ben,' zei ze, terwijl ze hem aankeek door haar donkere brillenglazen. 'Ik was in het ziekenhuis en er waren problemen en...' Wat kon hem dat nou schelen? 'Ik had even moeten bellen om te vertellen dat ik later zou zijn. Sorry.'

Hij droeg een wit shirt met lange mouwen met een slogan voor Moose Drool-bier, een spijkerbroek en zwarte slippers. Als ze echt zwak van geest zou zijn, dan had ze nu gecheckt of haar adem wel fris was.

'Kendra ligt in het zwembad,' zei hij, waarbij hij op Texaanse wijze de klinkers rekte.

'Terwijl het... eh, twaalf graden is?' Al werd dat in sommige staten gezien als warm, voor november.

'Vijftien, en het zwembad is 's winters overdekt.'

Natuurlijk. 'Wil je tegen Kendra zeggen dat ik er ben?'

Zijn blik gleed even over de vleugels op haar borsten, waarna hij haar weer aankeek. 'Kom binnen.'

'Ik wacht in de auto.' Ze draaide zich om en wees naar de Toyota. 'Zeg maar tegen Kendra dat ik...'

'Waar ben je nou eigenlijk bang voor?' onderbrak hij haar.

Ze draaide zich weer naar hem om. 'Nergens voor.'

Hij deed een stap naar achteren en ze kon hem amper zien vanwege de zonnebril. Vanuit de schaduw klonk zijn stem weer, diep en bijna ruw: 'Kom dan binnen, Adele.'

'Doe je altijd zo bazig?'

Hij haalde zijn schouders op. 'Doe jij altijd zo ingewikkeld?'

'Ook goed.' Ze sloeg haar armen over elkaar en liep het huis binnen. Hij deed de deur achter haar dicht en ze volgde hem door de gang naar de woonkamer.

'Ben je nog uit geweest met die roodharige kerel?' vroeg hij over zijn schouder.

'Met Cletus? Ja.' In tegenstelling tot de vorige keer dat ze hier was geweest, stond het dure meubilair weer op zijn plek en lagen de kleden weer waar ze hoorden. Ze hield haar blik gericht op Zachs brede schouders en de rand waar zijn blonde haar zijn nek raakte, om niet naar het grote portret van Devon te hoeven kijken. Waar ze ook begraven mocht liggen, Adele wist zeker dat Devon zich zou omdraaien in haar graf. Na alles wat Devon had gedaan om Zach en Adele uit elkaar te houden, bevond Adele zich ineens in het hol van de leeuw: het huis dat Devon met haar echtgenoot had gedeeld. Nu had ze natuurlijk even kunnen genieten van de ironie, ware het niet dat ze hier helemaal niet wilde zijn.

'Nou, die vent is snel.'

'Het was een leuke avond.' Tot het moment dat hij echt een eikel werd.

'Het zou nooit wat worden, dat weet je toch.'

Ja, dat wist ze wel. Ze was vervloekt. 'Hoezo? Omdat één rode kop genoeg is?' Ze volgde hem naar de keuken. 'En ik begrijp heus wel wat je daarmee bedoelde.'

Hij trok de koelkast open en haalde een schaal met tomaten, augurken en sla tevoorschijn. Ergens buiten klonk gegil en Zach kromp ineen. 'Vroeger had je dat soort dingen sneller door.'

'Vroeger deed ik zoveel dingen anders.'

'Dat weet ik nog wel.' Hij overhandigde haar het bord en een mondhoek krulde omhoog. 'Ik weet nog veel meer over jou.' Omdat ze haar handen vol had kon ze hem niet tegenhouden toen hij naar haar zonnebril reikte en die omhoog schoof. 'Ik weet nog precies wat voor kleur ogen je hebt, turkoois, maar soms worden ze donkerder van kleur.'

Hij was de eerste geweest die had gezegd dat haar ogen donkerder werden als ze opgewonden raakte. Ze wist nog precies dat ze in zijn pick-uptruck zaten toen hij dat gezegd had. Ze hadden gezoend en hij had haar door haar kleding heen overal gestreeld en ze wilde niets liever dan hem helemaal opeten.

'Vertel eens, liefje,' zei hij ineens fluisterzacht, 'waarom kijken je mooie ogen zo droevig?'

Er bevond zich een schaal met groente tussen hen in en ze vroeg zich nu pas af waarom ze die in vredesnaam had aangenomen. Heel even vergat ze dat hij een eikel was. Ze was een vrouw die al in geen jaren een fatsoenlijk avondje uit had gehad met een man, en hij was een man. Een verschrikkelijk lekkere man bovendien, met een zuidelijk accent waarmee hij plaatsen wist te beroeren die diep in haar ziel lagen verscholen. Hete, broeierige plekken die nodig beroerd moesten worden.

Adeles lippen weken vaneen en ze ademde diep in. Het zou zo makkelijk zijn om zich helemaal te laten gaan tegen zijn brede schouders.

'Zo erg is het leven toch niet?'

Waarmee meteen duidelijk werd hoe onwetend hij was. 'Mijn leven is helemaal niet leuk.'

'Waarom niet?'

Om zoveel redenen. 'Mijn zus ligt in het ziekenhuis te vechten voor haar leven en dat van haar kind, en haar man zou haar hand moeten vasthouden. Niet ik.'

Zach liet zijn blik afdwalen naar Adeles mond. 'Waar is haar man dan?'

Ze was zo afgeleid door het feit dat zijn ogen nu op haar mond waren gericht dat ze met moeite uitbracht: 'Die ligt ergens te neuken met Stormy Winter.'

Hij keek niet op van haar woordkeuze, maar vroeg verbaasd: 'Stormy Winter?'

'Zijn vriendinnetje.'

'Aha.' Nu pas keken zijn bruine ogen weer in haar blauwe. 'Stripteasedanseres?'

Adele glimlachte. 'Zijn "assistente".'

Er ging een deur open en Zach keek op langs Adele. 'Shit,' mompelde hij.

'Ik dacht dat je wel wat hulp kon gebruiken,' zei een vrouwenstem en haar hoge hakken klikklakten op de keukenvloer.

Zach keek weer naar Adele en zette de zonnebril weer op haar neus. 'Dank je, Geneviève, maar ik heb al hulp. Doe geen moeite.'

Achter de glazen van haar zonnebril sloot Adele haar ogen even. Alsjeblieft, niet Geneviève Brooks.

'Het is geen enkele moeite,' verzekerde Geneviève Brooks hem en ze stond al achter hen.

'Wat moet ik eigenlijk met deze schaal?' bedacht Adele ineens hardop.

'Die ga je zo naar buiten brengen.' Zach draaide zich om en liep weer naar de koelkast, zodat Adele haar blik over zijn achterwerk kon laten gaan. In een van zijn achterzakken zat overduidelijk zijn portemonnee. Hij moest vooroverbuigen om een grote schaal hamburgers en worstjes tevoorschijn te halen. 'Pak jij de broodjes even van het aanrecht, Geneviève,' zei hij, terwijl hij de koelkastdeur sloot.

Genevièves hoge hakken tikten over de tegels toen ze zich naar het aanrecht begaf. Ze was nog net zo lang en slank als Adele zich herinnerde, en ze droeg een witte blouse, een beige broek en een vest. Zo te zien nogal duur. Parelsnoeren hingen om haar slanke nek en ze droeg een diamant zo groot als een knikker aan haar ringvinger. 'Die meisjes zullen wel honger hebben,' zei Geneviève. Ze pakte de broodjes en draaide zich om naar Adele. 'Hallo. Ik ben Geneviève Brooks-Marshall. Lauren Marshall is mijn stiefdochter.' Haar make-up was precies goed, niet te veel, niet te weinig, en haar zwarte haar vormde een keurige bob.

Adele wist dat er ook een Lauren in het dansteam zat. 'Kendra Morgan is mijn nichtje,' zei ze.

'Een van de nieuwe meisjes?'

Adele knikte terwijl Zach haar passeerde en ze volgde hem naar de eetkamer. 'Het is duidelijk dat ik je plannen voor vanavond verstoor,' sprak ze tegen zijn rug. 'Dus, als je me even zegt waar ik dit neer moet zetten, dan kan ik Kendra meenemen en kun jij terug naar je gasten.'

Hij deed de terrasdeur open en Adele stond ineens buiten. 'Hoe zei je dat je heette?' vroeg Geneviève toen ze zich bij hen had gevoegd.

'Adele Harris.' Adele wachtte op een blik van herkenning van de vrouw met wie ze twaalf jaar op school had gezeten, maar er kwam niets. Het verbaasde haar niet.

Zach sloot de deur weer en de beide vrouwen liepen hem achterna via een stenen trap naar een lagergelegen terras en een binnenplaats. Het was een heldere novemberdag en Adele voelde zich net alsof ze in een of ander woontijdschrift was gestapt. Aan de andere kant van de binnenplaats viel het zonlicht op een uitgestrekte, goed onderhouden tuin, met keurig gesnoeide struiken en een glad gemaaid gazon dat het hoofdgebouw scheidde van de twee kleinere bijgebouwen.

Links van haar sprongen en zwommen de meisjes van het dansteam van Kendra in een enorm zwembad dat werd omsloten door grote, beslagen ramen. Kennelijk was Adele niet de enige ouder die te laat was.

Ze volgde Zach langs een paar gedekte tafels naar een gigantische barbecue die in een kookeiland van natuursteen was gevat. Tussen de tafels stonden vijf riante warmtekanonnen, elk met een actieradius van minstens vijf meter. Adele zette de schaal met rauwkost neer op een lange tafel tussen een zak chips en een pastasalade. Naast de enorme barbecue stond een man met een baseballpet. Er stond een vrouw naast hem, die lachte toen hij een grapje maakte. Toen Zach dichterbij kwam met de schaal met vlees, deed de kerel met de pet het grote glimmende deksel open en begon hij de grill met een staalborstel schoon te maken.

Adele hoorde hier niet en ze wilde maken dat ze wegkwam. Ze draaide zich om naar het zwembad, maar hoe dichter ze daar in de buurt kwam, hoe meer het leek of ze zich in de tijd had vergist. Of er waren, net als zij, veel meer ouders te laat. Ze deed de deur open en werd overspoeld door de chloorlucht en de hoge kreten van de meiden. Ze zag Kendra aan de rand van het zwembad hangen en hurkte voor haar neer. 'Ben ik te laat?' riep ze om boven het geluid uit te komen en ze schoof haar zonnebril omhoog.

Kendra veegde water uit haar ogen. 'Hoe laat is het?'

'Ongeveer kwart voor vier.'

'Het feestje duurt tot zes uur.'

'Ik dacht dat je drie uur had gezegd.'

'Nee.' Kendra schudde haar hoofd. 'Zes uur. We hebben tot drie uur geoefend met de nieuwe dansjes. Misschien heb je de tijden door elkaar gehaald.'

'Kennelijk.' En Zach had geen moeite gedaan om haar daarop te wijzen. 'Ik kom over een paar uur wel terug.'

'Oké,' glimlachte Kendra. 'Hoe is het met mama?'

Het laatste wat Adele wilde was de glimlach van het gezicht van haar nichtje laten verdwijnen. 'Het gaat goed met haar. Ook met de baby.' Ze stond op. 'Veel plezier en tot straks.'

Kendra liet zich weer in het water glijden, zette af en zwom naar een groep meisjes aan de overkant.

De deur ging open en Zach kwam binnen met een glas wijn in zijn hand. 'Het is tijd om uit het water te komen,' zei hij luid en duidelijk en het werd meteen stil in het zwembad. Daarna begon hij bevelen uit te delen, alsof hij zijn team aan het trainen was. 'Ga je aankleden. Droog je haar. Jullie hebben een kwartier. Kom op.'

Adele verwachtte dat hij nog even zou schreeuwen, en vervolgens een pass zou aannemen. In plaats daarvan liep hij op haar af, pakte haar hand en drukte er een glas wijn in.

'Wat is dit?' vroeg ze en ze keek van het glas naar zijn gezicht.

'Wijn,' antwoordde hij. 'Ik dacht dat je dat wel kon gebruiken.'

'Ik mag vast niet zeggen dat ik geen wijn wil.'

'Tuurlijk wel.' Hij haalde een van zijn gespierde schouders op. 'Ben je een alcoholist?'

'Nee.'

'Allergisch?'

'Nee,' antwoordde ze nogmaals. De meisjes kwamen geleidelijk aan het water uit en Tiffany stond aan de andere kant dikke witte handdoeken uit te delen.

'Ben je snel dronken?'

'Nee.'

'Mag je van je geloof niet drinken?'

'Nee.'

'Ben jij er zo eentje die zich uitkleedt als ze dronken wordt?'

'Nee.'

'Zeker weten?'

'Ja.'

'Hè, jammer.'

Ondanks alles moest ze glimlachen.

'Laten we hier wegwezen voordat die meiden die harde, oorverdovende kreten beginnen te slaken die zij zien als converseren.' Met een hand tegen haar onderrug leidde hij haar naar de deur.

Door haar vestje heen voelde ze zijn handpalm, licht en zwaar tegelijkertijd, die een warme tinteling over haar hele lichaam verspreidde en levendige herinneringen naar boven bracht van de eerdere keren dat hij haar op deze manier had vastgepakt en tegen zich aan had gedrukt. Ze nam een slok van de heerlijke merlot en was blij toen hij zijn hand terugtrok om de deur open te doen. Pas toen ze op het pad stond kon ze weer ademhalen. Ze was een beetje licht in haar hoofd van de warmte in het zwembad.

'Als een van die meisjes verkouden wordt, krijg ik er natuurlijk van langs van die moeders,' zei hij terwijl ze samen naar de binnenplaats liepen.

Adele wierp een blik op Geneviève en de andere vrouw die bij de barbecue stond. Ze vroeg zich af of zij zich ook hadden vergist in de tijd. 'Ik dacht dat ik te laat zou zijn om Kendra op te halen. Waarom zei je niet dat ik eigenlijk te vroeg was?'

'Van mijn mama heb ik geleerd dat ik een dame nooit op haar fouten mag wijzen.'

Adele trok een wenkbrauw op en keek hem aan. 'Ja ja, maak dat de kat wijs.'

'Ik wist dat je dan meteen weer in je auto zou springen en ervandoor zou gaan.'

Hij had gelijk.

'En ik vind niet dat ik als enige onder dit feestje moet lijden.'

'Maar dat is toch je taak, als ouder?'

'Om te lijden?' Hij knikte.

Ze waren bij de barbecue aangekomen en Zach stelde haar voor aan Cindy Ann Baker. Daarna schudde ze de hand van de man met de pet; hij heette Joe Brunner en was de coach die zich met de verdediging van de Cedar Creek Cougars bezighield. 'En Geneviève heb je al ontmoet,' zei Zach. Hij pakte de schaal met de hamburgers en de worstjes en begon het vlees op het rooster te leggen.

Geneviève reageerde daar slechts op met een vluchtig 'Ja', om zich vervolgens weer tot Zach te wenden: 'Wat kan ik nog voor je doen?'

'Niets,' antwoordde hij. Hij ging door met hamburgers bakken. 'Ontspan.'

'O, je weet toch dat ik me nuttig wil voelen.' Geneviève pakte een glas merlot en nam een slok. Ze kwam dichter naar Zach toe en sprak zo zachtjes dat niemand haar kon horen.

'Wie is jouw dochter?' vroeg Cindy Ann aan Adele.

'Het is mijn nichtje, en zij is een van de nieuwe meisjes, Kendra.'

Cindy Ann was een stevige vrouw, die eruitzag alsof ze in een vorig leven turnster was geweest. Ze was klein, compact en gespierd en ze had een korte bob. 'Heb je zelf kinderen?'

Adele bestudeerde de rook die opsteeg van de grill en wendde haar blik af toen ze merkte dat Zach naar haar keek. 'Nee.'

'Getrouwd?' vroeg Cindy Ann.

'Eén keertje bijna,' gaf ze toe en ze bedacht dat als Dwayne niet zo gek was gaan doen vanwege de vloek, ze vast met hem getrouwd was.

'Vriendje?'

Ze schudde haar hoofd. 'Mijn zus is zwanger en ligt in het ziekenhuis met zwangerschapsvergiftiging. Ik zorg voor haar en Kendra, dus op dit moment heb ik alleen tijd voor mijn familie.'

'Heb jij niet op Cedar Creek High School gezeten?' vroeg Joe.

'Ja.'

'Dan hebben we dezelfde handvaardigheidslessen gevolgd. Ik deed een jaar later dan jij eindexamen.'

Eindelijk kreeg Geneviève belangstelling. 'Heb jij op Cedar Creek gezeten?'

'Ja,' antwoordde Adele en ze noemde haar eindexamenjaar.

Geneviève bekeek haar eens goed. 'O, nu herken ik je.' Ze wendde zich weer tot Zach. 'Ben je uitgenodigd voor het benefiet-gala?'

'Ja.'

'Je gaat toch wel, hoop ik? Ik weet dat het moeilijk zal zijn, zonder Devon. We missen haar allemaal verschrikkelijk.'

Zach legde de worstjes naast de hamburgers op de grill en zette de schaal weer neer.

'Wij waren zo goed bevriend, al sinds onze eerste missverkiezing, toen we zes waren. We hadden zo'n hechte band, net zusjes. Devon was gewoon zo'n speciaal iemand en de Junior League is niet meer hetzelfde zonder haar.'

'Dat heb ik me laten vertellen.'

'Ik weet hoeveel je van haar hield, dat weten we allemaal.' Geneviève schudde haar hoofd en haar perfecte kapsel bewoog zacht mee. 'Het leven is niet meer hetzelfde zonder Devon.'

'Klopt.' Zach draaide de worstjes om. 'Maar op de een of andere manier lukt het ons toch om door te leven.'

Adele staarde in haar glas en had bijna medelijden met Zach. Hij moest veel van Devon hebben gehouden. Jarenlang had ze zichzelf wijsgemaakt dat ze vast ongelukkig waren samen. Dat hij alleen met Devon was getrouwd omdat hij zich verantwoordelijk voelde. Dat ze niet van elkaar hielden. Niet echt, tenminste. Niet zo dat je je hele leven bij elkaar blijft. Het voelde goed als ze dat tegen zichzelf zei, maar het was helemaal niet waar. Het was nooit zo geweest.

Ze dacht aan het levensgrote portret in de woonkamer. Dat enge, akelige portret van de overledene. Zach moest van Devon hebben gehouden. Hij zou nog steeds wel van haar houden.

Hoofdstuk 6

Zach wilde niet meer verder met zijn huwelijk. Een uur voordat Devon frontaal tegen die vuilniswagen op reed, had hij haar de scheidingspapieren overhandigd. Na tien jaar was er gewoon geen druppel liefde meer over. Het was niet meer dan een omgangsregeling, een die ook niet altijd even vreedzaam was, en die niet langer voldeed. Althans, niet voor hem.

Het verschil tussen hen beiden was dat Devon voor altijd zo door wilde gaan. Ze hield meer van het leven als de vrouw van een NFL-quarterback, al was hij met pensioen, dan van de quarterback zelf. Ze vond met name de status heerlijk, zeker in dat stadje van haar. Een hele tijd kon het hem niet zoveel schelen dat zijn huwelijk niets voorstelde. Als hij heel eerlijk was, moest hij toegeven dat hij het zelf eerst ook wel oké vond. Hij woonde in Colorado, zij in Texas. Zij leidde haar leven, hij het zijne. Ze vond alles best, zolang hij de roddelpagina's maar niet haalde en haar voor schut zette voor haar vriendinnen van de Junior League. Het kon hem niets schelen wat ze deed, als het Tiffany maar geen kwaad berokkende.

Toen hij de scheiding aanvroeg, hield hij niet van zijn vrouw. Eigenlijk mocht hij haar niet eens, en omdat hij niet wilde dat hij echt een hekel aan haar zou krijgen, wilde hij het huwelijk beëindigen. Ze was de moeder van zijn enige kind en het laatste wat hij wilde was een gevecht in de rechtszaal, maar dat was precies wat ze hem beloofde toen hij haar die ochtend de papieren gaf.

'Dit kun je me niet aandoen, Zach, ik sta dit niet toe,' had ze gezegd, voordat ze de deur achter zich dichtsloeg en wegracete naar een van haar bijeenkomsten. Haar nakijkend had hij zich niet verbaasd over haar reactie. En op het moment dat hij zijn advocaat sprak had hij al geweten dat de pleuris zou uitbreken.

Zach deed het deksel op de barbecue en keek op. Door de rook zag hij Adele staan, die met haar wijnglas speelde. Hij kon niet zeggen dat hij haar goed kende, maar hij was er vrijwel zeker van dat zij niet het type vrouw was dat het niet kon schelen wat haar man uitspookte, zolang hij de rioolbladen maar niet haalde.

Adele keek ook op en weer leek het alsof hij terug was in zijn studententijd, toen hij haar vanaf de andere kant van de collegezaal had zien zitten. Ze had iets gehad waardoor hij haar beter wilde leren kennen. Iets wat zijn aandacht trok en hem naar haar deed kijken. Iets wat meer was dan alleen lust. Destijds vroeg hij zich af hoe het zou voelen om met zijn vingers door haar krullen te gaan. Ditmaal vroeg hij zich af hoe lang het zou duren voordat haar ogen een diepere tint blauw zouden krijgen. Een glimlach krulde om zijn mond toen hij zich de keer herinnerde dat hij het feetje had gekust dat ze rechts op haar buik had laten tatoeëren, vlak boven haar slipje.

Het leek wel alsof ze zijn gedachten kon lezen, want ze kreeg een kleur en liep naar de tafel die even verderop stond.

'Wist je trouwens dat de gouverneur ook bij het gala aanwezig zal zijn?' zei Geneviève, waarmee ze Zachs gedachtestroom onderbrak, wat niet zo erg was want anders waren die gedachten misschien op hol geslagen en had hij zichzelf voor schut gezet.

'Echt waar?' Zach had een heleboel gouverneurs de hand geschud en ook een paar presidenten. Hij was ook wel eens te gast geweest in de Playboy Mansion en was op feestjes geweest met beroemde mensen. Sommigen daarvan waren aardig, anderen zelfingenomen eikels. Als Geneviève hem ook maar een beetje kende, zou ze weten dat hij niet snel onder de indruk was. Vooral niet van arrogante, op status beluste vrouwen die met ouwe kerels trouwden om hun geld en dan achter hun rug vreemdgingen.

Geneviève had zichzelf uitgenodigd voor de barbecue en hij geloofde niet dat dat was om te helpen. Al deed ze nog zo haar best. Hij was genoeg van dat soort vrouwen tegengekomen, die hem hun lichaam aanboden. En ook al had hij hun aanbod soms aangenomen, hij had nooit met getrouwde vrouwen gescharreld of met vrouwen die hij niet leuk vond. En hij was nog niet zo wanhopig dat hij daar nu mee wilde beginnen.

'Ik ga eens kijken bij de meisjes,' zei Cindy Ann en ze begaf zich naar het zwembad.

'Bedankt,' zei Zach en hij keek haar na. Cindy Ann Baker was zo'n moeder die altijd voor iedereen klaarstond. Ze was zelf heel sportief en nu was ze smoor op Joe Brunner. Zodra Cindy Ann Joe's auto had gezien, had ze meteen geroepen dat ze ook zou blijven helpen. Alleen was Joe tijdens het footballseizoen altijd doof en blind en zou hij nog niet eens zien hoe aantrekkelijk een vrouw was al zou ze hem tackelen. En al was Cindy Ann niet Zachs type, ze was wel leuk, grappig en sportief.

De barbecue siste en er kwam rook in Zachs gezicht toen hij weer een paar hamburgers omdraaide. Hij wuifde de rook weg met zijn hand en keek opzij. Daar zag hij zijn assistent-coach bij de tafel staan kletsen met Adele. Zach hield de spatel stil en een van de hamburgers viel ervanaf. Misschien had hij zich wel vergist in Joe. Hij zag hoe Adele tegen zijn vriend glimlachte en toen boog Joe zich voorover en zei iets waardoor haar glimlach overging in een zacht, sexy lachen. Adele schudde haar hoofd en raakte even Joe's bovenarm aan. Zach vroeg zich af of ze zo vriendelijk zou zijn als ze had geweten dat Joe al twee keer getrouwd was geweest. Zou ze hem dan nog zo aardig vinden?

Zach had de andere coach uitgenodigd om hem te helpen, niet om vrouwen te versieren.

Er verscheen een frons op Zachs gezicht en hij legde de hamburger recht op het rooster. Joe was een goeie vent en een fijne vriend, maar hij had de slechte gewoonte om op de verkeerde vrouwen te vallen. Hij had iemand nodig die net als hij veel van sport hield. Iemand zoals Cindy Ann. Niet Adele, die er geen zier om gaf. Tenminste, dat deed ze veertien jaar geleden niet.

Adele was mooi, had een schitterend lijf, dus Zach kon het Joe niet kwalijk nemen dat hij met haar flirtte. En trouwens, wat kon hem het schelen met wie Adele praatte? Daar zou hij zich niets van aan moeten trekken.

Aan de overkant van het grasveld ging de deur van het gasten-verblijf open en twaalf hongerige dertienjarige meisjes kwamen hun kant op lopen. Ze hadden allemaal droge haren en ze waren heel rustig, ofwel van vermoeidheid, ofwel omdat ze honger hadden. Zach wist het niet precies, maar hij was er blij om. Ze pakten om beurten een bord en schepten het vol met pasta-salade, friet, hamburgers en hotdogs.

'Heb je de mijne zwart gebakken?' vroeg Tiffany, terwijl ze naast de barbecue kwam staan.

'Dat weet je toch.' Zach pakte de zwartste worst van de grill en legde die op een broodje. Zodra de meisjes aan de tafels onder de warmtekanonnen zaten, serveerde hij Joe een dubbele hamburger, Cindy Ann een hotdog en Geneviève een minischep-je pastasalade. 'Waar heb jij zin in, Adele?' vroeg hij. 'Een hot-dog of een hamburger?'

'Geen van beide, dank je. Ik heb uitgebreid geluncht.' Ze stond op en wees naar de zijkant van het huis. 'Gaat die poort naar de oprit?'

'Als ik hem van het slot haal. Hoezo?'

'Ik heb mijn telefoon in de auto laten liggen en ik wil mijn zus bellen om te zeggen dat we pas na zessen bij haar kunnen zijn.'

Zach legde een tweede zwartgeblakerd worstje op een broodje en deed het deksel van de barbecue dicht. 'Gebruik dan de tele-foon in mijn kantoor. Dat is dichterbij.' Hij nam een grote hap en kauwde. 'Je loopt via de kamer met die grote tv,' ging hij verder en hij wees naar twee openslaande deuren. 'De hal in, laatste deur aan je linkerhand.' Hij keek haar na terwijl ze naar het huis liep en zijn blik ging van haar krullenbos naar de vleugels en het hart die op haar mooie ronde bilpartij in haar joggingbroek stonden gedrukt.

Vlak voor ze naar binnen stapte, bestudeerde hij nog even haar onderrug. Hij had daar zoveel vrouwen aangeraakt. Het betekende niets. Het was gewoon een beleefd gebaar dat hij van zijn moeder had geleerd. Maar daarnet, toen hij Adele daar had aangeraakt, waren zijn gedachten bepaald niet beleefd geweest.

Hij nam nog een hap van zijn hotdog en spoelde die weg met een slok Lone Star. Net als Tiffany hield hij van een knapperig gebakken worstje, maar in tegenstelling tot zijn dochter hield hij niet van ketchup. Met zijn biertje in zijn ene hand en het broodje in de andere ging hij op de stoel naast Joe zitten en begon met hem te praten over hun keuze voor de Super Bowl. Joe was fan van de Texas Cowboys, maar Zach zag de verdedigingslinie van New England wel zitten.

'Het maakt me niet uit dat Owens daar speelt,' zei Zach met nadruk. 'Je kunt geen team opbouwen rond één speler.' Hij nam de laatste hap van de hotdog. 'Vooral niet als het een zeikerd is zoals hij.' De meeste spelers klaagden wel eens dat ze te weinig aan de bal kwamen, maar deze Owens ging ermee naar de media.

'Je zult wel een hoop vrije tijd krijgen als het zomerstop is,' zei Geneviève, die met een glas wijn tegenover Zach zat. Ze keek over de rand van haar glas naar hem en het leek of ze hem een knipoog gaf. 'Wat ga je allemaal doen?'

Zach herkende een uitnodiging meteen als hij er een kreeg. Hij had het al duizenden keren gezien in de ogen van evenzoveel vrouwen. Was het iemand anders geweest dan Geneviève Brooks-Marshall die hem zo had aangekeken, dan zou hij er nog serieus over nagedacht hebben.

'Ik bedenk wel wat.' Hij stond op en liep naar de prullenbak die naast de barbecue stond. Hij gooide er zijn lege blikje in en ging het huis in. Hij liep langs de leren banken, stoelen en enorme hd-televisie naar de wc. Het merendeel van het interieur was nog steeds zoals Devon het had achtergelaten, behalve de hd-tv. Zach was niet het type man dat graag de grootste auto had of het mooiste huis, maar hij hield wel van een grote tv. Met meer dan een miljoen pixels was groter soms inderdaad beter, bedacht hij terwijl hij zijn broek dicht ritste.

Toen hij de wc-deur sloot en het licht uitdeed, hoorde hij verderop in de gang zacht lachen. Hij liep in de richting van het geluid, langs de fitnesskamer en de sauna, en deed de deur van zijn kantoor open. Zach bleef met een schouder tegen de deurpost geleund staan kijken naar Adele. Ze zat op de rand van zijn grote bureau aan de telefoon. 'Nee, ik heb geen vieze praatjes achtergelaten op zijn antwoordapparaat!' zei ze, terwijl ze met de draad van het vaste toestel speelde. 'Wat een eikel, zeg. Ik belde om te vertellen wat er vandaag met jou en de baby was gebeurd, maar op het allerlaatste moment besloot ik dat hij het recht niet had dat te weten. Dus zei ik dat hij de schijt kon krijgen, en je heb helemaal gelijk: dat voelde heel goed.'

Adele keek spottend. Zachs blik dwaalde af naar haar mond. Hij vond het helemaal niet erg als een mooie vrouw een beetje narrig was.

'Laat hem toch.' Ze liet haar afkeuring blijken door met haar lokken te schudden. 'Welke rechter geeft daar nou om? Vergeleken met een man die zijn zwangere vrouw in de steek laat voor de tandartsassistente van begin twintig, betekenen die paar boodschappen niets.' Ze keek op en zag Zach staan. Ze hield haar hand stil en stond op. 'Hé, Sheri, ik moet ophangen, maar we komen bij je langs op weg naar huis. Ik weet dat Kendra je wil vertellen over haar dag.' Ze haalde haar vinger uit het in elkaar gedraaide snoer. 'Tot straks.' Daarna hing ze op.

'Ik dacht dat je misschien verdwaald was.' Hij liep de kamer in.

'Nee hoor.' Ze schudde haar hoofd en schoof een krul achter haar oor.

'Hoe gaat het met je zus?'

'Beter.' Ze zuchtte even. 'Als Sheri is bevallen en alles is goed met haar en de baby, dan ga ik weer naar huis, naar mijn eigen leven, en ga ik een jaar lang slapen.'

'Waar is jouw huis?'

Ze liet haar handen zakken en keek hem aan. 'Idaho.'

Hij dacht dat Tiffany Ohio had gezegd. 'Ben je daar naartoe gevlucht, destijds?'

Adele keek naar Zachs knappe gezicht met de krachtige kin, de mooie mond en de ogen met de kleur van donkere koffie. Ze was moe en had geen zin om over vroeger te praten. Vooral niet met de man die haar zoveel pijn had gedaan. 'Ik ben niet gevlucht.' Ze wendde haar blik af en begaf zich naar een ingebouwde boekenkast. 'Ik ging naar mijn grootmoeder in Boise. Ik had het er naar mijn zin en ben er gebleven.'

Ze pakte een boek uit de kast, *Sport's Illustrated allergrootste quarterbacks uit de* NFL *Football*. 'Sta jij hier ook in?' vroeg ze met een blik over haar schouder.

'Ergens.'

Ze sloeg het boek open en bestudeerde de glanzende pagina's. 'Maar je weet niet waar?'

'Bladzijde tweeëndertig.'

Grinnikend bladerde ze door het boek. Het gladde papier voelde lekker koel en ze sloeg de bladzijden om tot ze bij de bewuste pagina kwam. Daarop stond Zach in een blauw-met-oranje trui met het nummer twaalf op zijn borst en brede schouders. Een heel strakke witte broek omsloot zijn onderlichaam en in zijn broekband was een wit handdoekje gestoken, dat voor zijn gulp hing als een lendendoekje. Zachs intens bruine ogen keken naar de toeschouwer van achter het masker van zijn blauwe helm en hij had zijn tanden ontbloot. Met zijn linkerheup naar beneden zwaaide hij zijn rechterarm juist naar achteren; de fotograaf had afgedrukt op het moment vlak voordat hij de bal naar voren zwaaide.

'Je bent elfde geworden,' zei ze en vervolgens las ze hardop voor. 'Zemaitis speelde het spel vooral in zijn hoofd. Hij kan elke tactiek doorzien voordat de bal gespeeld wordt. Hij speelt krachtig en slim en gooit perfecte spirals en strakke passes met dodelijke precisie.' Ze sloeg de pagina om en daar stond een tweede foto van hem, hurkend achter de voorhoedespeler, met gebogen knieën en het hoofd opzij terwijl hij de tactiek doorgaf naar de spelers om hem heen en wachtte tot de bal in het spel kwam. Ze las het onderschrift. 'Meisjes willen altijd weten hoe het voelt met Zachs handen op mijn kont – Dave Gorlinski.' Ze keek op. 'Wie is Dave?'

'De center van het team van de Universiteit van Texas.' Hij greep het boek vast en probeerde het af te pakken.

Maar ze liet niet los en las een volgend onderschrift. 'Zach Zemaitis had de meest ervaren handen van iedereen die ooit achter me heeft gestaan – Chuck Quincy.' Adele beet op haar lip om niet in lachen uit te barsten. 'En wie is Chuck?'

'De voorhoedespeler van de Dolphins, daar heb ik de eerste drie jaar gespeeld.' Ditmaal lukte het hem wel haar het boek afhandig te maken. 'Niet zo hard lachen,' zei hij en hij gooide het boek op zijn bureau.

'Tja, het klinkt nogal kinky.'

'Schatje, dit is nog onschuldig.' Hij hield zijn hoofd schuin en keek haar glimlachend aan. 'Ik kan je genoeg kinky verhalen vertellen, als je dat wilt.'

'Nee hoor. Laat maar.' Ze richtte haar aandacht op een grote glazen vitrinekast, waarin al zijn trofeeën stonden, van gesigneerde ballen tot de wiggen die eronder in het gras werden gestoken. Elke vierkante centimeter van de muur was bedekt met ingelijste footballtruien en foto's van Zach, in verschillende stadia van zijn carrière, beginnend toen hij als jongetje een trui droeg met schoudervullingen die veel te groot waren voor zijn kleine lijfje, en eindigend met zijn terugtrekking, een aantal jaren geleden.

'Indrukwekkend.'

Hij haalde zijn schouders op. 'Devon heeft de hele kamer ingericht, een jaar of twee voordat ze overleed, en ik heb het zo gelaten. Het is veel te vol, maar wat moet ik anders met die spullen?'

'Ik denk dat je het zo moet laten.' Adele draaide zich naar hem om. 'Het ziet er goed uit en je mag trots zijn op jezelf. En... ik weet zeker dat sinds Devon... je weet wel.' Ze wendde haar blik naar de tekst op zijn shirt. *Probeer iets aardigs te zeggen over Devon.* 'Je mist haar vast heel erg en het moet fijn zijn om dan hier binnen te komen en te weten dat ze dit zelf heeft gemaakt. Ook al hangt het een beetje vol.' Nou, dat was niet onaardig, maar ook niet echt aardig.

Hij grinnikte en ze keek naar hem op. 'Ik bedoelde niet dat ze het zelf gedaan heeft. Devon deed nooit iets zelf. Daar heeft ze iemand voor ingehuurd.' Hij hief een hand en veegde een lok uit haar gezicht. 'Ik wil helemaal niet over Devon praten.' Zijn vingertoppen gingen langs haar wang terwijl zijn ogen haar gezicht aftastten. 'Ik wil over jou praten.'

Ze voelde een warme tinteling in haar nek die zich verspreidde. Ze voelde hoe haar adem stokte. 'Er valt over mij niets te zeggen.' Ze probeerde te lachen, maar dat klonk zelfs in haar eigen oren nogal nerveus.

'Dat waag ik te betwijfelen.'

'Nee, echt.' Ze wilde langs hem naar de deur lopen, voordat de tintelingen zich door haar hele lichaam hadden verspreid. 'Ik ben zo saai.'

Een paar meter voor de deur hield hij haar tegen bij haar onderarm. 'Doe nou niet alsof je zelfs niet een klein beetje nieuwsgierig bent.'

'Waarnaar?'

'Naar hoe het zou zijn als ik je weer zou kussen. Nu we ouder zijn, meer ervaren.' Ze weigerde zich om te draaien en zijn hand gleed via haar arm naar haar schouder. 'Zou het net zo prettig zijn als veertien jaar geleden?'

Als het zo prettig was geweest, waarom had hij haar dan gedumpt voor Devon? Ze sloot haar ogen. Ze wisten allebei wat daar het antwoord op was, maar het feit dat Devon zwanger was geweest, had het voor haar niet minder pijnlijk gemaakt. Nu deed het geen pijn meer, maar geen haar op haar hoofd die eraan dacht weer iets met hem te beginnen. 'Nee, helemaal niet. Ik kijk nooit achterom.'

Alsof ze niets had gezegd veegde hij haar haren opzij. 'Zou je me nog net zo gek maken als toen?' Hij bracht zijn gezicht dichterbij en ze voelde zijn warme adem in haar hals. 'Want liefje, je maakte me helemaal gek.' Hij gleed met één hand naar haar buik en drukte haar tegen zijn stevige borstkas. 'Ik was de eerste man met wie je naar bed ging. Dat ben ik nooit vergeten.'

'Het is zo lang geleden.'

'Jij bent mij ook niet vergeten.' Zijn lippen gleden langs haar overprikkelde huid, en de warme tintelingen waarover ze zich zorgen had gemaakt verspreidden zich inderdaad over haar hele lichaam. Het was lang geleden dat ze zich zo heerlijk had gevoeld in de armen van een man. Lang geleden ook dat ze de opwinding door haar lijf voelde vloeien bij de aanrakingen van een man en de heerlijke opwindende sensatie die op de juiste plekken werd opgewekt.

'Het kan zijn dat ik er heel lang niet meer aan heb gedacht,' ging hij verder, 'maar ik ben die nacht dat we in dat hotel langs de I-35 hebben doorgebracht nog niet vergeten. Het was geen best hotel, maar ook geen heel slecht hotel. Ik had nog niet zoveel geld toen.'

Zij had het niet zo erg gevonden.

'We hebben het die nacht wel vijf keer gedaan.'

Zeven, als je de volgende ochtend meetelde. Haar adem stokte in haar keel toen hij de zijkant van haar hals kuste. Zijn geur bedwelmde haar en het zou zo makkelijk zijn om zich helemaal te laten gaan. Om haar ogen te sluiten en alleen zijn brede borstkas te voelen en zijn armen om haar heen. 'Ik weet het niet meer,' loog ze, want de waarheid zou haar veel zwaarder vallen.

Ze hield haar adem inmiddels bijna in. Zijn hand ging heel langzaam via haar borst naar haar schouder. Voorzichtig draaide hij haar om en keek haar diep in de ogen. Hij glimlachte en bracht zijn handen naar haar hoofd, waarna hij zijn vingers door haar krullen haalde. Hij tilde haar gezicht op en haar lippen gingen uiteen. 'Liegbeest,' zei hij fluisterend, hij bracht zijn gezicht dichter bij het hare en kuste haar. Een vederlichte, plagerige kus. Een natte veeg over haar mond. Ze bleef stokstijf stilstaan.

'Dit is veel leuker als je ook meedoet,' fluisterde hij.

Ze stond zo stil dat al haar zenuwen haar toeschreeuwden hem beet te pakken en eraan toe te geven. Zodat hij haar kon laten genieten, ze haar lijf tegen het zijne zou drukken en hem kon gebruiken om haar honger te stillen. Maar ze wist wel beter. Zachs kus beantwoorden zou niet verstandig zijn. Soms was de prijs die je moest betalen om je lusten te bevredigen gewoon te hoog.

Ze legde haar handen om zijn polsen en deed een stap achteruit. 'Ik kan dit niet,' zei ze. 'Dit mag niet nog een keer gebeuren.'

Hij liet zijn handen zakken en haalde diep adem. Toen keek hij haar met zijn ogen half dichtgeknepen aan. 'Het gaat een keer gebeuren, Adele. Is het niet nu, dan is het wel een andere keer.'

Hij leek zo zeker van zijn zaak dat haar mond er droog van werd en ze schudde haar hoofd. 'Nee, Zach. Niet met jou. Never nooit niet.' Ze kreeg geen adem meer bij hem in de buurt en dus snelde ze zijn studeerkamer uit of de duivel haar op de hielen zat.

De minuten die volgden gingen voorbij in een waas van zenuwslopende emoties. Adele nam afscheid met de smoes dat ze hoofdpijn had, wat niet ver bezijden de waarheid was, en Cindy Ann bood aan Kendra na het feestje thuis te brengen. Terwijl ze de afgesloten buurt verliet, belde Adele haar zus om te vertellen dat Kendra en zij later die avond pas zouden komen.

Pas toen ze de deur van Sherilyns appartement achter zich sloot, kon ze weer normaal ademhalen. Zach had het bij het verkeerde eind. Er zou nooit meer iets tussen hen gebeuren. Nooit meer.

Ze begaf zich via het halletje naar de keuken en zette haar tas op het granieten aanrechtblad. Voordat Sherilyn ziek werd, was ze bezig geweest de grotendeels beige keukenmuren te schilderen. Het resultaat was dat de muren nu maar voor de helft een frisse kleur geel hadden gekregen.

Adele pakte de extra huissleutel uit een bak op de kast en bond die aan het touwtje van haar joggingbroek. Zoals zoveel dingen waren de smaken van de beide zussen ook hier tegenovergesteld. Adele hield van witte muren en gekleurde meubelen, terwijl Sherilyn van gekleurde muren hield en van meubelstukken in gedempte tonen.

Ze pakte een wokkel van het aanrecht en deed haar dikke haar in een paardenstaart, waarna ze het huis weer verliet en de deur achter zich sloot. Ze had die dag al hardgelopen, maar ze wist niet wat ze anders moest doen om de energie kwijt te raken die haar lichaam zo rusteloos maakte. Ze begon serieus hoofdpijn te krijgen en ze wilde niet aan Zach denken.

Ze liep de straat op en begon te rennen in haar eigen tempo. Meestal werd ze rustig van haar eigen hartslag en van het bekende ritme van haar voetstappen, maar vandaag leek het alsof ze achterna werd gezeten door haar verleden. Ze kon het alleen niet van zich afschudden en drie straten verderop werd ze er weer door overrompeld. Haar voeten gingen als vanzelf langzamer lopen en ze liep naar een bushalte op een hoek. Daar ging ze op een bankje zitten, onder een advertentie voor een tacotent. Een oude truck met een oude hond achterin reed voorbij, waardoor de bladeren opdwarrelden en de frisse lucht plaatsmaakte voor uitlaatgassen.

Zou je me nog net zo gek maken als toen? had hij gevraagd toen hij zijn gezicht in haar hals begroef. *Want liefje, je maakte me helemaal gek.*

Ze had hen allebei gek gemaakt. Hem omdat ze niet meteen met hem het bed in was gedoken toen hij haar voor het eerst kuste, zoals elk ander meisje op de campus zou hebben gedaan. En haarzelf omdat ze zo graag wilde wachten tot ze zeker wist dat zij van hem hield en hij van haar. Ze hadden wel een hele maand gewacht. Een korte tijd die een eeuwigheid leek te duren. Erop terugkijkend, kon ze niet zeggen dat hij haar tot seks had gedwongen. Tenzij ze zijn kussen als zodanig meerekende. Die waren zo heftig en intens geweest dat ze haar de adem benamen. En tenzij ze de manier waarop hij haar aanraakte meerekende. Teder en kalm, een lichte streling van haar buik en borsten waarmee hij haar gek maakte tot ze niets meer wilde dan zijn handen over haar hele lijf. En haar handen over zijn lijf.

Ze had in het verleden wel vriendjes gehad. Op sommigen was ze wel verliefd geweest. Met anderen was de seks af en toe wel heel gepassioneerd geweest, maar er was nooit een man geweest van wie ze wist dat het de ware was. Hij die haar maat en zielsverwant zou zijn.

Nu ze eraan terugdacht leek de gedachte dat ze zichzelf wilde bewaren voor haar zielsverwant een onvolwassen, romantische fantasie. Een beschamend ideaal dat ze kon wijten aan te veel sprookjes lezen in haar jeugd, maar destijds had ze gedacht dat Zach de ware was; haar maatje. De man die voor haar bestemd was, en ze wist nog precies het moment waarop ze halsoverkop verliefd op hem was geworden. Tot dat moment had ze geprobeerd het rustig aan te doen. Geprobeerd haar gevoelens die almaar heviger werden in te dammen, maar op die dag dat hij bij haar kamer langs was gekomen met een prentenboek over bloemenelfjes in zijn grote handen, kon ze haar hart niet meer bedwingen, haar liefde niet langer beteugelen.

Het was geen duur boek geweest, maar wel precies het juiste.

Een halfjaar voordat ze Zach was tegengekomen, had ze de bloemenfee Titania op haar onderbuik laten tatoeëren, wier blonde haar heel strategisch delen van haar naakte lichaam bedekte.

Adele geloofde allang niet meer in elfjes, maar ze was nog steeds dol op de plaatjes en de verhalen van de Seelie Court elfjes. Ze koesterde dierbare herinneringen aan haar grootvader, die haar met een netje de tuin in stuurde om elfjes te vangen, die, zoals hij haar verzekerde, tussen de rozen en de boterbloemen woonden.

'Ik zag dit liggen en het deed me denken aan het verhaal dat je me vertelde over je opa,' zei hij toen hij haar het boek overhandigde.

Ze had dat verhaal terloops verteld. Hij had erom moeten lachen en had gezegd dat hij haar schattig vond. Maar toen ze het cadeau in haar handen had was ze zo perplex, dat ze alleen maar kon uitbrengen: 'Je bent in een boekhandel geweest?' Toen viel er even een stilte en ze keek weer naar hem op.

Iets van de blijdschap leek uit zijn gezicht verdwenen en hij sloeg zijn armen over elkaar. 'Tja, wat vind je daar nou van? Ik kan niet alleen met een bal overweg, maar ook met een boek.'

'O, maar zo bedoelde ik het niet!' Maar toch had ze het zo wel een beetje bedoeld. Zolang ze zichzelf kon wijsmaken dat Zach zo'n typische sportman was, kon ze zich zijn gelijke voelen. Zij het brein en hij de branie. Maar Zach was helemaal niet dom. 'Ik bedoelde natuurlijk dat je helemaal naar een boekhandel bent geweest om een boek te kopen. Alleen voor mij?'

Hij keek haar een paar tellen vorsend aan, alsof hij zich afvroeg of hij haar wel kon geloven. Toen liet hij zijn armen zakken en zei schouderophalend: 'Ik dacht dat jij een boek het leukste zou vinden.'

'Maar je hoefde niet eens iets voor me te kopen.' Haar hart zwol van liefde. Hij had een boek over elfjes voor haar gekocht, niet omdat hij dat leuk vond, maar omdat zij het leuk vond.

'Moet je deze zien,' zei hij en hij nam het boek uit haar handen. Hij bladerde tot hij een afbeelding vond van een elfje op een halve maan, met blonde krullen die om haar hoofd en langs haar naakte lichaam speelden. 'Deze deed me aan jou denken.'

Adele keek naar het blad en toen weer in Zachs bruine ogen. Haar hart knapte bijna van liefde en het voelde alsof ze van zoiets zwaars niet meer verlost kon worden. Het was groter dan zijzelf. Ze sloeg haar armen om zijn nek en viel voor dat wat groter was. 'Ik vind het heel lief. Dank je.' Toen sloot ze haar ogen en legde haar neus in zijn nek. *Ik vind jou heel lief.*

Hij wierp het boek op haar kleine bureautje en begroef zijn gezicht in haar krullenbos. 'Graag gedaan.' Hij streelde haar rug met beide handen en ze hief haar hoofd. Daarna gooide ze alles wat ze voelde in één gretige kus. Haar hele hart. Haar hele ziel. Alle liefde die ze had.

Hij kreunde tegen haar lippen en ze duwde haar onderlijf tegen het zijne, zodat ze zijn erectie voelde. 'Ik word zo hard van je, ik wil je.'

Ze trok het T-shirt over haar hoofd en gooide het op haar bed. Ze wilde hem vastpakken, maar ze werd tegengehouden door zijn hand tegen haar buik. Zijn blik ging van haar kin en hals naar haar borsten in de witte beha. Haar tepels waren hard en zichtbaar. Hij staarde zo lang naar haar dat ze haar handen wilde gebruiken om zich te bedekken, maar hij pakte haar vast bij haar polsen. Hij keek naar haar alsof hij nog nooit een naakt meisje had gezien, maar ze wist zeker dat hij heel wat borsten moest hebben gezien.

'Zach, ik word er nerveus van.'

'Waarvan?' Hij keek haar weer aan en liet daarna zijn blik weer zakken.

'Ik weet niet wat je denkt.'

Hij grinnikte diep. 'Ik denk dat je een prachtig meisje bent en dat ik een mazzelaar ben. Ik denk dat ik je na al die tijd eindelijk eens helemaal zie.' Er verscheen een sexy glimlachje om zijn lippen. 'Maar dat is de gekuiste versie van wat ik denk.' Daarna kuste hij haar opnieuw en trok met zijn mond een nat, heet spoor tot deze haar tepel bereikte, in de nylon cup. Zijn hand haakte de beha aan de achterkant los, zodat hij op de grond viel.

Daarna fluisterde hij iets onverstaanbaars en begon haar borst te kussen en aan de tepels te sabbelen.

Ze waren nog niet eerder zo ver gegaan en ditmaal was hij degene die hun beiden een halt toeriep. Hij wilde niet dat haar eerste keer in haar studentenkamertje zou zijn, waar de muren oren hadden, of in zijn studentenhuis, waar zoveel footballspelers rondhingen. De volgende dag had hij een kamer gehuurd in het bewuste hotel en daar had hij haar zo vurig bemind, dat ze nog harder voor hem was gevallen. Hij was degene met ervaring en hij had haar uitgelegd wat ze moest doen en waar ze hem moest aanraken. Hij had haar geleerd hoe heerlijk seks kon zijn. Later zou ze leren dat er een verschil was tussen goeie seks en de liefde bedrijven. Zach had haar beide geleerd. Ze zou leren dat lekkere seks heel bevredigend kon zijn, maar dat de heerlijkste seks – die je hart liet versnellen, je hersenen verdoofde, je meevoerde naar verre oorden – alleen maar mogelijk was als er liefde in het spel was.

Ze zou ook leren dat als de liefde te hevig was, alles veel te snel kon gaan. Maar zelfs als Devon de boel niet had verstoord, dan nog vroeg Adele zich af of haar relatie met Zach tot het einde van hun studietijd zou hebben geduurd. Het was allemaal te veel geweest. Híj was te veel geweest. Vroeg of laat zou hij haar hart hebben gebroken.

Voor Zach was het vroeg geweest. Haar enige ware liefde, de man van wie ze dacht dat hij de ware was, had haar na twee maanden verlaten. De avond waarop hij haar had verteld dat Devon tien weken zwanger was, was Adele kapot geweest. Hij had haar het hart uit het lijf gerukt en haar hele leven op zijn kop gezet. Ze had van hem gehouden met elke cel van haar lichaam en het had jaren geduurd voordat ze daaroverheen was gekomen.

Het gaat een keer gebeuren, Adele, had hij eerder die dag gezegd. *Is het niet nu, dan is het wel een andere keer.*

Adele stond weer op en liep terug naar Sherilyns appartement. Ze zou hier al met al maar een paar maanden blijven, maar zelfs als ze haar verstand helemaal zou verliezen en hier weer zou komen wonen, dan was het laatste wat ze zou doen, wel haar hart verliezen aan Zach Zemaitis.

Hoofdstuk 7

Op maandagochtend werkte Adele aan haar nieuwe sciencefictionserie. Ze werkte de plot uit voor de eerste drie boeken, maar die van het vierde en vijfde stonden haar nog niet helder voor ogen. Maar daarover maakte ze zich niet ongerust. Tegen de tijd dat ze de boeken daadwerkelijk ging schrijven, wist ze precies welk richting elk verhaal op zou gaan. Hopelijk.

Na de lunch e-mailde ze met haar vriendinnen in Boise. In je eentje op een kamertje zitten schrijven was een eenzaam beroep en ze had het contact met de buitenwereld nodig. Binnen een uur stroomden de reacties op haar e-mails binnen en vernam ze dat Lucy hard bezig was met haar boek en dat zij en haar man Quinn hard bezig waren met het maken van kinderen. Clare stond op het punt naar Sebastopol in Rusland af te reizen met haar echtgenoot, die freelancejournalist was. Maddie had zojuist haar handtekening gezet onder een contract met Hollywood om haar laatste boek te verfilmen en ze was bezig met de voorbereidingen voor haar huwelijk.

Adele keek om zich heen in het slaapkamertje waarin ze zat en zuchtte. Terwijl haar vriendinnen druk bezig waren met hun leven, met baby's maken, reizen en huwelijken, zat zij vast in Cedar Creek. Daarbij rustte er een vloek op alle dates die ze maakte en werd ze achternagezeten door een ex, van wie ze nog opgewonden raakte ook, al wilde ze dat helemaal niet, en was ze het beu loopjongen te spelen voor haar zus.

Op het bureautje naast haar lag een blocnote met aantekeningen van Sherilyn en een takenlijstje. Adele keek reikhalzend uit naar de dag waarop Sherilyn thuis zou komen en voor zichzelf kon zorgen. Maar tegelijkertijd voelde ze zich schuldig dat ze zich zo voelde. Het was niet haar zusters fout dat ze in het ziekenhuis lag. Sterker nog, Sherilyn háátte het dat ze niet zelf haar lijstje kon afwerken en zelf haar boodschappen kon doen. Die gevoelens waren nog sterker dan die van Adele. Maar ja, elke keer wanneer Sherilyn weer iets toevoegde aan het lijstje, moest Adele zich verbijten om niet het potlood uit haar handen te grissen en het doormidden te breken. En dat gaf haar al helemaal een schuldgevoel.

Adele deed haar laptop dicht en staarde naar de dozen vol meubeltjes, kleding, luiers en andere dingen voor de baby. Dat was taak nummer vijf op het steeds langer wordende lijstje van Sherilyn: het kamertje schilderen en inrichten. Adele rekende uit dat ze nog wel even had voordat het klaar moest zijn en dat ze zich beter kon richten op de alledaagse beslommeringen en verzorging van een dertienjarig meisje. Al wist ze eerlijk gezegd niet precies wat die waren, want ze veranderden van dag tot dag. Soms zelfs van minuut tot minuut.

Gisterochtend nog had Adele Eggo's gemaakt voor het ontbijt. Kendra had opgekeken van haar bord alsof ze vers geroosterde poep geserveerd kreeg en stond op een bord ontbijtgranen. En vanochtend was ze uit haar slof geschoten omdat ze te laat was opgestaan zodat ze geen Eggo kon eten.

'Ik dacht dat je een hekel had aan Eggo's,' zei Adele.

Kendra fronste diep. 'Nee hoor. Ik ben dol op Eggo's.'

Dat veroorzaakte bij Adele een diepe hoofdpijn, en ze vroeg zich af of haar nichtje, dat eruitzag als een normaal meisje, afkomstig was van een ander zonnestelsel en hiernaartoe was gestuurd om haar gek te maken.

Je denkt zelf dat er een vloek op je rust, herinnerde ze zichzelf. Goed, ze was al gek! Ze wreef met haar handen over haar gezicht en zuchtte nog eens diep. Ze was hier niet in haar element. Ze had nog net zo weinig contact met haar nichtje als op de dag dat Sherilyn en Kendra haar hadden opgehaald van het vliegveld en ze had geen enkel idee hoe ze dat moest veranderen. Ze kon het natuurlijk aan haar zus vragen, maar ze wilde niet dat Sherilyn ook nog stress kreeg vanwege Kendra. Bovendien, ze konden nog steeds door één deur. Al leek het erop dat ze, eenmaal binnengekomen in hetzelfde huis, elkaar vervolgens nauwelijks spraken. Adele wilde Kendra graag beter leren kennen voor ze weer zou vertrekken en ze wist maar één manier waarop dat ging lukken.

Een maand geleden had ze haar koffer gepakt met het idee dat ze maar twee weken weg zou zijn. Daarom had ze niet zoveel kleren meegenomen en ze begon een beetje genoeg te krijgen van die paar kledingstukken. Het werd tijd om te gaan shoppen en ze vond dat Kendra en zij maar eens gezellig samen moesten gaan. Alle meiden hielden toch van winkelen? Misschien kregen ze sneller een band in een warenhuis dan in een woonhuis.

Adele stond op en liep naar Sherilyns kamer, waar haar spullen lagen. Nu Sherilyn in het ziekenhuis moest blijven tot de baby er was, zag Adele geen reden om op de slaapbank in de zitkamer te slapen. Het grote bed had een eenvoudige roodkatoenen sprei. Op haar eigen bed had Adele een dikke zijden quilt, geborduurd met echt zilverdraad. Adele vond zichzelf niet materialistisch, maar mooi linnengoed vond ze heel belangrijk.

Ze verzamelde al de vieze was en het verbaasde haar opnieuw hoeveel was een tiener in één week genereerde. Om drie uur vertrok ze om haar nichtje van school op te halen. Toen ze de Toyota parkeerde, kwam Kendra in gezelschap van Tiffany naar de auto.

'Kun je Tiffany even thuis afzetten?' vroeg Kendra. 'Haar vader kan niet eerder weg van de training.'

'Natuurlijk,' antwoordde Adele en de meisjes klommen in de auto. Toen ze wegreden zei Tiffany, terwijl ze haar gordel vastmaakte: 'Kun je me misschien de rest van de week ook naar huis brengen? Mijn vader heeft het heel druk en ik wil niet steeds op hem moeten wachten.'

Adele keek in haar achteruitkijkspiegel. Als Zach bij de training was, leek het niet waarschijnlijk dat ze hem weer tegen het lijf zou lopen. 'Dat is goed.'

'En volgende week ook? Dat hangt er alleen van af of de Cougars komende vrijdag hun wedstrijd winnen.' Tiffany ritste haar vestje dicht en zette haar rugzak naast zich. 'Ik heb geen zin om een van die stomme moeders te vragen.'

Adele vermoedde dat er meer aan de hand was, en nadat ze Tiffany thuis hadden afgezet, vertelde Kendra hoe het zat. 'Ze vindt de moeders van de andere meisjes niet leuk.'

'Dat heb ik begrepen, maar waarom niet?'

'Omdat ze denkt dat ze alleen maar aardig tegen haar doen vanwege haar vader. Ik geloof dat er een paar moeders na de barbecue zondag zijn blijven hangen en Tiffany zei dat ze gingen flirten en stom doen.'

Adele reed de afgesloten buurt in en bedacht dat Tiffany daar maar beter aan kon wennen. Zach was heel erg knap en rijk en... nou ja, hij was gewoon Zach Zemaitis en dit was Texas. 'Vindt ze het vervelend als vrouwen met haar vader flirten?'

'O, ja.' Adele keek naar haar nichtje, dat heftig gebaarde. 'Ze vindt het vreselijk als er vrouwen om haar vader heen hangen. Echt vreselijk. Ze zegt dat ze allemaal met hem willen trouwen en ze wil geen stiefmoeder.'

Adele moest aan Geneviève denken en ze ging er niet van uit dat deze vrouw in een huwelijk geïnteresseerd was. 'Niet alle vrouwen willen trouwen. Sommigen willen gezellig uitgaan en lol maken. Hij is tenslotte alleen en... aantrekkelijk.' Dat was natuurlijk een enorm understatement. Zeggen dat Zach aantrekkelijk was, was net zoiets als een orkaan een briesje noemen.

'Ja, coach Z is leuk. Voor een oude man.'

Adele grinnikte. *Voor een oude man.*

Op weg naar het ziekenhuis moest ze weer denken aan zijn zoen en zijn opwindende aanrakingen. Veertien jaar geleden kon Zach al beter meisjes versieren dan zijn leeftijdsgenoten. Hij wist hoe een vrouwenlichaam in elkaar zat en ze kreeg het idee dat hij er nu nog meer verstand van had.

Toen ze Sherilyns ziekenhuiskamer binnenliepen, zat ze op een stoel bij het raam op hen te wachten.

'De baby is heel beweeglijk vandaag,' zei ze en een glimlach deed de vermoeide blik in haar ogen even verdwijnen.

Kendra liet haar rugzak op het bed vallen en liep naar haar moeder toe. Ze legde haar handen op Sherilyns buik en wachtte.

'Voelde je dat?' vroeg haar moeder.

Kendra knikte en haar donkere haar viel voor haar gezicht. 'Dat was een goeie.'

Sherilyn gebaarde met haar hand naar Adele. 'Kom eens met je hand.'

'Hij houdt er meteen mee op als ik je buik aanraak.' Ze ging aan de andere kant van haar zus staan en die pakte haar hand en legde hem op de buik. Net toen Adele haar hand weer terug wilde trekken, voelde ze een beweging. Ze wachtte even en voelde even later een stevige schop.

'O, wauw!' Ze keek grijnzend naar haar zusters gezicht. 'Was hij dat?'

Sherilyn knikte.

'Wat voert hij daar uit? Karate of zo?'

'Hij wil zich misschien een weg naar buiten schoppen,' stelde Kendra zich voor terwijl ze gedrieën naar Sherilyns buik staarden. Door de dunne stof van Sherilyns nachtjapon voelde haar huid warm aan onder Adeles handpalm. Daaronder groeide nieuw leven en voor het eerst kreeg dat voor haar betekenis; kreeg het jongetje betekenis. Natuurlijk had ze de echo's gezien, maar daarop zag hij er meer uit als een buitenaards wezen. Ook zijn hart had ze talloze keren horen kloppen, maar dat klonk zo gek, niet als een grotemensenhart.

'Heb je al een naam gekozen?' vroeg ze. Ze hadden het wel over namen gehad, maar nu het kind ineens zo echt was, had het recht op een naam.

'Ik denk Harris. Hij krijgt de achternaam van zijn vader, maar ik zou hem graag als roepnaam mijn achternaam geven.'

'Harris Morgan.' Adele glimlachte. 'Dat vind ik leuk.'

Kendra schudde haar hoofd. 'Ik vind Nick leuker.'

'Dat komt omdat jij Nick Jonas leuk vindt,' zei Sherilyn.

Adele wist niet dat Kendra een jongen leuk vond. 'Zit hij bij jou op school?'

Kendra richtte haar blik van haar moeders buik naar haar tante en rolde met haar ogen. 'Nick Jonas is van de Jonas Brothers. Van die hit *Hold on*.' Ze zei er nog net geen 'lomp' achteraan.

Onder Adeles hand begon de baby weer te schoppen en het leek alsof hij diep in haar binnenste iets losmaakte. Iets waaraan ze de laatste tijd weinig aandacht had geschonken, domweg omdat er lange tijd geen man in haar leven was geweest.

Ja, coach Z is leuk. Voor een oude man. Zach was net zo oud als Adele. Ze liet haar hand zakken en liep naar het bed. Van daar keek ze naar Kendra en Sherilyn die kletsten en lachten terwijl ze wachtten tot de baby weer bewoog.

'Daar was-tie weer,' zei Kendra met een brede glimlach.

Nu ze hen daar zo zat te bestuderen, vond Adele dat ze echt naar een gezin keek. Natuurlijk had William de benen genomen, maar dat maakte Sherilyn, Kendra en de baby niet minder een gezin.

Dat wilde Adele ook. Ze had altijd een gezin willen hebben. Toen ze vriendinnen had die ongetrouwd waren, kon ze zichzelf nog wijsmaken dat ze nog zeeën van tijd had. Maar nu deze vriendinnen een voor een gingen trouwen en gezinnen gingen stichten, wilde Adele ook een gezin. Met een man die van haar en van hun kinderen zou houden. Kinderen die groter zouden worden en de ene dag graag een Eggo wilden en de volgende dag zouden zeggen dat ze een hekel hadden aan Eggo's.

'Die was hard!' lachte Sherilyn.

Het was niet zo dat Adele daar opeens, door naar haar zus en haar gezin te kijken, haar biologische klok hoorde tikken. Het was meer het ontstaan van een blik op de toekomst.

Er is nog tijd, zei een stemmetje in haar hoofd. Maar was dat wel zo? Dat wilde ze graag geloven, maar ze was al vijfendertig en ze had al drie jaar geen leuke date gehad. En ze was óf gek, óf er rustte een vloek op haar. Hoe groot waren de kansen dat ze een man zou vinden die met een vrouw wilde trouwen die gek was of vervloekt?

Aardig groot. Ook gekken vinden levensgezellen. Kijk maar naar Bonnie en Clyde. Ozzy en Sharon. Goldie en Kurt. Goed dan, de kansen dat ze een normale man zou vinden die een gekke of vervloekte vrouw wilde trouwen?

Niet zo groot. En ze wilde niet met alle geweld in haar eentje een kind opvoeden. Dat deden sommige vrouwen heel goed, maar ze dacht niet dat het iets voor haar was. Misschien dat ze daar over een paar jaar anders over dacht, maar nu wilde ze alles of niets.

'Donderdagavond is er een bijeenkomst in de gymzaal van de highschool en we moeten dansen,' kondigde Kendra aan en Adele landde weer met beide benen op de grond.

'Waarom moeten jullie komen dansen op de highschool?' vroeg Adele.

'Het is voor het footballteam van de highschool.' Kendra keek haar aan. 'En wil jij dan weer filmen?'

'Natuurlijk.'

Kendra liet haar moeders buik los en begon te springen van opwinding. 'Het dansteam van de highschool is de stad uit voor een wedstrijd, dus mogen wij komen. Is het niet geweldig dat we op Cedar Creek High School mogen dansen op de avond voor een wedstrijd?'

Dat ze Kendra weer kon zien dansen – geweldig. Dat ze Zach weer zou zien – niet zo geweldig.

In de gymzaal van de Cedar Creek High School hingen gele en groene linten van het plafond. Anders dan de vorige keer dat Adele er geweest was, was de tribune nu ook in clubkleuren geschilderd en was er op de houten vloer een nieuw logo met de grauwende poema afgebeeld.

Adele stond vlak bij de deur, met Sherilyns camcorder in haar schoudertas. De fanfare van de school stond midden in de zaal te spelen en cheerleaders sprongen op en neer in de maat van de muziek. Adele vond van zichzelf niet dat ze sentimenteel was, maar toen ze het schoollied hoorde, werd ze toch een beetje weemoedig. Het voelde alsof ze door een fotoalbum bladerde en een foto tegenkwam van haar eerste hond, Hanna.

De fanfare speelde de laatste noten en begon de zaal via beide deuren te verlaten. Nu de vloer leeg was, probeerde Adele haar nichtje te zoeken. Ze vond Kendra aan de andere kant van de gymzaal, waar ze op de grond voor het footballteam zat. Ze droeg een zwarte legging, een paars pakje en zwarte dansschoentjes. Haar donkere haar zat strak in een staartje en ze had rode lipstick op.

Vanaf het moment dat Kendra had gehoord dat ze moest dansen op de highschool, was ze buitengewoon nerveus. Stel nou dat ze het paarse pakje niet op tijd zou krijgen, of dat ze een *grand jeté* deed terwijl ze een *jazz walk* moest doen? Stel je voor dat ze het publiek geen 'energie' zou geven? Kennelijk was het geven van 'energie' iets belangrijks in het dansteam, want daar maakte Kendra zich regelmatig zorgen over.

Haar blik gleed langs de rij spelers, die allemaal in teamkledij klaarzaten, naar de coach die aan de andere kant op een stoel zat. Zach droeg een zwarte polo met lange mouwen en een donkergroene pet op zijn hoofd, waardoor ze zijn ogen niet kon zien. Hij leunde met zijn onderarmen op zijn benen en zijn aandacht was gericht op het midden van de gymzaal, waar een man met een witte cowboyhoed en dito laarzen in een microfoon sprak.

'Hallo, Cougars! Voor diegenen die mij niet kennen, ik ben de schooldirecteur, Tommy Jackson.' Er brak een applaus los, dat het vage boegeroep net overstemde. 'We zijn hier vanavond om het footballteam te steunen en de spelers een hart onder de riem te steken voor de wedstrijd van morgenavond.'

Adele verwijderde zich langzaam van de deur om een zitplaats te zoeken. Intussen bedankte de directeur alle helpers en de leerlingen en leraren die de zaal versierd hadden. Adele vond ten slotte een plaatsje midden in de zaal, op rij drie, en ging zitten.

'De helpers gaan na de rally in de kantine ijsjes uitdelen. Dus zorg ervoor dat je straks die kant op gaat.' Hij nam even de tijd om zijn hoed af te zetten. Daaronder zat een kaal hoofd. 'Anderhalf jaar geleden, toen coach Wilder onverwacht kwam te overlijden, wisten we niet hoe het verder moest met ons football-team. We hadden een paar goede assistent-coaches, maar geen van hen kon de taak van hoofdcoach overnemen. Toen was er iemand...' – hij keek naar het team op de bank – 'ik geloof dat jij het was, Joe, die voorstelde dat we aan iemand die behoorlijk verstand had van het spel zouden vragen of hij ons kon helpen.' De menigte begon te roepen en te stampen. De tribune schudde ervan en Zach staarde naar de vloer. De klep van zijn pet verborg de bovenste helft van zijn gezicht. 'Dus, een groot applaus voor de man die ons het kampioenschap kan brengen! Coach Zzzz!'

Het publiek begon nog luider te schreeuwen en zijn naam te scanderen. Zach stond op, zette zijn pet af en gooide hem op de bank. Terwijl hij met zijn lange benen naar het midden van de gymzaal liep, ging hij met zijn vingers door zijn blonde haren.

'Oké, mensen. Ga allemaal rustig zitten,' begon hij, als altijd supercool als de druk werd opgevoerd. Hij pakte de microfoon-standaard en stelde de juiste hoogte in. 'Allereerst hartelijk dank voor jullie komst hier vanavond, en voor jullie steun. Ik weet dat het heel belangrijk is voor de jongens.' Hij zette zijn handen op zijn heupen en verplaatste zijn gewicht naar zijn andere been.

'We zijn ontzettend blij dat we ook Don vanavond hier kunnen hebben.' De zaal barstte los in een uitbundig applaus en Zach kwam nog dichter bij de microfoon staan.

'Ik heb vanmiddag nog met zijn artsen gesproken en volgend jaar mag hij weer spelen. Toen we hoorden dat Don niet meer kon spelen, werd er hier en daar gezegd dat het bekeken was voor dit seizoen, maar daar wilde ik niet aan. Don is een top-speler die een grote toekomst voor zich heeft, maar we hebben nog een heleboel jongens in het team die het spel beheersen. Die elke training laten zien wat ze kunnen, voor wel honderdtien procent. Die het veld op komen en alles geven wat ze hebben. Op al die jongens ben ik ontzettend trots en ik wil hun ouders graag bedanken omdat ze hen zo goed hebben opgevoed.' Hij ging rechtop staan en het publiek juichte.

'Ik ga hier niet staan liegen. Amarillo heeft een goed team en ze komen hier echt om te winnen. Onze jongens zijn ook goed en het gaat er dus om wie er het liefst wil winnen. Ik gok erop dat wij dat zijn. Ik denk dat wij het hart en het lef hebben om die jongens van Amarillo te laten zien hoe wij hier in Cedar Creek football spelen.' De menigte ging nu echt tekeer en maak-te een kabaal alsof ze al een wedstrijd zag.

Zach draaide zijn hoofd en keek in de richting van Adele. Zelfs van die afstand zag hij haar meteen. Zijn blik gleed even langs haar heen, om onmiddellijk daarna na haar terug te keren, alsof hij een magneet was en zij een glimmend stuk metaal. Hij wachtte even tot het kabaal wat afzwakte voor hij verderging: 'Ik weet dat het team het zeer zal waarderen als jullie morgen-avond allemaal naar Lubbock komen om te laten zien dat jullie ze steunen.'

Met zijn losse, relaxte tred wandelde hij terug naar de bank, waar hij zijn pet weer opraapte. Zodra hij zat, zette hij hem weer op zijn hoofd en boog zich toen naar een van de assistent-coaches om iets tegen hem te zeggen. De Stallionettes kwamen de vloer op gestormd en Adele haalde snel haar camera tevoorschijn. Ze maakte mooie opnames van Kendra die haar ziel en zaligheid legde in een dansnummer op 'NSync's *Bye bye bye* en juichte hard toen het voorbij was.

Daarna waren de cheerleaders van de Cougars aan de beurt met hun sprongen en cheers. Ze buitelden over elkaar heen en maakten een indrukwekkende menselijke piramide. Langs al die bewegende ledematen kon Adele goed naar Zach kijken. Ze kon zijn ogen niet zien, maar ze wist dat hij naar haar keek. Zijn kaak stond strak gespannen. Zijn kin ook. Als ze hem beter zou kennen, zou ze zeggen dat hij boos was, maar ze kende hem niet. Helemaal niet.

Na een kwartier lang cheers ten beste te hebben gegeven, verlieten de meisjes met de pompoms de gymzaal en ze werden gevolgd door de footballspelers. Langzaamaan begon het publiek de tribune te verlaten en Adele zocht Kendra in de menigte. Ze stond te midden van haar dansvriendinnen en een paar moeders. Ze herkende Cindy Ann Baker van de barbecue bij Zach.

'Ben je klaar?' vroeg Adele.

'Kunnen we nog een ijsje eten?'

Ze keek om zich heen en vond de bovenkant van Zachs pet. Hij werd belaagd als een superster en ze vermoedde dat hij dat ook was. 'Ik moet vanavond werken,' zei ze en het was niet eens een leugen. Ze had die ochtend weinig gedaan en moest vanavond nog wat goedmaken.

'Alsjeblieft,' smeekte Kendra. 'Alle meisjes blijven nog.'

'Wij brengen haar wel thuis,' bood Cindy Ann aan. 'Ga jij maar naar je werk, anders kom je nog te laat.'

'Graag, dank je.'

'Ze werkt thuis.' Kendra pakte haar tas. 'Dus ze kan niet te laat komen.'

Er verscheen een denkrimpel in het voorhoofd van Cindy Ann. 'Wat doe je dan?'

'Ik ben schrijfster.'

Toen verstarde Cindy Ann ineens en er verscheen een opgetogen uitdrukking op haar gezicht. 'O, mijn god! Jij bent Adele Harris, of niet soms?'

Het was niet zo dat Adele elke dag werd herkend. Heel zelden zelfs, maar haar werk had een vrij grote groep lezers. 'Dat klopt.'

'Laatst, op dat feest, dacht ik al dat ik je ergens van kende, maar toen je zei dat je in Cedar Creek op school hebt gezeten, dacht ik dat ik het mis had, omdat ik pas een paar jaar geleden hier ben komen wonen.' Ze legde een hand op haar hart. 'Ik heb al je boeken gelezen. Ik ben een enorme fan van de reeks over de Brannigan Fairies. Hoewel ik de serie over Star Ship Avalon ook geweldig vind.'

'Dank je, wat leuk om te horen.' Normaal gesproken liep ze niet te koop met haar schrijverschap. In Boise kende men haar bij de supermarkt bijvoorbeeld niet eens. Dat vond ze prettig. Ze vond het prettig dat ze incognito door de supermarkt kon lopen voor een reep chocola en een doos tampons, terwijl ze er niet uitzag.

'Waar ben je nu mee bezig?' vroeg Cindy Ann nieuwsgierig.

Voordat Adele kon antwoorden, kwam Joe Brunner bij hen staan. 'Dag, dames.'

'Hé, Joe.' Cindy Ann glimlachte naar de tweede coach. 'Wist je dat Adele hier een bekende schrijfster is?'

'Nee, joh. Wat schrijf je dan?'

Zach verontschuldigde zich bij alle ouders die om hem heen stonden en liep naar Don.

'Voorzichtig hoor,' waarschuwde hij. 'Ik wil je volgend seizoen alleen terug als je helemaal in orde bent.'

Don stak de krukken onder zijn oksels en hobbelde voort op één been. Zijn mond stond verbeten. 'Ik háát het als ik op de bank moet zitten,' mopperde hij.

'Het is maar voor een seizoen.' Maar dat betekende veel bij football, en dat wisten ze allebei. 'Je moet het zo bekijken, het zijn gewoon een paar wedstrijden.'

Ze liepen langs Joe, die met Adele en Cindy Ann stond te

praten. Van onder zijn pet wierp Zach een blik op Adele, die een spijkerbroek droeg en hetzelfde witte vestje met de rits dat ze ook had gedragen toen hij haar onder de zuilengalerij had zien staan. Deze keer hingen haar haren los op haar rug, in een bos sexy krullen. Daarbij deed ze heel erg haar best om niet zijn kant uit te kijken.

Ook goed. Hij had geen zin in een arrogante vrouw die hij nog kende van vroeger, die hem helemaal gek maakte en hem dan vervolgens vertelde dat er nooit iets zou gebeuren tussen hen beiden. *Never nooit niet.*

'Voorzichtig,' zei hij, toen hij Don zag wankelen. Godverdomme, het was echt niet zo dat hij echt van plan was geweest om iets te beginnen met Adele. Tenminste, niet daar. Niet in zijn studeerkamer met een dozijn bakvissen in de buurt, waarvan er eentje zijn dochter was. Toen hij die zondag zijn studeerkamer binnen was gewandeld, dacht hij er niet eens aan om haar te kussen. Maar toen had hij haar wang aangeraakt, haar wang nota bene, en vanaf dat moment had hij naar meer verlangd. Binnen een paar seconden was hij volledig hard geworden en de herinneringen aan die avond waarop hij haar naar dat hotel had meegenomen kwamen weer in hem op. De herinnering aan haar naakte lichaam tegen het zijne was van zijn hoofd afgedwaald naar zijn lul en verdomd als het niet waar was; die nacht wilde hij herbeleven. Alle vijf de vrijpartijen, plus de twee keer van de ochtend erna.

Heel rustig begaven Don en hij zich door de gymzaal, terwijl mensen hier en daar dingen tegen ze riepen. Zach knikte en glimlachte en zwaaide dat het een lieve lust was en vroeg zich af hoe het zover had kunnen komen. Een vrouw begeren die zo overduidelijk niets met hem van doen wilde hebben. Dat was hem nog nooit eerder overkomen, en hij wist niet waarom het nu gebeurde. Misschien was zijn systeem wel op hol geslagen omdat hij alleen maar met het vaderschap bezig was. Hoewel, wat dat ermee te maken had, dat kon hij niet zeggen.

Iemand die hij niet kende riep iets naar hem en hij glimlachte en wuifde. 'Hé, hallo. Hoe gaat-ie?' Het was veel waarschijnlijker dat hij zo heftig op haar reageerde omdat hij al zo lang geen seks had gehad. Dat deed wat met zijn brein, zeg maar.

'Hé, coach Z!'

'Hé, mevrouw Owens,' riep hij terug naar de moeder van Alvin Owens.

Misschien moest hij in de kerstvakantie zijn dochter maar eens laten logeren bij zijn moeder in Austin en dan naar Denver rijden om eens met zijn oude maten op stap te gaan. Eerst een paar biertjes drinken en dan een flinke wip. Heel flink. Dat zou wel helpen. Tenminste, genoeg om te stoppen met fantaseren over een ex-vriendin die hem heel duidelijk had gemaakt dat ze niet in hem geïnteresseerd was.

Don bleef bij de deur staan praten met een meisje en Zach liep door de gangen van de school door naar de kantine, die was versierd met papieren poppetjes van elke speler. De hulptroepen hadden een tafel geregeld van waarachter ze prullaria verkochten. Zach kreeg een hoorntje met aardbeienijs. Er mochten dan inmiddels tientallen smaken ijs bestaan, hij was en bleef een aardbeienman.

'Heb jij maandag de wedstrijd gezien?' vroeg een van de mensen achter de tafel.

Hij hoefde niet te vragen welke wedstrijd hij bedoelde. Niet hier in cowboyland. 'Tuurlijk. Het ziet er goed uit, dit jaar.' Hij leunde tegen een frisdrankautomaat en bleef even staan praten met de man. Toen kwam Joe de kantine binnen, gevolgd door Tiffany, Kendra en een van de andere danseresjes. Misschien de dochter van Cindy Ann. Adele was er niet bij. Niet dat het hem wat kon schelen. Het was hem gewoon opgevallen.

Hij nam een stevige hap van zijn ijsje. Als hij niet oppaste, zou hij nog hoofdpijn krijgen van de koude snack. 'Denver speelt zaterdag tegen Pittsburgh,' zei hij en op dat moment kwam Joe op hem af lopen. Tiffany had die dag een of andere logeerpartij bij een dansvriendinnetje en het idee dat hij met de mannen met pizza en bier van een wedstrijd kon genieten, klonk Zach als muziek in de oren.

Joe glimlachte en wipte ongeduldig op en neer. 'Ik heb zaterdag een date.'

'Mazzelaar.' Als er iemand toe was aan een wip, dan was het Joe wel. Jezus, misschien nog wel meer dan hij. Zach nam een grote hap van het hoorntje. 'Met Cindy Ann?'

'Nee, met die schrijfster.' Joe sloeg zijn armen over elkaar. 'Die ene, met die krullen en die heerlijke kont. Ze was vorig weekend op jouw barbecue.'

'Met Adele?' Zach slikte de grote hap door en hij kreeg acuut hoofdpijn, maar niet van het ijs. Adele mocht onder geen enkele voorwaarde met Joe uit. Ze was van Zach. Hij ging meteen rechtop staan, alsof hij door krachten van buitenaf werd gemanipuleerd. Woest gooide hij de rest van het ijsje in een vuilnisbak.

'Yep, ik denk dat ik maar eens mijn best ga doen. Indruk op haar maken.' Joe grinnikte. 'Misschien krijg ik haar wel zo dronken dat ze met me mee naar huis wil.'

Normaal gesproken zou Zach in lachen zijn uitgebarsten, maar nu viel er niets te lachen. Sterker nog, hij had Joe wel een klap kunnen verkopen. Het voelde heel vreemd voor Zach, die nooit bezitterig was geweest. Adele was zijn eigendom niet en hij herkende het gevoel dat hem nu overspoelde helemaal niet. Ze kon toch zeker doen waar ze zin in had. En Joe kon ook doen waar hij zin in had? Ze konden allebei doen waar ze zin in hadden; Zach had er helemaal niets mee te maken.

Hij sloeg Joe op zijn schouder en liep weg. 'Veel plezier.'

Hoofdstuk 8

Zach liep met grote passen van de lege gymzaal naar het verblijf van de coaches. Daarvoor moest hij door een lange gang met vitrinekasten met daarin alle teamfoto's en trofeeën vanaf 1953, het jaar waarin de Cedar Creek High School was opgericht.

Op zijn bureau lag een stapel video's te wachten met wedstrijden van Amarillo en die wilde hij bestuderen voor de match van morgen. Als deze tegenpartij één zwakke plek had, dan was het haar tactiek als ze op snelheid was.

Toen Zach de gang in liep, viel zijn blik direct op Adele en Cindy Ann, die de enige andere mensen in de buurt waren. Hij bleef een paar tellen wachten voor hij verder liep.

'Dit was het enige jaar dat ik vaandelzwaaier was,' zei Adele, wijzend op een oude foto en een plaquette achter glas. 'Mijn vader zei dat ik eruitzag als zo'n soldaat uit *The Wizard of Oz*.'

'Ik heb bijna mijn hele leven geturnd,' zei Cindy Ann en ze keek op toen ze het geluid van Zachs laarzen hoorde. 'Hé, Zach.'

'Hallo, Cindy Ann.' Zach keek in Adeles ogen. Die betoverende ogen die soms donkerder van kleur werden. 'Hallo, Adele.'

'Zach.'

'Wat waren de Stallionettes goed hè, vanavond?' vroeg Cindy Ann.

Op dat moment kon hij zich dat niet meer herinneren. 'Nou, dat ging zeker prima.'

Cindy Ann wendde zich weer tot Adele. 'Goed, ik laat je gaan, dan kun je aan het werk.' Ze gooide haar tas over een schouder. 'En mocht je erover denken weer een boek over de Brannigan Fairies te schrijven, ik vind ze geweldig.'

'Ik zal er zeker aan denken. Dank je wel voor het thuisbrengen van Kendra.'

'Graag gedaan.' Ze liep naar de deur en riep over haar schouder: 'Tot ziens, Zach.'

'Tot ziens.' Hij keek van Adele's gezicht naar haar hals en de ronding van haar borsten onder het dunne vestje en naar de rechterkant van haar onderbuik. 'Ben je nog steeds met elfjes bezig?'

'Tegenwoordig niet meer zoveel.' Ze deed een stap opzij om langs hem te kunnen lopen, maar hij hield haar tegen met een hand.

'Jammer,' zei hij en hij keek haar weer aan. Door haar alleen maar aan te raken met één hand, voelde hij de lust al opwellen achter de gulp van zijn spijkerbroek. 'Ik heb goede herinneringen aan het elfje dat je vlak boven je slipje hebt laten zetten.'

Haar mond viel open en ze kreeg een kleur. 'Dat is al zo lang geleden.'

'Dat zeg je steeds.'

'Het is waar.'

'Het is waar, maar gedenkwaardig. Net als de Super Bowl winnen. Of die ene pass over vijftig meter gooien, in de laatste drie seconden tegen Chicago. En, liefje, dat was me een pass. Op de sportkanalen wordt-ie nog steeds vertoond.' Als ze op een plaats waren geweest die meer privé was, dan had hij serieus overwogen of hij op zijn knieën zou gaan om dat elfje opnieuw te leren kennen. Zo lang geleden en hij zag in haar gezicht niet alleen de gelijkenissen met het meisje dat hij destijds kende, maar ook de verschillen. Haar mond leek voller en haar lippen leken zachter dan in zijn herinnering. Haar blanke huid was nog steeds zacht en haar krullen waren even wild, hoezeer ze ook haar best deed ze te temmen. Ook haar ogen waren nog dezelfde. Met dezelfde blauwe kleur die iets met hem deed als ze naar hem keek.

'Joe vertelde dat jullie een date hebben.' Zach kon zich niet herinneren dat hij eerder zo jaloers was geweest. Niet vanwege een vrouw. Wat voor vrouw dan ook.

'Klopt.'

'Eerst die rooie en nu Joe.' Hij verplaatste zijn hand via haar arm en schouder naar haar hals. Onder zijn duim voelde ze haar hartslag versnellen. 'Waarom?'

'Ze vinden me vast aardig. Aardig genoeg om mee uit te gaan.'

Ze vonden haar niet leuk. Ze vonden haar vooral lekker en ze wilden niet gewoon met haar uit, maar met haar naar bed. Misschien was het projectie van zijn eigen verlangens, maar hij had toch de indruk dat hij niet de enige was die zo over haar dacht.

Ze keek alsof hij niet goed wijs was en zo voelde hij zich ook. 'Waarom zou ik geen ja zeggen?'

'Omdat je niet echt wat voor ze voelt, Adele.' Hij kon wel een miljoen redenen bedenken, allemaal even goede redenen, waarom hij niets voor Adele Harris zou moeten voelen. Op dat moment deed geen van die redenen ertoe. Ze konden hem allemaal gestolen worden en hij legde zijn handen om haar gezicht. 'Omdat je wat voor mij voelt.'

Ze trok haar mondhoeken naar beneden. 'Je bent nog net zo arrogant en zelf ingenomen als toen.'

Hij glimlachte. 'Vast.'

'Dat was geen compliment!'

'Maakt niet uit. Ik heb toch gelijk.'

Ze pakte zijn polsen vast. 'Nee, Zach. Je hebt het mis. Ik voel niets voor jou.'

Als ze had gewild dat hij zou ophouden, dan had ze precies het verkeerde gezegd. Hij keek haar diep in de ogen, die een tintje donkerder leken dan daarnet, en voelde hoe haar hart sneller klopte. 'Je bent nog net zo'n slechte leugenaar als eerst.' Hij draaide de klep van zijn pet opzij, zodat die niet in de weg zou zitten, en kuste haar. Een lieve, zachte zoen die tegenstrijdig was aan de opwinding die in zijn borstkas beukte, die in zijn kruis dreunde en hem in de verleiding bracht haar met de rug tegen een vitrinekast te duwen. Maar in plaats daarvan drukte hij zijn mond zacht op de hare en veegde met zijn duim langs haar wang. Haar lippen weken met een zucht uiteen en ze ademde zijn adem in haar longen. Ze legde zijn hand op zijn brede borst en de warmte van haar hand verspreidde zich als vuur over zijn huid, waardoor in zijn onderbuik genot en pijn om het hardst streden. Ze ademde uit tegen zijn mond, een vleugje warme lucht die het genot en de pijn in een kwellende noodzaak deed veranderen.

Adele trok zich los en Zach liet zijn hand zakken. Ze voelde haar hart bonzen en kon amper ademhalen. Ze keek in Zachs sexy, bijna slaperige ogen en herinnerde zich zijn maniertjes van veertien jaar geleden. Hoe zijn luchtige, plagerige aanrakingen haar nog meer naar hem deden verlangen. 'Wat ben je toch gladjes.'

Hij schoot in de lach en strekte zijn arm naar haar uit. 'Dank je.'

Ze deed een stap naar achteren, zodat ze uit zijn buurt bleef. 'Dat is óók geen compliment, Zach!' Elke cel in haar lichaam stond in vuur en vlam. Hij hoefde haar maar aan te raken en elk zenuwuiteinde veranderde in een speldenprik vol hartstocht.

Hij stak zijn hand uit. 'Liefje, kom.'

Ze schudde haar hoofd en deed nog een stap naar achteren. 'Ik vertrouw je niet.'

'Meisje, je vertrouwt jezelf niet.'

Dat was waar. Ze vertrouwde zichzelf niet. Ze was bang dat ze zou toegeven aan zijn gladde versiertrucs en dat maakte haar kwaad. 'Wat is er toch, Zach? Zijn er geen gewillige vrouwen die je kunt lastigvallen?'

In plaats van kwaad te worden, wat haar bedoeling was, schoot hij weer in de lach. 'Gewillige vrouwen vind ik zonder problemen.'

'Jezus, jij bent echt ongelooflijk. Een ziekelijke opschepper.' Ze stak een hand in de lucht en deed nog een pas achterwaarts. 'Let op: geen compliment.'

'Arrogant. Gladjes. Ziekelijke opschepper. Mankeert er verder nog iets aan me?'

'Dan zou ik nog wel een tijdje bezig zijn.'

'Ik heb nog tien minuten.'

'Da's niet genoeg.' Ze deed nog een stap naar achteren en bleef staan bij de damestoiletten.

'En dat heb je verkeerd, meisje.' Hij haakte met zijn duimen in de lussen boven de steekzakken van zijn spijkerbroek, waardoor haar aandacht nog meer werd getrokken naar de enorme bobbel achter zijn gulp. 'De juiste vent zou jou binnen die tien minuten zodanig tot waanzin kunnen drijven dat je er schietgebedjes van gaat opzeggen.'

Hij draaide haar beledigende woorden om tot een soort voorspel. En erger, het werkte nog ook. Ze ging met haar tong langs haar lippen en voelde het suizen in haar hoofd. 'Ik ben niet katholiek.'

'Maakt niet uit.' Hij kwam hoofdschuddend dichterbij. 'Iedereen die het thuishonk bereikt is dicht bij Jezus.'

'Dat is nou typisch een opmerking van een domme sportman.'

En toen glipte ze – heel volwassen – behendig de wc in. Ze stapte naar de wasbakken en legde een hand op het koele porselein en de andere op een gloeiende wang. Echt heel volwassen. Hem een domme sportman noemen en dan hard weglopen.

De deur zwaaide open en dreunde tegen de muur. 'Hou toch op met weglopen, Adele.'

Vliegensvlug draaide ze zich om. 'Je mag hier niet in!' Hij sloot de deur achter zich en leunde ertegenaan. Ze wees naar de afvalbak voor maandverband en zei: 'Dit is het damestoilet.'

Hij keek naar de zes wc's en de beide wasbakken en toen weer naar haar. 'Inderdaad.'

'Straks word je gesnapt.'

Hij maakte zich los van de deur. 'Dat zou niet de eerste keer zijn.'

'Je bent gek.'

'Niet tot jij weer terugkwam in mijn leven.' Hij overbrugde de afstand tussen hen beiden en zette zijn pet af. 'Nu ik jou weer zie moet ik weer denken aan hoe het was om je te kussen, je aan te raken en de liefde met je te bedrijven. Ik wil jou; meer dan ik ooit een andere vrouw heb gewild.' Hij gooide zijn pet tussen de beide wasbakken in. 'Ik kan er niets aan doen, alleen maar verbaasd zijn dat je weer in mijn leven bent.'

'Ik ben hier omdat mijn zus me nodig heeft.' Ze legde haar handen op zijn borstkas en deed een stap naar achteren bij elke stap die hij naar voren zette.

'Ik heb je nodig.'

'Nee, je wilt me alleen maar.'

'Dat is hetzelfde.'

'Nee, zuurstof heb je nodig.' Ze kwam met haar rug tegen de muur van de ruimte terecht, vlak naast de laatste wc.

'Rustig nou maar,' zei hij en hij legde zijn handen op haar schouders. 'En blijf niet steeds voor me wegrennen.'

'Stop jij dan met achter me aan zitten.'

Hij schudde zijn hoofd en keek haar met zijn bruine ogen diep aan. 'Het begint erop te lijken dat ik je net zo hard nodig heb als zuurstof.'

Ze kende dat gevoel. Onder zijn polo voelde ze zijn warme, gespierde bovenlijf. In plaats van hem los te laten, gleden haar handen naar boven en legde ze haar armen om zijn nek. *Wat kan mij het ook schelen. Die vloek treedt zo toch wel in werking.* Ze hief haar gezicht en op dat moment bracht hij zijn mond vlak bij de hare. De greep van zijn handen op haar schouders verstevigde en heel even stonden ze beiden doodstil. Toen kreunde hij diep en legde een arm om haar middel. Daarmee drukte hij haar dicht tegen zich aan en toen kuste hij haar. Het voelde net als vroeger, heerlijk zacht en warm, en doelgericht zoog hij haar tong zijn mond binnen.

Adele liet haar tas op de grond vallen en begroef haar handen in zijn haar. Zijn borstkas verwarmde haar borsten. Ze voelde vlinders in haar buik, kon bijna niet meer ademhalen en voelde haar tepels hard en gevoelig worden. Terwijl zijn mond de liefde bedreef met de hare, probeerde ze stil te blijven staan en niet met haar handen zijn borst en rug te betasten. Tot hij met zijn handen onder de rand van haar vestje glipte en met zijn duimen haar buik streelde, toen liet ze haar handen hun gang gaan.

Ze duwde haar benen samen om de hete gloed ertussen tegen te kunnen houden. Ze herinnerde zichzelf eraan dat ze in de damestoiletten stonden van de Cedar Creek High School en dat ze natuurlijk niet zijn shirt los kon trekken om zijn blote huid te voelen. En ze kon al helemaal niet met haar mond over zijn lijf gaan en hem opeten als een coupe karamel, maar tot de vloek die op haar rustte zijn werk zou doen, zou ze zich alle lustgevoelens laten welgevallen.

Weer ging hij met zijn duimen over haar huid en ze voelde de tintelende sensatie tot in haar borsten. Ze draaide haar hoofd en kuste hem lang en diep, wat alles nog opwindender maakte, en hij duwde zijn harde penis tegen haar onderlichaam.

'Mmm,' kreunde ze tegen zijn hongerige mond en ze verlangde naar meer; het kon zomaar voorbij zijn. Hij plaatste zijn knie tussen haar benen en bracht een van zijn handen, via de binnenkant van het vestje, naar de rits aan de bovenkant. Terwijl zijn tong diep in haar mond zijn werk deed, ritste hij het vestje helemaal open. Toen lagen zijn handen al op haar borsten en voelde ze zijn gloed door haar witte satijnen beha heen.

Hij dwaalde met zijn mond af naar haar hals en ze gaf hem de ruimte. 'Je hebt geen idee hoe erg ik naar je verlang,' kreunde hij en hij reikte naar de achterkant van haar beha.

'De sluiting zit van voren,' fluisterde ze. Ze had wel degelijk een idee. Hij voelde enorm hard, zodat het bijna pijn deed tegen haar heupbeen. Ze gleed met haar knie omhoog en sloeg een been om hem heen. Hij maakte haar beha los en ze bewoog zacht tegen hem aan om zijn hardheid door hun spijkerbroeken te kunnen voelen.

Zijn ademhaling versnelde en hij duwde haar vestje en de bandjes van haar beha langs haar armen naar beneden. Daarna maakte hij zich van haar los om haar te bekijken, met zijn beide handen om het gewicht van haar borsten.

'Je bent nog precies hetzelfde als in de collegebanken,' fluisterde hij schor.

'Alleen ouder.' Haar adem stokte in haar keel toen hij met zijn duimen langs haar harde tepels veegde. Ze dacht opeens aan de tekst in zijn boek over quarterbacks, waarin melding werd gemaakt van zijn 'ervaren handen'.

'Beter.' Hij streelde nu met de rug van zijn hand langs haar gevoelige tepels. 'Perfect.'

Adele keek naar zijn gezicht, naar zijn open mond en de ogen waarin pure begeerte te lezen was. Op een of andere manier was ze de controle over zichzelf, over hem en over de hele situatie kwijtgeraakt. Ze had gewacht tot de vloek zijn intrede zou doen. Maar dat was niet gebeurd en ze kon zich niet meer beheersen. Ze rukte aan het vestje en aan haar beha tot beide kledingstukken op de betegelde vloer vielen. Daarna streek ze met haar handpalmen over zijn stevige bovenlijf en boog zich voorover om hem weer te kussen. Hij smaakte zo goed, naar een man vol begeerte. Het was zo lang geleden dat ze zoiets heerlijks als Zachs handen op haar lichaam, op haar mond had gevoeld en zijn harde geslacht tegen het hare.

Vol vuur en hartstocht werd de kus heviger, een gevecht van hongerige monden en zoekende tongen. Hij bewoog zich ritmisch tegen haar natte, pijnlijke plek en wakkerde het vuur aan. Haar huid gloeide en haar borsten voelden zwaar en haar tepels prikten. Het was lang geleden dat haar lichaam zo had genoten.

'Stop,' kreunde hij, maar zijn handen begaven zich naar haar billen en hij duwde haar met zijn onderlichaam tegen de muur. Die koel voelde aan haar rug en handen. Toen spande hij al zijn spieren en bleef stil staan. Hij haalde diep adem. Daarna fluisterde hij in haar haren: 'Zeg me dat ik moet stoppen.'

'Stoppen?'

'Iets overtuigender graag.' Zijn warme hand gleed omhoog vanaf haar middel en trok een warm spoor over haar blote buik. 'Sla me maar in mijn gezicht.' Hij streelde de onderkant van haar borst. 'Zeg me dat we dit hier niet kunnen doen.'

Als het geluid van stemmen vanaf de gang niet tot haar was doorgedrongen en de begeerte die ze diep in haar onderbuik voelde onmiddellijk een halt toe had geroepen, dan had ze gelachen en gehuild en hem gezoend. Nu griste ze haar vest en tas van de vloer en op het moment dat de deur van de toiletten openzwaaide, trok Zach haar het laatste wc-hokje binnen.

'Hij zit in mijn wiskundeklas,' sprak een jong meisje. 'Hij is best leuk.'

'Hij is cool.'

'Hij vroeg of ik mee uit wilde. Zal ik het doen?'

Zach hield haar handtas vast terwijl zij haar armen in haar vestje stak.

'Ik weet het niet. Sara Lynn Miller is zijn vriendin.'

'Die is lelijk.'

'Ja, jij bent knapper.'

Door het geluid van stromend water waren de stemmen van de meisjes even onhoorbaar en Adele ritste snel haar vestje dicht.

'Iemand heeft zijn pet laten liggen,' zei een van de meisjes. Ze draaide de kraan dicht.

Adele keek naar Zach. Hij keek met een stalen gezicht strak vooruit, alsof hij door de deur heen kon kijken.

'Het is een footballpet, van de Cougars. Die dragen alleen de spelers.' Er viel een stilte en toen zei een van hen: 'Wie is nummer twaalf?'

Zach overhandigde haar haar tas en sloot zijn ogen alsof hij nu door de grond wilde zakken.

'Weet ik niet.'

'Hoe komt die dan hier?'

Goeie vraag. Adele deed de deur van het hokje open en sloot

hem weer achter zich. Vanuit een ooghoek zag ze haar beha liggen op de vloer. Ze hing haar schoudertas om en begaf zich naar de wasbak, waar de twee meisjes stonden. Ze hoopte dat ze niet de wc in zouden gaan en haar beha zagen liggen.

'Dank je,' zei ze en ze griste de pet uit de handen van het meisje.

'Is die van jou?'

'Ja.' Adele zette hem op haar hoofd en draaide de kraan open. Terwijl ze haar handen waste, keek ze via de spiegel naar de meisjes, waarvan er een te veel eyeliner droeg.

'Maar alleen de spelers hebben zo'n pet.'

En de coaches. 'Dit is geen spelerspet.' Ze draaide de kraan dicht en pakte een papieren handdoekje.

'Ziet er wel zo uit.'

'Ja, hij lijkt erop.'

Het meisje met te veel eyeliner kauwde bedachtzaam op haar kauwgum. 'Hoe kom jij er dan aan?'

Van de man in het laatste wc-hokje. Ze haalde haar schouders op. 'Internet.'

'O.'

Ze keken haar aan alsof ze haar niet geloofden, maar na een tijdje keken ze haar aan op dezelfde manier als Kendra dat kon en verlieten de toiletten.

'De kust is veilig,' zei ze en ze gooide het handdoekje in de prullenbak. De zolen van haar gympen piepten op de tegels.

'Zach?'

Hij gaf geen antwoord en ze liep naar het laatste hokje. Daar zat hij op het waterreservoir, met zijn voeten op de pot. Zijn onderarmen rustten op zijn benen en zijn handen bungelden voor zijn knieën. 'Dat scheelde niks.' Hij keek haar aan met zijn hartstochtelijke bruine ogen. 'Denk je nog steeds dat er nooit iets kan gebeuren tussen ons? Never nooit niet?'

Nee, zo zeker was ze daar niet meer van. Helemaal niet. 'We zijn gestopt.' Wat een nogal treurig antwoord was, dat moest ze zelf toegeven.

Hij wees naar rechts. 'Nog een paar seconden en ik had je uit je broek gekregen en tegen de muur genomen.'

Ze schudde haar hoofd. 'Ik geloof niet dat het zover was gekomen.'

'Wie had me dan tegengehouden?' vroeg hij. 'Jij soms?'

Dat wilde ze graag van zichzelf denken, maar ze kon het niet zweren. 'Kennelijk hebben we het een en ander nog niet goed afgerond,' zei ze in een poging rationeel te klinken en logica toe te passen op een situatie die haar totaal onlogisch voorkwam.

Hij trok een wenkbrauw op. 'Niet afgerond?' Hij stond op en ze zette een pas naar achteren. 'Wat er tussen ons gebeurd is, zou ik gewoon ouderwetse lust noemen.' Hij legde zijn hand boven de deurpost. 'Maar ja, ik ben maar een domme sporter.'

'Zach, dat bedoelde ik niet zo. Het spijt me dat ik je een domme sporter noemde.'

'Het spijt me dat ik je een flirt noemde.'

Er verscheen een rimpel tussen haar ogen. 'Zo heb je me toch niet genoemd?'

Hij glimlachte. 'Nee?'

'Ik ben geen flirt!'

Hij keek haar strak aan. 'Wegwezen dan, voordat ik je het laat bewijzen.'

Dat liet ze zich geen twee keer zeggen. Ze beende naar de deur en verdween zonder om te kijken de lege gang in.

Adele deed de deur van het appartement open en deed haar sleutels weer terug in haar tas. Ze vond het ongelooflijk dat ze haar beha had laten liggen in de damestoiletten. Ze was hem helemaal vergeten tot ze halverwege haar huis naar beneden had gekeken en zichzelf behaloos in het witte vestje had gezien. Toen had ze er even aan gedacht om om te draaien en hem te gaan halen, maar het idee dat ze zo iemand zou tegenkomen stond haar toch te veel tegen. Haar beha zou vast worden gevonden door de schoonmakers en vervolgens worden weggegooid. En dat was jammer, want het was een fijne beha.

Ze glimlachte bij de gedachte hoe zo'n schoonmaker op het kledingstuk zou stuiten en zich zou afvragen hoe het daar gekomen was.

Ze wierp haar tas op de haltafel en liep naar de keuken. Ze was haar beha kwijtgeraakt omdat ze met Zach had staan zoenen in de wc. Hoe had het zover kunnen komen? Het ene moment had ze hem gezegd dat ze niets met hem wilde en het volgende zei ze tegen hem dat haar behasluiting van voren zat.

Ze liep naar de ijskast en haalde er een cola light uit. Ze had gewacht tot de vloek zijn werk zou doen en hem zou veranderen in een afstotelijke mafkees. Maar het was voor het eerst in drie jaar tijd dat de vloek niet in werking was getreden. Voor het eerst had ze echt op de vloek gerekend en nu was er niets gebeurd. Uitgerekend met Zach. De laatste met wie ze had moeten zoenen. Vooral niet in de damestoiletten op Cedar Creek High School. Ze zou zich juist vreselijk moeten schamen en dat deed ze ook wel. Maar lang niet zo erg als zou moeten.

Integendeel, als ze eraan dacht begon ze te glimlachen.

Wel drie jaar lang had ze gedacht dat ze vervloekt was. Maar die avond was Zach niet in een eikel veranderd. Misschien betekende dat wel dat het voorbij was; dat het einde van de vervelende dates was aangebroken; dat de vervloeking niet langer werkte. Of dat er helemaal geen sprake was van een vloek. In elk geval voelde ze zich voor het eerst sinds lange tijd bevrijd en durfde ze te hopen dat de nachtmerrie waarin ze had geleefd voorbij was.

Adele liep naar de babykamer en zette Zachs pet af en legde hem naast haar laptop. Nu durfde ze wel te hopen dat Joe geen randdebiel zou worden als ze komende zaterdag met hem uit zou gaan.

Ze vond Joe wel aardig, tenminste, voor zover ze hem kende. Hij zag er best leuk uit, als je viel op cowboyachtige types. Zo iemand die je vroeger in een sigarettenreclame had kunnen zien.

En niet alleen had hij een zuidelijk accent, hij leek ook de zuidelijke hoffelijkheid ten opzichte van vrouwen te hebben.

Die zaterdagavond ontdekte Adele dat Joe Brunner inderdaad hoffelijk was. Ze aten fajitas en dronken margarita's in een tex-mexrestaurant. Hij hield de deur voor haar open en hielp haar uit haar jasje. Maar ook kwam ze er al snel achter dat Joe maar drie interesses had. Football op school. Football op de universiteit. En football in de NFL.

'Die wedstrijd is echt geschiedenis,' zei hij over een wedstrijd die hij op de technische universiteit van Virginia had gespeeld. Hij had haar om acht uur opgehaald en ging gekleed zoals zoveel mannen uit dat deel van Texas, met een beige westernhemd met paarlemoeren drukknopen, een spijkerbroek en laarzen. Op zijn bruine haar stond een cowboyhoed van stro. 'Jij woonde toch in Boise? Daar hebben ze een goed programma voor de jeugd.'

Ondanks zijn obsessie met football kwam ze er ook achter dat hij echt een aardige vent was en ze vond zichzelf een trut omdat ze hem maar bleef vergelijken met Zach. Hij was niet zo lang en niet zo knap en als ze naar hem keek werd ze niet helemaal week, zoals wanneer ze Zach zag. Wat eigenlijk in Joe's voordeel had moeten zijn.

Tijdens het eten probeerde Adele een paar keer van onderwerp te veranderen. Niet alleen omdat ze geen fan van football was, maar ook omdat ze door het onderwerp steeds moest denken aan een zekere quarterback die zich enige tijd geleden had teruggetrokken. En als ze aan Zach dacht, moest ze weer denken aan de schaamteloze vertoning in het damestoilet. En als ze aan die schaamteloze vertoning dacht, maakte haar hart een luchtsprongetje en kreeg ze het warm.

'Vertel eens wat je doet als je niet coacht,' vroeg ze aan Joe toen ze haar eerste fajita oprolde.

'Ik ben eigenaar van de Whistle Stop-benzinepomp.' Hij keek

haar met zijn groene ogen vriendelijk aan. 'Klinkt niet zo spannend, maar ik verdien aardig met de verkoop van benzine en chips.'

Als hij zo vriendelijk keek kon ze het hem bijna vergeven dat hij zo fanatiek met football bezig was. 'Vind je het leuk?'

'Ja. Het is zeker een uitdaging. Maar niet zoals het coachen. Ik ben gek op coachen.'

Dat was duidelijk. 'Wie heeft er gisteravond gewonnen?' vroeg ze.

Hij stopte onmiddellijk met eten en keek haar aan alsof ze een dom blondje was. 'Cougars. Ben je niet gegaan?'

'Ik moest werken.'

Toen spraken ze een paar minuten over haar schrijverschap, tot Joe vertelde dat de enige boeken die hij las over sport gingen, eigenlijk over football. Uiteraard.

Tegen de tijd dat Joe de ober zijn creditcard had gegeven, voelde Adele dat de tequila zijn werk begon te doen. Dat maakte al dat geprat over football een beetje goed. 'Had jij niet een tijd lang dezelfde vriendin op highschool?' vroeg ze, in een laatste wanhoopspoging.

'Ja. Randa Lynn Hardesty. Ze was cheerleader.'

Natuurlijk. Alle footballspelers gingen toch met cheerleaders?

De ober kwam aanlopen met de bon en Joe zette zijn handtekening en gaf een fooi. 'En mijn eerste vrouw.'

'Eerste vrouw?' Adele pakte haar jas van de stoel. 'Hoeveel heb je er dan gehad?'

'Twee maar.'

Twee maar?

Hij stond ook op en hielp haar in haar jas. 'Jij bent toch nooit getrouwd geweest?'

Ze schudde haar hoofd en keek naar hem op. 'Maar ik loop duidelijk achter.'

Daarna bracht Joe haar thuis. Hij pakte haar hand toen ze samen naar de voordeur liepen. Ze wilde maar dat ze iets voor hem kon voelen. Al was het maar een fractie van wat ze had gevoeld toen Zach haar had aangeraakt. Maar het zat er gewoon niet in. 'Ik vond het heel gezellig vanavond,' zei ze en ze stak haar andere hand in haar jaszak om haar sleutel te pakken. 'Dank je.'

'Ik vond het ook leuk. Misschien kunnen we het nog een keer doen.'

'Misschien, maar met mijn zus in het ziekenhuis heb ik het nogal druk.' Ze dacht aan haar date met Cletus en wachtte met ingehouden adem op wat er komen zou.

Joe glimlachte en kneep even in haar hand. 'Ik begrijp het wel, ik heb het ook heel druk, onder andere met coachen. Ik heb niet zoveel tijd om uit te gaan. Dus zodra ik weer eens een avond vrij heb, bel ik je. Misschien kunnen we dan weer iets gaan eten. Zonder verplichtingen.'

Ze was zo opgelucht dat ze hem bijna om de hals was gevlogen. Hij was niet zo'n eikel geworden als Cletus. Misschien was de vloek inderdaad voorbij. 'Lijkt me leuk, Joe.'

'Mooi.' Hij liet haar hand los en draaide zich om. Onder aan het trapje stopte hij nog even en draaide zich weer naar haar om. Met een glimlach om de lippen vroeg hij: 'Je hebt zeker wel knappe vriendinnen?'

Ze dacht aan haar vriendinnen in Boise. 'Jazeker.'

'Het is nog geen tien uur. Waarom bel je er niet eentje, dan feesten we bij mij thuis verder. Ik heb wel zin in een triootje.' Hij wipte even op en neer. 'Dan ben ik wel nummer drie.'

Hoofdstuk 9

Op zondagmiddag keek Zach naar het football op zijn geweldig grote tv, maar hij leek totaal niet te zien hoe Denver de 49'ers inmaakte.

'Ze is knap en ik vind haar heel leuk. Ik wilde haar vaker zien,' zei Joe vanaf de grote leren bank. 'We zeiden net dat als we weer eens tijd hadden, we nog een keertje zouden bellen. En toen zei ik min of meer dat ze een van haar vriendinnen moest bellen voor een triootje en dat ik wel nummertje drie wilde zijn. En ik weet werkelijk niet wat me nou bezielde, Z. Het ene moment keek ik nog naar haar op, denkend dat ze er zo prachtig uitzag, en een tel later had ik het over triootjes.'

Joe zag er zo ongelukkig uit dat Zach dacht dat hij maar beter niet kon lachen. 'Echt waar?'

De coach knikte en nam nog een slok bier. 'Echt waar.'

Een man kan zich een tijd lang beheersen, maar op een gegeven moment kon Zach zijn lachen niet meer inhouden. Het borrelde op vanuit zijn borstkas en liet zijn schouders schudden. Hij moest zelfs zijn biertje neerzetten om niet te knoeien.

'Het is niet grappig.'

Maar Zach vond het vreselijk grappig. En bovendien viel er een last van zijn schouders. Joe had Adele niet eens gezoend en hij was er vrijwel zeker van dat die twee niet nog een keer uit zouden gaan.

'Maar ik dacht niet eens aan een trio en toch deed ik mijn

137

mond open en kwam het er zomaar uit. Het was net alsof ik iemand anders werd, dat iemand anders het gewoon overnam en ik de controle kwijt was.'

Helaas kende Zach dat gevoel wel en het lachen verging hem meteen. Waar het Adele betrof had hij totaal geen controle. Alleen al het idee dat hij de controle had kunnen verliezen joeg hem angst aan. Iedereen had die wc in kunnen komen terwijl ze daar bezig waren, met Adele tegen de muur, zijn handen op haar naakte borsten en zijn stijve penis tegen haar gevoelige kruis gedrukt.

Dit verlies van controle joeg hem niet alleen angst aan, het had hem ook tot in het diepst van zijn wezen geraakt. In zijn leven had hij behoorlijk wat wilde dingen meegemaakt, maar nog nooit had hij zijn reputatie zo op het spel gezet. Hij had zichzelf altijd in de hand kunnen houden. Altijd gezorgd dat hij de baas bleef, dat hij geen schandaal veroorzaakte. Hij moest er niet aan denken wat er zou zijn gebeurd als was ontdekt dat de footballcoach vrijend was aangetroffen door een paar meiden in de damestoiletten.

'Ik heb nog nooit een trio gedaan,' mompelde Joe en hij nam weer een fikse slok. 'Jij vast wel.'

Zach haalde zijn schouders op. 'Die gaan na een tijdje ook vervelen.'

'Ik denk niet dat ik haar ooit nog aan durf te kijken.'

Met geen mogelijkheid zou Zach Adele kunnen ontlopen. Dat was gewoon niet mogelijk. Tiffany en Kendra waren goede vriendinnen geworden en zaten bij elkaar in het dansteam. Ze zouden elkaar onvermijdelijk weer tegenkomen.

Niet goed afgerond. Hij pakte zijn biertje weer; Denver scoorde net een touchdown. Zo kon je het ook stellen, bedacht hij. Hij zag haar weer voor zich, zoals ze daar stond in die wc-ruimte, en hoe hij haar borsten in zijn handen had, en hij bedacht dat er maar één manier was om dat 'onafgeronde' af te handelen. En die hield niet in dat hij Adele ging ontlopen en met een constante erectie bleef zitten.

Toen de wedstrijd was afgelopen, zwaaide hij Joe uit en maakte avondeten voor Tiffany en hemzelf. Hij grilde een stukje kip, maakte een caesarsalade en bakte een stokbroodje af. Zijn dochter was ongewoon stilletjes en hij vroeg haar of er iets aan de hand was.

'Nee.' Ze schudde haar hoofd en speelde met haar salade. Hij geloofde haar natuurlijk niet, maar drong niet verder aan.

Pas donderdag vertelde zij hem wat haar werkelijk dwarszat.

'We hebben zaterdag de eerste danswedstrijd,' herinnerde Tiffany hem aan de ontbijttafel. 'Ik ga morgen meteen na school naar San Antonio.'

Natuurlijk wist hij dat nog. Ze had het er de hele week al over. 'Ik wou dat ik erbij kon zijn, lieverdje, maar je weet dat ik die dag de wedstrijd in Lubbock heb.'

Ze roerde in haar bak cornflakes en zuchtte. 'Ik weet het. Niet alle ouders komen kijken.'

Zach nam een hap van zijn bagel met cream cheese en vroeg zich even af of ze hem met opzet een schuldgevoel wilde aanpraten.

'De moeder en tante van Kendra kunnen ook niet, dat komt natuurlijk omdat haar moeder in het ziekenhuis ligt en haar tante hier moet blijven voor als er een noodgeval is.'

'Tiff, je weet dat ik zou komen als het zou kunnen.'

Ze knikte en ze aten in stilte verder. Toen vervolgde ze: 'Ik ben nu dertien.'

'Ja, dat weet ik.'

'Oud genoeg om zonder jou naar danswedstrijden te gaan.'

'Klopt.' Hij voelde zich iets minder schuldig en smeerde aardbeienjam op zijn volgende bagel.

'Oud genoeg om in te pakken, geld mee te nemen en ervoor te zorgen dat ik de bus niet mis.'

Hij nam een hap. 'Precies. Je bent oud genoeg voor een heleboel volwassen dingen.'

'Oud genoeg om make-up te dragen?'

Hij slikte. 'Wat zeg je?'

Ze keek hem smekend aan. 'Pappie, iedereen op school draagt make-up.'

'Nee.' De gedachte dat zijn kleine meisje er met rouge op als een del bij liep stond hem te veel tegen. 'Jij hebt geen make-up nodig.'

'Een klein beetje maar?' probeerde ze nog.

'Nee.'

'Als mama er nog zou zijn, zou zij het wel goedvinden.'

Dat was waarschijnlijk waar, maar dat argument kon hem niet overhalen. 'Schatje, je bent knap genoeg zonder dat spul.'

'Ik mag ook nooit iets wat de andere meisjes wel mogen!'

'Dat is niet waar.'

'Welles! Vorige zomer mocht ik niet naar de braderie met Lyndsy Shiffer en toen ging iedereen behalve ik.'

'Dat was omdat de moeder van Lyndsy haar moederschap uitoefent vanaf een barkruk in de country club.'

'Maar ze zou die avond helemaal niet drinken.'

'Ja ja.'

Tiffany stond op. 'Ik haat mijn leven! Ik wil mijn moeder. Zij zou me wel begrijpen!' Ze draaide zich om en liep woedend naar haar kamer.

Zach staarde eerst naar de lege gang en vervolgens naar het broodje in zijn hand. Wat was er in godsnaam net gebeurd? Was Tiffany werkelijk zo over haar toeren vanwege een beetje mascara en lipgloss? Maar dat was toch niet echt belangrijk? Niet iets om zo van streek van te raken?

Hij at zijn bagel op en ruimde de vaatwasser in. Hij wilde tienermeisjes niet eens proberen te begrijpen. Ze waren zo... emotioneel. Hij stak zijn autosleutels in zijn broekzak en liep naar boven. Hij had Tiffany een kwartiertje gegeven om uit te huilen. Nu was het tijd om haar naar school te brengen.

Hij klopte en deed de deur open. Tiffany lag op haar buik tussen stapels kussens en knuffels. Op een muur van haar kamer was Assepoester geschilderd die net het paleis verliet om in de pompoenkoets te stappen. Het was een kamer voor een klein meisje, niet voor de tiener die nu op haar bed lag te snotteren. Het meisje van dertien dat zichzelf oud genoeg vond om make-up te gebruiken.

Tiffany keek op toen Zach naar haar toe liep. 'Ik mis mama,' fluisterde ze.

Zach keek naar de vele foto's van Devon in de kamer en ging naast zijn dochter zitten. 'Dat weet ik.' Hij pakte Tiffany's hand en speelde met haar zilveren ringetje. 'Maar ze is er niet meer en ik doe wat ik kan.'

Tiffany ging op haar rug liggen en trok haar hand los. 'Als mama er nog was, dan kon ik met haar wel over meisjesdingen praten.'

'Wat voor dingen?'

Ze schudde haar hoofd. 'Gewoon, dingen die ik niet met jou kan bespreken.'

'Je kunt alles met me bespreken.'

Ze keek hem vanuit een ooghoek aan. 'Dat denk ik niet.'

'Ik weet genoeg van meisjesdingen.' Tenminste, dat vond hij zelf, hoewel hij eigenlijk meer ervaring had met grotere meisjes.

Ze schudde haar hoofd en staarde naar het plafond. 'Er zijn gewoon dingen die jij niet begrijpt.'

'Zoals make-up?'

'Precies. Enne...'

'En wat?'

'Waarom alle andere meisjes in mijn klas al ongesteld zijn en ik niet.'

'Ho!' Als door een wesp gestoken stond Zach van het bed op.

'Zie je wel.'

Hij ging weer zitten maar voelde zich heel ongemakkelijk. 'Ook over dat soort dingen kun je met mij praten.'

'Ja ja.'

'Nee, echt.' Hij wreef over zijn gezicht. Hij wist verdomd wei-

nig over meisjes en hun menstruatie. Behalve dan dat ze onuit-
staanbaar werden als het zover was. Jezus, hij had er nooit over
nagedacht wanneer meisjes voor het eerst ongesteld werden. En
hij wilde er ook niet over nadenken. Zeker niet wat Tiffany betrof. 'Dus, alle andere meisjes wel?'

Ze keek hem aan, zijn kleine meisje dat zo hard haar best deed
om groot te worden, maar er nog niet aan toe was haar kleine-
meisjesslaapkamer op te geven. 'Papa, je hoeft er niet over te
praten.'

'O, nee, dat is prima hoor.' Hij krabde zich in zijn nek. 'Ben je
bang dat er iets mis is met jou?'

'Misschien.'

'Nou, we kunnen naar een dokter gaan.'

'Nee!' Ze schudde blozend haar hoofd.

'Oké. Je kunt natuurlijk een van je oma's bellen en ernaar vragen.'

Ze trok een rimpel in haar neus. 'Misschien.'

En omdat hij zich zo onbeholpen, zo volslagen schuldig voelde
dat hij hier niets mee kon, zei hij: 'En misschien mag je wel een
beetje lipgloss op. Lichtroze.'

'En een beetje mascara.'

'Een beetje.'

'En oogschaduw. Blauw.'

'Mijn god, nee.' De gedachte aan zijn kleine meisje helemaal
opgedirkt met blauwe oogschaduw vond hij vreselijk. 'En straks
wil je zeker een ring door je neus, zoals bij die stier die we vorige
zomer zagen op de jaarmarkt.'

Ze schudde haar hoofd. 'O, pappie.'

Op woensdagmiddag deed Adele haar krullen in een staart en
racete naar school. Ze was die ochtend nogal opgegaan in haar
werk en was wat laat om Kendra en Tiffany op te halen.

'Sorry,' zei ze toen de meisjes Sherilyns Toyota binnen kwamen
stormen. 'Ik zat te werken en was de tijd vergeten.'

'Geen punt.' Kendra sloot het portier en zette haar rugzak tussen haar voeten. 'Kun je ons naar het winkelcentrum brengen?'

'Tuurlijk. Wat hebben jullie nodig?'

'Ik heb make-up nodig.' Tiffany maakte haar gordel vast.

Adele gaf gas en bedacht dat ze zelf ook wel wat kon gebruiken. 'Mag het van je vader?'

'Ja. Pappie heeft me zijn creditcard gegeven en zei alleen maar dat ik niet naar huis mocht komen als ik eruitzag als een hoer.'

'Hij bedoelde als Jenny Callaway,' proestte Kendra en de twee meisjes lachten hard.

De laatste keer dat Adele 'pappie' had gezien kwam hij net uit een wc-hokje. Eerst was ze te gefocust geweest op de vloek die wellicht voorbij was, en voelde ze alleen opluchting en blijdschap over wat er gebeurd was. Maar nu, een week later, wilde ze het liefst ergens kreunend in een hoekje kruipen. Als die meisjes niet binnen waren gekomen, was de kans groot geweest dat ze met Zach de liefde had bedreven tegen de muur. En wat er had kunnen gebeuren als Zach haar niet mee had gesleurd het hokje in, daar durfde ze niet eens aan te denken.

'Tante Adele?'

Ze keek opzij. 'Ja?'

'Nee, Kendra,' fluisterde Tiffany vanaf de achterbank.

Kendra draaide zich om en keek tussen de stoelen naar haar vriendin. 'Maar zij weet het misschien.'

Adele keek in de achteruitkijkspiegel en zag hoe Tiffany met grote ogen haar hoofd schudde. Ze leek zoveel op haar moeder dat Adele ineens moest denken aan die keer dat Devon haar had zitten jennen over het merk spijkerbroek dat ze droeg. 'Wat is er aan de hand?' vroeg Adele.

Kendra ging weer recht zitten. 'Hoe oud was jij toen je voor het eerst ongesteld werd?'

De auto slingerde een beetje toen Adele naar haar nichtje keek. 'Hoezo?'

'Omdat Lilly Ann Potts het vorige week voor het eerst werd. Dus nu is iedereen het, behalve Tiffany.'

Adele stopte bij een stoplicht en keek weer in de spiegel. Tiffany zat voorovergebogen met haar gezicht verstopt in haar rugzak. Adele vroeg zich ernstig af of het wel waar was, dat iedereen behalve Tiffany al ongesteld was. 'Maak je je daar zorgen over?' vroeg Adele.

Tiffany haalde haar schouders op.

'Ze denkt dat er iets mis is met haar,' antwoordde Kendra voor haar vriendin. 'En ze heeft geen moeder meer om erover te praten.'

Het licht werd weer groen en Adele stak de kruising over. Zij had ook geen moeder meer gehad toen ze dertien was en ze wist hoe het voelde om zo'n belangrijk persoon in je leven te moeten missen. Om altijd dat gevoel van verdriet, verlies en verlangen aan je hart te voelen knagen; maar zij had altijd Sherilyn nog gehad. De weliswaar irritant perfecte Sherilyn, maar wel iemand die haar vragen kon beantwoorden. 'Mijn moeder stierf ook toen ik tien was, net als bij jou. Alleen had ik een oudere zus met wie ik over dat soort moeilijke dingen kon praten, die ik niet met mijn vader kon bespreken.'

Tiffany keek op. 'Ik heb het wel geprobeerd, met mijn vader. Hij zei dat ik maar naar een dokter moest, maar dat wil ik niet, en ik wil het ook niet bespreken met mijn oma's. Maar ik zag laatst op tv iets over meisjes met te veel mannelijke hormonen in hun lichaam of zoiets en die worden niet ongesteld en krijgen een snor. Ik wil geen snor.'

Zoiets had Adele nog nooit gehoord, al kon het wellicht gebeuren. 'Ik denk dat ik dertien was toen ik voor het eerst ongesteld werd, maar mijn vriendin Gail was al veertien. Zij was kleiner dan ik en een laatbloeier.'

'Zie je wel, ik zei toch dat je je geen zorgen hoefde te maken.' Kendra begon te peuteren aan een restje blauwe nagellak op haar duimnagel.

'Ik denk dat mijn moeder ook een laatbloeier was,' zei Tiffany.

'Ja. Ik geloof ook dat zij dat was.'

Tiffany ging rechtop zitten. 'Kende je mijn moeder?'

'We deden in hetzelfde jaar eindexamen op Cedar Creek High School,' zei ze, terwijl ze het parkeerterrein van het plaatselijke warenhuis opreed. 'We gingen niet met elkaar om, maar ik kende haar wel.'

Adele parkeerde de auto en ze stapten alle drie uit en liepen naar de winkel.

'Had mijn mama veel vriendjes?' vroeg Tiffany.

Devon had altijd vriendjes die football speelden. 'Ik geloof het wel.'

'Waren die leuk?'

'Tuurlijk.' Adele hing haar tas om haar schouder. 'Maar je vader kent haar beter dan ieder ander, denk ik zo.' Ze liepen het warenhuis binnen en bleven bij het parfumeriegedeelte staan. 'Je moet hem vragen naar je moeder.'

Tiffany haalde haar schouders op en bespoot zichzelf met een luchtje. 'Dat doe ik ook, maar hij kende haar niet voor ze studeerden. En hij zegt alleen maar dingen als: "Je moeder was uniek," en dat ze van me hield.'

Zach had gelijk. Adele had nog nooit iemand als Devon ontmoet en dat was maar goed ook. 'Je zou het Geneviève Brooks kunnen vragen.' Adele pakte een flesje eau de toilette van Burberry en sprayde een beetje op haar polsen. 'Zij kende je moeder beter dan ik.'

Tiffany schudde haar hoofd en haar sluike blonde haar viel over haar schouders. 'Zij praat alleen maar met mij vanwege mijn vader. Die anderen ook.'

'Moet je ruiken.' Kendra hield haar pols onder Tiffany's neus. 'Ruikt naar grapefruit.'

Ze zetten de flesjes weer neer en liepen op Tiffany's verzoek naar de balie van Estée Lauder. 'Hoe was mijn moeder op school?'

Een afschuwelijke trut. 'Nou, een vrolijke, knappe meid.' Adele zocht in haar geheugen naarstig naar iets aardigs over Devon. 'Ze was een cheerleader en populair.' Toen besloot ze maar te liegen. 'Ze was gewoon geweldig.' Ze slikte. 'Echt geweldig.'

Tiffany grijnsde breed, haar mond vol ijzerwaren. Haar hele gezicht zag er ineens zonniger uit. 'Iedereen was dol op haar.'

'Ja, iedereen was dol op haar.' Adele glimlachte en was blij om haar eigen leugen.

'Oma Cecilia zegt dat mensen van haar hielden omdat ze zo lief was voor iedereen.'

Adele deed haar mond open, maar ze kreeg de juiste woorden niet uit haar strot. Kennelijk was één leugentje om bestwil genoeg geweest. 'Hmm-hmm,' perste ze eruit, maar gelukkig werd ze gered door de komst van een blonde, perfect opgemaakte verkoopster. Die zette hen voor een grote spiegel om met make-up te experimenteren, waarbij ze tips gaf.

Adele vond het sneu voor Tiffany. Het was zwaar om je tienerjaren door te komen zonder moeder en hoewel ze wist dat Zach dol was op zijn dochter, zou hij nooit haar moeder kunnen vervangen. Ze zou nooit op hem af kunnen stappen om hem die vreselijk moeilijke vragen te stellen die elk meisje heeft over haar ontluikende lichaam. Ze vroeg zich af of ze Zach moest vertellen dat Tiffany met haar over haar zorgen had gesproken.

Terwijl de meisjes een klein beetje rouge probeerden, pakte Adele een eyeliner en trok een fijn donkerpaars lijntje boven haar wimpers. Vervolgens gaf ze haar wimpers meer volume met wat mascara en vroeg aan haar nichtje: 'Wat vind je ervan?'

'Mooie eyeliner, maar eh...'

'Maar wat?'

'Sorry hoor, tante Adele, maar die wokkel moet weg.'

'Hoezo?'

'Die moet de vuilnisbak in.'

Ze bracht haar handen naar haar staart. 'Wat is er mis met mijn wokkel?'

Tiffany boog zich voorover en antwoordde: 'Die stamt uit de jaren vijftig. Niemand, echt niemand, draagt tegenwoordig nog een wokkel.'

'Behalve de moeder van Jordon Kent dan,' zei Kendra, terwijl ze zichzelf bewonderde in de spiegel. 'Zelf gezien toen ze hem ophaalde van school.'

'Maar ja, die draagt ook nog tuinbroeken.'

Adele voelde zich opeens heel oud en liet haar handen zakken. 'Echt? Is mijn wokkel ouderwets?' Wist ze dat dan niet? En hoe kwam het dat ze ineens zo ongelooflijk úncool was?

'Je wokkel is zelfs vréselijk ouderwets.' Tiffany glimlachte lief. 'Maar je hebt wel mooie ogen.'

Mooie ogen? Zeiden mensen dat niet tegen je als ze je niet aantrekkelijk vonden en ze niets beters konden bedenken?

'En je ziet er heel leuk uit als je haar niet in een staart zit,' voegde Tiffany eraan toe.

Heel leuk? 'Dank je.' Ze keek naar de verkoopster. 'Ik wil graag de mascara, de eyeliner en deze rode lippenstift.' Ze keek op haar horloge en wendde zich tot haar nichtje: 'Wat wil jij?'

'Ik? Ik heb mama's creditcard niet bij me.'

'Maak je geen zorgen, ik heb een heleboel creditcards.'

'Echt?' Kendra glimlachte. 'Wil je make-up voor me kopen?'

'Tuurlijk. Ik denk niet dat je moeder het erg vindt en ik heb mijn creditcards al zo lang niet gebruikt, dat het hoog tijd wordt dat ik weer eens met ze oefen.'

'Mag ik dan een camouflagestift?' Kendra wees naar een puistje op haar kin. 'Dit vind ik zó erg.'

Adele keek naar de camouflagestiften die de verkoopster liet zien en ze wees naar een bescheiden tubetje. 'Wat vind je van deze? Dat lijkt me jouw kleur.'

Kendra knikte en de verkoopster liep naar een la.

'Wil je voor of na het eten naar je moeder?' vroeg Adele.

'Erna. Tiffany komt met ons mee naar huis en haar vader komt haar om zes uur ophalen.'

'O.' Heel onverwacht en vooral ongepast moest ze denken aan Zachs grote, 'ervaren' handen op haar borsten.

'Ik hoop dat het mag, want pappie is vandaag wat langer met de training bezig.'

Adele wist niet of ze er wel aan toe was 'pappie' zo snel weer te zien. Ze had gehoopt dat ze hem kon ontlopen tot de herinnering aan het wc-incident wat was weggezakt. 'Natuurlijk mag dat. Sheri vindt het niet erg als we wat later komen.'

De verkoopster legde de camouflagestift bij de spullen van Adele en Tiffany wees vervolgens de make-up aan die zij graag wilde hebben. 'Je bent een mazzelaar, Kendra,' zei Tiffany en ze leunde achterover in haar stoel. 'Ik wou dat ik een broertje kreeg.'

'We kunnen hem de hele tijd voelen schoppen.'

'Ik hoop dat ik straks veel mag komen oppassen.'

'Goed, dan laat ik jou de poepluiers verwisselen.'

Tiffany trok haar neus op. 'Gadver.'

De verkoopster had nu de mascara, twee lipgloss en een doosje blauwe oogschaduw gereed.

'Vindt je vader het goed als je die oogschaduw draagt?' vroeg Adele.

Tiffany knikte en trok Zachs creditcard tevoorschijn. 'Dat mag wel van hem.'

Om kwart over zes stond Zach in zijn sportkleding op de stoep van het appartement van Sherilyn. Zoals altijd kreeg ze van zijn aanblik vreemde gevoelens in haar onderbuik.

'Hallo, Adele.'

'Tiffany!' riep ze over haar schouder. 'Je vader is er.' Ze deed een stap naar buiten en sloot de deur achter zich. 'Ik moet even met je praten.'

Hij keek haar aan, met een gemaakt blanco uitdrukking op zijn gezicht. 'Als het gaat over wat er in die wc is gebeurd, dan moet ik zeggen dat het nogal duidelijk is dat we allebei...'

'Daar gaat het niet over.' Ze pakte hem bij de arm en trok hem het trapje af. Hij had haar ooit verteld dat hij een menselijke kachel was en dat was waar. De warmte straalde van hem af en verwarmde haar hand en onderarm. 'Er is wel iets belangrijkers om te bespreken dan wat er in die wc gebeurde.' Toen ze terugkwamen van het winkelen, had ze nagedacht over de zorgen van Tiffany over haar eigen lichaam, en ze kwam tot de conclusie dat ze er met Zach over moest praten. 'Tiffany vertelde me dat ze bang is dat ze nooit ongesteld wordt en dat ze een snor zal krijgen.'

Ze bleven onder aan de trap staan. Hij draaide zich naar haar om. 'Heeft ze dat allemaal tegen jou gezegd?'

Adele knikte en liet zijn arm los. 'Ik vind dat je dat moet weten.'

'Ze zei er laatst al iets over.' Hij keek haar diep in de ogen. 'Maar dat van die snor heb ik nog nooit gehoord.'

'Kennelijk heeft ze op tv iets gezien waar ze van geschrokken is.' Adele haalde haar schouders op. 'Ik weet zeker dat ze gewoon een laatbloeier is. Devon was ook klein.'

'Ja, haar moeder was klein, dus dat is goed mogelijk.'

Klein en slank en beeldschoon. Adele keek opzij en sloeg haar armen over elkaar. Ze droeg wel een shirt met lange mouwen, maar nu was het buiten toch te koud. 'Ze stelde ook vragen over Devon.'

Ze liepen naast elkaar naar zijn zilverkleurige auto. 'Wat voor vragen?'

'Hoe ze was op school, dat soort dingen.'

'Wat heb je daarop geantwoord?'

Adele keek naar hem op en zei droogjes: 'Leugens.'

'Waarover?'

'Ik heb Tiffany verteld dat Devon geweldig was en dat iedereen dol op haar was.' Ze wist het niet zeker, maar ze dacht dat ze een glimlachje om zijn mond zag.

'Ik neem aan dat niet iedereen er zo over dacht.'

Ze stopten bij de stoeprand. 'Nee. Niet iedereen.'

Hij stak zijn handen in de zakken van zijn sweater en staarde over haar hoofd in de verte. 'Dank je. Ik weet dat Devon niet jouw beste vriendin was.'

'Nee.' Ze keek om zich heen, maar er was behalve haar en Zach niemand te zien. 'Ze maakte mij het leven behoorlijk zuur.'

'Jij bent niet de enige.'

Ze vroeg zich af of Devon ook Zachs leven tot een hel had gemaakt. 'Maar het maakt niet uit wat jij of ik van Devon vinden, Tiffany is een lief meisje. Ze is ontzettend aardig geweest tegen Kendra, terwijl die het moeilijk heeft.'

'Tiffany is inderdaad een lief meisje.' Hij kneep zijn ogen tot spleetjes, maar bleef in de verte staren. 'Ik wist niet dat ze zich zorgen maakte over een snor, en ik had de indruk dat ze alles met mij kon bespreken, maar ik geloof toch dat ze het wat ongemakkelijk vindt om over sommige dingen te praten.' Eindelijk keek hij weer naar haar. 'Als ze er nog een keer over begint, zou ik het fijn vinden als je mij weer inlicht.'

Adele knikte. 'Mijn moeder stierf toen ik tien was, dus ik weet wat ze doormaakt.'

'Klopt. Dat heb je me verteld toen we nog studeerden.' Zijn blik dwaalde af naar haar mond en gleed toen naar haar decolleté. Hij dempte zijn stem en het leek alsof zijn accent sterker werd toen hij zei: 'Ik heb nog iets voor je.'

Ze dacht niet dat ze wilde weten wat hij voor haar had. Het zou wel iets zijn wat ze al lange tijd niet had gekregen. Iets wat ze heel graag wilde, maar eigenlijk niet zou moeten willen. Ze fronste om haar eigen verwarring te verbergen. 'Word toch volwassen, Zach.'

Hij keek haar een paar tellen verbaasd aan en zei toen: 'Liefje, wat heb je toch een dirty mind.'

Ze wees op zichzelf. 'Ik?' Voordat ze nog iets kon zeggen, ging de voordeur open en kwam Tiffany via het trapje naar de stoep lopen.

'Heb je alles?' vroeg Zach. De hese, zwoele stem was verdwenen.

'Ja.' Tiffany deed haar rugzak af en trok het autoportier open. 'Dank je voor het winkelen.'

'Graag gedaan.' Ze legde een hand op Tiffany's schouder. 'En denk eraan, een laatbloeier zijn mag nu heel vervelend zijn, maar als je dertig bent, zie jij eruit alsof je vijfentwintig bent en zijn al je vriendinnen jaloers.'

Voor het eerst sinds jaren droomde Zach van Devon. In zijn droom was hij weer op de universiteit van Texas, lopend door de tunnel van het stadion op de campus. Het geluid van zijn voetstappen echode tegen de betonnen tunnelmuren en zijn helm beukte tegen zijn dij. Hij ging langzamer lopen en stopte toen hij Devon zag staan in de ingang, in het Chanel-pakje waarin hij haar had laten begraven.

'Hallo, Zach.'

Hij kreeg het opeens benauwd.

'Groet je me niet meer?'

'Wat doe je hier?'

Ze wierp haar blonde haar over haar schouder en keek hem aan met haar grote groene ogen. 'Ik ben zwanger.' Ze legde glimlachend een hand op haar platte buikje. 'Je wordt vader.'

De benauwdheid kneep zijn keel dicht.

Naar adem snakkend werd hij wakker. Zijn dekbed voelde loodzwaar en hij wierp het van zich af. Daarna ging hij op de rand van zijn bed zitten. Hij kon zich niet herinneren dat hij ooit zo blij was geweest om wakker te worden.

'Wat een nachtmerrie.' Hij stond op en liep in het donker naar zijn badkamer. Het tapijt onder zijn voeten maakte plaats voor verwarmde vloertegels en hij liep langs een verhoging met daarin een groot bubbelbad. Door de grote dakvensters boven zijn hoofd verlichtte de maan hem toen hij in de toiletpot plaste. De laatste keer dat hij over Devon gedroomd had, was ze teruggekeerd uit de dood om tegen hem te gillen dat hij niet van haar mocht scheiden. Die dromen vond hij minder erg dan deze nachtmerrie.

Hij stopte zijn zaakje terug in zijn boxershort en trok door. Hij wist niet waarom Devon in een droom aan hem verschenen was om hem te vertellen dat ze zwanger was, maar hij was erg blij dat hij wakker was geworden en het maar een droom was.

Het maanlicht bewoog zich over zijn rug en billen toen hij weer onder de dakramen door naar zijn slaapkamer liep. Hij dacht aan veertien jaar geleden, toen Devon hem had weten te traceren naar het huis waarin hij woonde met een paar football-maten. Ze vertelde hem toen dat ze zwanger was. Het was ge-beurd tijdens de laatste keer dat ze samen waren; een paar dagen voordat hij hun relatie verbroken had.

'Ik ben niet zo'n type dat ongehuwd kinderen krijgt, Zach. Dat vertik ik.' Ze had haar armen over elkaar geslagen. De boodschap was duidelijk.

Terwijl hij naar haar keek zoals ze daar stond, een meisje op wie hij ooit verliefd was geweest, voelde hij zijn leven als zand door zijn vingers wegglippen. Er was maar een ding dat hij kon doen.

En hij had het gedaan.

Hij kreeg kippenvel toen hij door zijn huis liep naar de keuken en daar de koelkast opendeed. Daaruit haalde hij een pak melk tevoorschijn. In het schijnsel van de koelkast zette hij het pak aan zijn mond.

Zo was hij opgevoed; te doen wat hij moest doen. Hij had eigenlijk geen keus gehad, maar makkelijk was het niet geweest. Trouwen met Devon omdat ze zijn kind kreeg, had vanaf het begin voor moeilijkheden gezorgd.

Hij liet het pak zakken en likte de melk van zijn bovenlip. Een van de grootste problemen was wel dat hij zich altijd afvroeg of Devon met opzet was gestopt met de pil. En een paar jaar voor haar dood had ze toegegeven dat ze ermee was gestopt. Ze had-den ruzie gehad over het feit dat ze nooit seks hadden en ze wilde hem op de kast jagen.

'Ja, ik ben er destijds mee gestopt. Dat geef ik toe. Ik werd er dik van,' had ze gezegd. 'Jij hebt je dat altijd afgevraagd en nu weet je het dus.'

'Dat had je me dan wel kunnen vertellen.'

'Wat maakt het nu nog uit?' vroeg ze en daar had ze gelijk in. Het maakte niets meer uit. Het maakte veertien jaar geleden niets uit. Tien jaar geleden of nu evenmin. Ongelukje of niet, hij was met haar getrouwd. Ze had hem een schitterende dochter geschonken en daar had hij nooit spijt van gekregen.

Hij zette het pak weer terug en deed de koelkast dicht. Hij hield zielsveel van Tiffany, maar er was daarna nooit meer een ongelukje gebeurd. Daar had hij wel op gelet.

Het laatste wat hij wilde was een tweede huwelijk aangaan met een vrouw van wie hij niet hield en die hij niet kon vertrouwen. Dat had hij één keer gedaan en het was een hel gebleken.

Hoofdstuk 10

Vrijdagmiddag om vijf uur zette Adele haar nichtje op de bus en zwaaide haar uit. Het dansteam vertrok naar San Antonio, begeleid door zes vrouwelijke chaperonnes, en werd pas op zondagmiddag weer thuis verwacht. Twee dagen vrij en ze zag ernaar uit.

Ze keek de bus na en reed daarna langs het ziekenhuis voor een bezoekje. Haar zus was rusteloos en verveelde zich en daarom had Adele een nagelvijl, lotion en knalrode nagellak meegenomen om hun beiden een pedicure te geven. Ze bleef een paar uur en keerde toen terug naar het appartement, om daar in bad te gaan met de laatste thriller van haar vriendin Lucy Rothschild. Een paar jaar daarvoor was Lucy verdachte geweest in een zaak rond een seriemoordenaar. De rechercheur die de zaak onderzocht, was verliefd op haar geworden, en zij op hem, en ze waren inmiddels getrouwd.

Adele liet zich dieper in het water zakken en het schuim, dat naar kersenbloesem geurde, kwam tot boven haar schouders. Ze had haar haren boven op haar hoofd vastgebonden met zo'n 'ouderwetse' wokkel. Soms was er niets lekkerder dan een warm bad en een goed boek. Ze bleef zitten tot het water was afgekoeld en al het schuim was verdwenen, toen stapte ze uit bad en knoopte een handdoek om.

Het was zo stil in het appartement dat het eerder vreemd dan ontspannend was. Het verbaasde haar, want ze had jarenlang alleen gewoond en het nooit eerder vervelend gevonden. Ze droogde zich af en trok een van haar favoriete witte T-shirts aan en een witte onderbroek. Net op het moment dat ze een paar pluizige roze sokken aandeed ging de deurbel. Snel trok ze haar zwarte badjas aan en liep naar de deur.

Ze wist niet wie er aan de deur zou kunnen zijn, maar ze hoopte niet dat het Joe was met het voorstel voor een triootje.

Hij was het niet. Adele zag door het raampje al dat het Zach was die op de stoep stond, omdat het licht naast de deur zijn razend knappe gezicht van de zijkant belichtte. Er schoot een warm en prikkelend gevoel langs haar ruggengraat, dat zich nestelde tussen haar schouderbladen. Ze wist dat het slecht zou aflopen als ze de deur open zou doen.

Hij boog naar voren en belde nog een keer aan. Ditmaal drukte hij drie keer op de bel. Ze draaide de deur van het nachtslot en zwaaide hem open. Daar stond Zach ineens voor haar neus, gekleed in een blauw fleece jack en een versleten spijkerbroek. Hij bestudeerde haar van top tot teen.

'Leuke sokken.'

'Dank je.'

Hij keek haar aan. 'Ben je alleen thuis?'

'Ja.'

'Waarom duurde het dan zo lang voor je de deur opendeed? Was je aan het nadenken of je me nou wel of niet binnen zou laten?'

'Daar ben ik nog steeds niet uit.'

Hij glimlachte. 'Laat me nou maar binnen.'

Dat was geen goed idee.

'Ik heb iets voor je en ik wil het hier niet tevoorschijn halen.'

Haar mond viel open. 'Als je hier je gulp opendoet, bel ik meteen de politie!'

Hij rolde met zijn ogen. 'Jezus.' Daarna reikte hij in een zak van zijn fleece en haalde haar witte beha tevoorschijn. 'Ik geloof dat deze van jou is.'

Ze wilde hem pakken, maar hij hield hem net buiten haar bereik omhoog. 'Waar heb je die vandaan?'

'De damestoiletten. Ik dacht dat je hem wel terug wilde hebben.'

Ze stak haar hand uit. 'Klopt.'

'Maar jij hebt iets wat van mij is. Ruilen?'

'Wat?'

'Mijn pet.'

Ze trok haar badjas dichter om zich heen en sloeg haar armen over elkaar. 'Heb je geen andere pet?'

'Tuurlijk wel, maar dit is mijn gelukspet. We staan nu op dertien punten, met nul tegen, en die ga ik niet op het spel zetten door morgen tegen Amarillo een andere pet te dragen.'

'Als ik je binnenlaat, zul je je dan gedragen?'

Hij stak zijn handen in de lucht alsof hij volkomen onschuldig was. Alleen de beha die aan zijn vinger bungelde verstoorde het plaatje.

Ze hield de deur voor hem open en hij stapte naar binnen. 'Kon je niet even bellen van tevoren?'

'Ik heb je nummer niet.'

Dat was waar. 'Je pet ligt in de babykamer.' Ze draaide zich om en de zware voetstappen van zijn laarzen volgden haar door de gang. Ze liepen het kamertje binnen, waar haar laptop op het bureautje stond, omringd door dozen vol babymeubelen.

'Hoe gaat het met je zus?'

'Vandaag gaat het wel.' Ze pakte de pet van het bureau en draaide zich om. 'Elke dag dat ze nog niet hoeft te bevallen is meegenomen.' Ze gaf hem de pet en hij overhandigde haar de beha.

Hij keek om zich heen. 'Ziet eruit alsof er nog heel wat moet gebeuren.'

'Ja.' Ze gooide de beha op het bureau en keek ook om zich heen, als ze zijn brede schouders en borstkas maar niet hoefde te zien. Ze had het kamertje altijd al klein gevonden, maar met Zach erin was het niet meer dan een bezemkast. 'Ik moet de meubeltjes nog in elkaar zetten en ik wil de muren en het plafond blauw schilderen, en misschien wolkjes op het plafond.' Ze gebaarde vaagjes. Omdat het zo klein was, kon ze de zeep op zijn huid ruiken en ze moest zich echt inhouden om niet naar voren te schieten en haar gezicht in zijn hals te drukken. 'Ik moet naar een doe-het-zelfzaak. Ik heb niet eens een schroevendraaier.'

'Elke vrouw zou gereedschap moeten hebben.'

Ze glimlachte.

'Denk erom,' waarschuwde hij haar.

'Toen ik mijn koffer pakte, heb ik mijn gereedschapsgordel thuisgelaten.'

Nu was het zijn beurt om te glimlachen. 'Heb jij dan een gereedschapsgordel?'

'Nou, het is meer een koffer waar je gratis een goedkope riem bij kreeg.'

Hij staarde naar haar hoofd. 'Wilde je een afrokapsel uitproberen?'

'Nee, hoor.' Ze trok de wokkel uit haar haren. Ze schudde haar hoofd en haar haren vielen wild naar beneden. Ze vroeg zich af wanneer hij een van zijn versierpogingen zou wagen. 'Ik zat in bad.'

'Dat was het eerste wat me aan je opviel, je haar.' Hij tikte met de pet tegen zijn been. 'Ik zag je zitten en vond dat je eruitzag als een wild junglemeisje, zoals je die ziet in films en stripboeken, rondrennend in het oerwoud in een bikini van luipaardvel. Toen ik puber was had ik fantasieën over dat soort wilde meisjes.' Hij keek haar in de ogen. 'Ik geloof niet dat ik je dat ooit heb verteld.'

'Nee, dat klopt.'

'Toen keek ik je voor het eerst in de ogen en kon ik me heel moeilijk van je losmaken. Ik weet nog dat ik bleef wachten bij die pizzatent waar je werkte, zodat ik je thuis kon brengen.'

'Ja.' Ze kreeg ineens vlinders in haar buik en het verlangen om haar gezicht te verbergen in zijn hals werd steeds groter. 'En je hebt een boek over elfjes voor me gekocht.'

'O ja?'

'Weet je dat niet meer?'

'Liefje, ik heb meer hersenschuddingen gehad dan goed voor me is.'

'Nou, het was ontzettend lief van je.'

'Ik wil je niet teleurstellen,' zei hij met een glimlach vol zelf-spot om zijn lippen, 'maar ik weet zeker dat ik dat deed om je het bed in te krijgen.'

'Wat?' lachte ze. 'Was dat niet omdat je me zo leuk vond?'

'O, ik vond je heel leuk.' Hij streek met zijn vingers door zijn haar en zette zijn pet weer op. 'Ik vond je verschrikkelijk leuk. En ik wilde met je naar bed.'

Ze wachtte tot hij nog iets zou zeggen over met haar naar bed gaan. Over samen de liefde bedrijven, goeie seks hebben...

Maar hij begaf zich naar de voordeur. 'Ik heb morgen een belangrijke wedstrijd. Welterusten, Adele.'

Dat was het? Kwam hij echt alleen maar langs voor zijn pet? 'Ga je al weg?'

Hij bleef in de gang staan en keek achterom. 'Wil je dan dat ik blijf?'

Ging hij haar niet kussen en strelen en haar helemaal gek maken zodat ze geen nee meer tegen hem kon zeggen? Ze deed haar mond open maar ze kon geen woord uitbrengen.

'Dat dacht ik al.' Hij liep door en pakte de deurknop beet.

'Ga nog niet weg!' gooide ze er ineens uit. Ze had niet verwacht dat hij zou komen; ze had evenmin verwacht dat hij zou binnenkomen, maar ze vond het helemaal niet erg. Integendeel.

'Als ik blijf, weet je wat het betekent.'

'Ja.' Zodra ze de deur voor hem open had gedaan, had ze geweten wat er zou gebeuren.

'Nu zeg je ja, maar ik ken geen vrouw die zoveel dubbele signalen afgeeft als jij. En eerlijk gezegd, liefje, heb ik niet zo'n zin hier vandaan te gaan met een stijve.'

Haar ogen gingen naar de grote bobbel achter zijn gulp. 'Te laat.' Ze wilde het echt. 'Heb je een condoom bij je?'

In plaats van de deur open te doen, leunde hij ertegenaan. 'Altijd.'

'Blijf dan.'

Hij spreidde zijn armen, om haar de keuze te geven. Ze rende om de korte afstand zo snel mogelijk te overbruggen voordat ze zich kon bedenken. Ze gleed met haar handen over de voorkant van zijn fleece trui naar zijn schouders en verborg haar gezicht in zijn hals. Ze ademde diep in en de geur van zijn huid prikkelde al haar zintuigen op dezelfde manier als de week daarvoor. 'Zorg ervoor dat ik er morgen geen spijt van krijg.'

Hij nam haar hoofd tussen zijn beide handen en keek haar vorsend aan. 'Nu zet je me onder druk.'

'Kun je daar niet tegen?'

Hij bracht zijn gezicht bij het hare. 'Schatje, ik presteer het beste onder druk.' Zijn lippen gingen uiteen en hij gaf haar een soepele, natte kus die haar vleugels gaf.

Onder het zachte licht van de ganglamp deed ze haar mond open en raakte met haar tong de zijne aan. Een van zijn handen gleed van haar hoofd via haar rug naar haar billen, waarna hij haar tegen zich aan trok tot ze zijn stijve penis hard tegen zich aan voelde. Haar badjas viel open en ze voelde hem keihard tegen haar buik, die slechts bedekt was door een dun T-shirt. Ze wilde Zach. Al was het maar voor één nacht. Ze wilde hem. Ze wilde zijn kus. Ze wilde hem diep in haar.

Zijn handen gingen naar haar schouders en hij duwde de badjas naar beneden. Die viel aan haar voeten op de grond en toen schoof hij haar T-shirt omhoog en pakte haar bijna naakte billen met beide handen beet. Uit haar keel kwam een kreun terwijl ze hem terug kuste en zich overgaf aan een verlangen dat sterker was dan zijzelf. Niet dat ze zich nog wilde terugtrekken.

De kus werd heviger en werd een steeds gretiger spel van vochtige monden op zoek naar genot. Hij bewoog zijn tong in haar mond alsof hij zich al in haar bevond en haar lichaam reageerde met een hete, vloeibare pijn tussen haar benen, waardoor ze zich aan hem vastklampte en nog meer naar hem verlangde. Haar begerige handen bewogen zich over zijn lichaam, zijn trui, het T-shirt dat eronder zat en zijn hoofd. Ze duwde de pet van Zachs hoofd en het jack van zijn schouders en hij schudde zelf zijn armen los. Hun monden lieten elkaar net lang genoeg los zodat ze zijn T-shirt over zijn hoofd kon trekken en toen hadden haar vingers zijn borstkas al gevonden. Ze streelden zijn gespierde borstspieren en zijn warme huid en daarna liet ze hem even los om hem van een afstandje te bekijken. Ze herkende de tatoeage met de dubbele Z die om zijn stevige biceps liep en ze bestudeerde twee nieuwe plaatjes op zijn onderarm. Ze ging met haar blik over zijn blonde borsthaar, via zijn gespierde buik, naar het donkerblonde spoor dat achter de broekband van zijn spijkerbroek verdween.

'Bevalt het je?'

Alleen een man met voldoende zelfvertrouwen zou zo'n vraag kunnen stellen. 'Ja, het bevalt me.' Ze deed een stap naar achteren, pakte de onderkant van haar T-shirt en trok dat over haar hoofd tot haar bos krullen weer over haar rug viel. Ze gooide het T-shirt op de grond en bleef voor hem staan in haar roze sokken en witte onderbroek. Hij leunde tegen de deur en bestudeerde haar met een blik vervuld met lust.

Ze trok één wenkbrauw op en hij glimlachte; als een roofdier krulde hij zijn mondhoeken. 'Wat ik zie bevalt me heel goed.'

Hij trok haar naar zich toe en drukte haar zware blote borsten tegen zijn borstkas. Haar tepels kwamen in aanraking met zijn gloeiende lijf en dat wakkerde het vuur op de vochtige, pijnlijke plek extra aan.

Hij bracht zijn mond weer omlaag naar de hare. Ditmaal was de kus wilder en chaotischer dan ze ooit had meegemaakt. Ruw en teder en verdovend tegelijk, zoals wanneer twee mensen toegeven aan een puur fysieke en alomvattende begeerte. Totdat hij

iets gromde en zich terugtrok. Hij ademde zwaar en zei: 'Adele.'
Door de begeerte die uit zijn ogen straalde voelde ze zich beeldschoon. 'Waar is je bed, schatje?'

Ze boog zich naar voren, kuste zijn hals en nam zijn hand.
'Kom maar mee.' Toen leidde ze hem naar Sherilyns slaapkamer.

'Doe het licht aan,' zei hij en hij trok haar tegen zich aan. Ze
voelde zijn stem tegen haar nek vibreren. 'Dit gaan we niet in het
donker doen.'

Hij liet haar gaan en ze knipte het bedlampje aan. Daarna
keek ze toe hoe hij zijn broek losmaakte en die van zijn lange
benen trok. Hij droeg een grijze, strakke short met een brede
elastieken band. Terwijl hij zijn broek opzij schopte, kwam ze bij
hem staan en liet haar hand via zijn buik langs de band glijden.
Ze reikte naar zijn grote, harde penis. Hij was haar eerste liefde
geweest. Haar eerste minnaar. Mettertijd was de herinnering ver-
vaagd, maar nu kwam alles in volle hevigheid terug. Hoe zwaar
hij voelde toen ze haar hand langs zijn harde, gladde penis
schoof. Hij kreunde diep en legde zijn hand over de hare, waarna hij ze heen en weer bewoog tot hij er niet langer tegen kon en
hij haar hand op zijn schouder legde. Toen legde hij haar neer op
het bed en kwam bij haar liggen.

Hij mompelde iets in haar hals, lieve woordjes: hoezeer hij
haar begeerde, hoe stijf hij van haar werd en hoe lekker haar
handen op hem voelden. Hij ging met zijn mond naar haar
schouder, kuste haar huid, steeds lager en lager, tot hij haar borsten kon likken. Met het puntje van zijn tong likte hij aan een
van haar tepels, die hij in zijn hete mond nam.

Ze kreunde zijn naam en kromde haar rug van verlangen. Ze
streek met haar handen door zijn haar en keek met geloken ogen
toe hoe hij haar borsten kuste en aan haar stijve tepels zoog. Hij
ging daarmee door tot ze alleen nog maar hortend en stotend
kon ademen en daarna daalde hij af naar haar buik. Die kuste
hij en onder haar navel trok zijn warme, vochtige tong een spoor
vol hartstocht.

'Wat doe je?' vroeg ze, toen hij uit het bed stapte en tussen haar dijen knielde.

'Ik maak opnieuw kennis met je elfje.' Hij trok haar slipje naar beneden tot dat via haar sokken op de grond terechtkwam. Daarna legde hij zijn handen onder haar dijen en tilde haar benen op tot haar knieën tegen zijn brede schouders rustten. Nu boog hij zich voorover en kuste het elfje dat op haar buik getatoeëerd was. Zijn hete adem streelde haar huid en hij vroeg: 'Mag ik je verwennen?'

Ze slikte en knikte. Hij kuste haar buik en beet zachtjes in de binnenkant van haar dij, terwijl hij een warme handpalm tussen haar benen legde en zijn hand omhoog bracht tot zijn duim haar clitoris beroerde.

Ze kreunde zacht en voelde hem tevreden lachen tegen haar dijen. Hij spreidde haar dijen en legde zijn handen op haar billen. Toen tilde hij haar nog verder omhoog tot bij zijn gezicht.

Het was veertien jaar geleden dat hij voor het laatst die plek had beroerd. Alleen deed hij het nu veel beter. Hij wist nu veel beter hoe hij zijn tong moest gebruiken en hoe hard hij moest zuigen. Hij plaagde haar en zoog eraan tot ze er bijna niet meer tegen kon. Toen bracht hij een vinger bij haar naar binnen en raakte haar g-plek aan. Die truc kende hij veertien jaar geleden nog niet en ze dacht dat ze erin bleef. 'Zach,' riep ze uit en een krachtig orgasme deed haar onderlijf schudden. Haar rug kwam los van het bed en hij bleef doorgaan tot de laatste beving haar lichaam had verlaten. Toen kuste hij nog een keer de binnenkant van haar dijen en stond op.

'Dit wilde ik al een paar weken lang met je doen.' Hij reikte naar de achterzak van zijn spijkerbroek en haalde een condoom tevoorschijn. 'Wil je nog meer?'

Ze voelde zich helemaal slap toen ze naar hem opkeek. Ze had bevredigd moeten zijn, klaar om zich op haar zij te rollen en in slaap te vallen, maar toen ze naar zijn schitterende lijf en zijn krachtige erectie keek, wilde ze meer. Heel veel meer. Ze wist dat ze niet bevredigd zou zijn tot ze hem diep in zich had.

Ze kwam even overeind om zijn hand te pakken, trok hem naar zich toe tot hij op haar lag. Zijn harde penis drukte tegen haar onderbuik en ze kuste zijn hals en schouders en duwde hem op zijn rug. Hun verhitte lichamen bleven aan elkaar kleven. Ze nam het condoom van hem over en opende het pakje. Hij was er helemaal klaar voor en ze schoof het rubber over zijn eikel en rolde het condoom naar beneden over zijn harde schacht.

'Ik denk dat je dit lekker gaat vinden.' Ze ging op haar knieën wijdbeens over hem heen zitten en liet zich langzaam zakken. Hij was groot en heel hard en ze deed heel voorzichtig, zodat ze ondanks het dunne rubber kon voelen dat hij diep in haar kwam.

Hij ademde hoorbaar terwijl hij zijn handen via haar dijen naar haar heupen omhoog bracht. 'Je ziet er heerlijk uit, boven me. Ik vind het geweldig.'

'Het wordt nog beter.' Langzaam kwam ze weer omhoog, bewoog haar heupen en gleed weer naar beneden. Ze plaagde hem met haar lichaam, spande haar spieren aan, liet zijn mannelijkheid nog dieper bij haar naar binnen dringen, om ook haar eigen seksuele vuur nog meer aan te wakkeren.

'Je hebt wat bijgeleerd,' zei hij en hij pakte haar nog steviger bij haar middel vast.

Ze ging op en neer en bewoog ook haar heupen, waarbij hun begeerte steeds maar groeide, en hij keek naar haar met een hete blik. Ze boog voorover en kuste zijn hals. Haar borsten raakten zijn bovenlichaam en ze fluisterde in zijn oor: 'Je voelt lekker. Hard. Groot.'

Hij rolde haar om tot zij op haar rug lag en zijn gezicht boven het hare was. Zijn vingers grepen haar krullen en hij liet zijn mond over de hare zakken. Zijn tong kwam in haar mond zoals hijzelf haar lichaam binnenging. Ze werd licht in haar hoofd terwijl hij haar omhoog in het bed duwde met elke krachtige stoot. Ze maakte haar mond los van de zijne, sloeg een been om zijn middel en bewoog even krachtig met hem mee. Steeds heviger en sneller voerde hij hen beiden naar een climax.

'Niet ophouden. Niet ophouden,' fluisterde ze bij elke harde stoot, tot de eerste golf haar overspoelde en haar niet meer losliet tijdens wat wel een eeuwigheid leek te duren. Het deed haar tenen krullen en haar vuisten ballen en ze opende haar mond voor een schreeuw zonder geluid.

Uit zijn mond kwamen kreunende woorden, vol genot en lof. Hij vertelde haar hoe mooi ze was en hoe heerlijk ze vanbinnen voelde. Met een laatste krachtige stoot van zijn heupen bracht hij zijn penis nog dieper in haar en bleef toen stilliggen. De greep om haar vingers werd heftiger en hij verborg zijn gezicht in haar hals. Met de ontlading veranderden de spieren in zijn rug en schouders in beton en hij bracht een laatste oerkreet uit zijn diepste binnenste voort.

Zijn adem fluisterde tegen haar wang en hij kuste haar oor. 'Gaat het?'

'Hmm-hmm.'

'Heb ik je pijn gedaan?'

Pijn gedaan? Ze lachte. 'Nee.'

Hij hief zijn hoofd en keek haar aan. Er verscheen een glimlach op zijn gezicht, maar er bleek geen berouw uit. 'Het ging er wat hard aan toe op het laatst, sorry.'

Ze streelde zijn schouders en rug. Ze keek in Zachs vertrouwde bruine ogen. De seks die ze zojuist met hem had beleefd, herinnerde haar in niets aan de jongen die ze vroeger had gekend. Hij was veranderd en zij ook. De belangrijkste verandering was wel dat ze niet van hem hield. Hij had haar alleen maar heerlijke seks geschonken. Ongelooflijke seks, maar dat was geen liefde. Het had niets met liefde te maken en dat vond ze prima. Het laatste wat ze nodig had was verliefd worden op de man die ooit haar hart had gebroken.

'Heb je honger?' Hij legde zijn voorhoofd tegen het hare en streek met een hand over haar dij. 'Heb je zin in pizza?'

Tot dat moment had niets haar doen denken aan die jongen van vroeger. Maar destijds had hij na seks altijd enorme honger gehad. 'Wat dacht je van een broodje?'

'Dat is heel sexy.' Zach liet zijn blik over Adeles benen gaan terwijl hij aan zijn borsthaar krabde. Hij had alleen zijn spijkerbroek aangetrokken en leek totaal op zijn gemak terwijl hij op een kruk in de keuken zat.

'Wat?' Ze gaf hem een glas ijsthee en ging naast hem zitten.

'Wat je nu aanhebt.'

'Dit?' Adele keek naar het witte T-shirt dat ze droeg en trok de stof naar voren. Ze schaamde zich eigenlijk dat ze niet echt sexy kleding had meegenomen, maar toen ze haar koffers pakte had ze dat niet bepaald gedaan met de gedachte aan seks.

'Ja.' Hij nam een hap van zijn boterham met kaas en ham en goot er een slok thee achteraan.

'Het is maar een oud T-shirt.'

'Maar dat vind ik nou juist zo leuk aan je. Je bent gewoon sexy zonder dat je er je best voor doet.'

Was dat zo? Ze voelde zich in elk geval helemaal niet sexy tegenwoordig. Ze verdeelde haar tijd tussen haar werk, haar zus en Kendra en ze voelde zich vooral moe.

'Als je dit T-shirt al sexy vindt, dan ben je er de laatste tijd te weinig uit geweest.'

'Lieve schat, ik heb een tienerdochter.' Hij zette zijn glas neer. 'Ik ga helemaal niet meer uit.'

Dat vond Adele moeilijk om te geloven. 'Helemaal niet meer?'

'Ik ben al heel lang niet meer in één ruimte geweest met een naakte vrouw.'

'Hoe lang?' Ze nam een slok thee.

'Even denken. Dat was nog voor Devon overleed. Dat weet ik nog. Waarschijnlijk zo'n vier of vijf maanden voordat ik haar vertelde dat ik wilde scheiden.'

Ze verslikte zich prompt in haar thee en begon te hoesten.
'Wilde je scheiden van Devon?'

'Ja, maar vertel het niet rond. Tiffany weet het niet en dat wil ik graag zo houden.'

'Prima, maar eh...' Ze zette haar glas terug op de bar. 'Laat maar zitten.'

Hij nam een hap en kauwde aandachtig. 'Laat wat maar zitten?'

'Ik heb er niets mee te maken, maar als je wilde scheiden van Devon, waarom ziet je huis er dan uit als een soort mausoleum voor haar?'

Hij legde zijn boterham op het bord en ging verzitten zodat hij haar kon aankijken. 'We hebben weinig aan het huis veranderd sinds de dood van Devon. Alleen de inrichting van mijn slaapkamer en van de televisiekamer is veranderd. Tiffany vindt het prettiger als alles bij het oude blijft.'

'Dat verklaart dan het grote, enge portret van Devon.' Toch zouden ze het vroeg of laat moeten veranderen. Dingen onveranderd laten, kon voor hen allebei onmogelijk gezond zijn.

'Vind je het eng?'

'Ja, nou. Jij niet?'

Hij haalde zijn schouders op. 'Ik ben eraan gewend, denk ik. Ik zie het eigenlijk niet eens meer.'

'De eerste keer dat ik bij jullie thuis kwam en ik dat portret van Devon zag, kreeg ik bijna een hartverlamming.'

'Dat geloof ik graag.' Hij lachte. 'Toen ik thuiskwam en jou onder die galerij zag staan, dacht ik dat ik hallucineerde. Je stond daar met je wilde haar en je witte vestje en je leek niet eens blij dat je mij zag.'

Ze keek hem ook aan en draaide haar blote knieën onder die van hem. 'Ik was in shock. Eerst door dat levensgrote, doodenge portret van Devon en toen door jou.'

Hij pakte haar hand en kuste haar vingers. 'Na die dag kon ik alleen nog maar aan jou denken.' Hij draaide haar hand om en kuste haar pols, waardoor warme tintelingen zich verspreidden van haar onderarm naar haar elleboog. 'Ik weet dat je alleen maar in Cedar Creek bent om je zus te helpen, maar ik ben er blij om. Ik ben een egoïst en ik vind het fijn dat je hier nog even blijft.'

Na het eten bedreef hij nogmaals de liefde met haar. Daarna had hij geen honger meer en Adele viel langzaam in slaap in zijn armen. Toen ze de volgende ochtend wakker werd, was Zach verdwenen zonder haar wakker te maken. Geen loze belofte om haar later te bellen. Geen ongemakkelijk afscheid.

Dat waren de regels van seks zonder liefde. Dat waren de regels als oude bekenden elkaar weer tegen het lijf liepen. Ze vond het prima, al voelde het wel een beetje leeg.

Ze ging op haar rug liggen en staarde naar het plafond. Ja, zo waren de regels, maar toch vroeg ze zich af waar Zach op dit moment was en wat hij deed.

Op de een of andere manier leek de vloek hem niet te deren. Tenminste, nu nog niet, en ze zou het niet erg vinden hem nog een paar keer aan te mogen raken voordat de vloek weer in werking zou treden en ze hem de deur uit zou moeten schoppen.

Hoofdstuk 11

Aan de andere kant van het schoenenschap bestudeerde Devon Hamilton-Zemaitis de nieuwe collectie jurken van het huismerk van Walmart. Van een afstand kon ze al zien dat er drie kleuren waren: zwart, lichtgrijs en fuchsia. Devon zou nog niet dood gevonden willen worden – al was ze dood – in een knalroze jurk. Dat was een vulgaire kleur en lichtgrijs stond haar niet.

Links van haar zag ze ineens dat nog iemand haar zinnen had gezet op een overslagjurkje van zwart velours. Het was Jules Brussard, eens een ambitieus lid van de Junior League in New Orleans.

Devon sprong over een stapel schoenendozen, zette zich met haar handen af tegen de grond en maakte een salto achterover gevolgd door een halve schroef, waarbij ze per ongeluk met haar voet recht in de volle borsten van Jules terechtkwam. Deze viel naar achteren, recht in een rek met *Thighmasters*.

'Sorry,' zei Devon, die niet eens buiten adem was, en ze griste het jurkje van het rek.

Sinds ze drie jaar geleden tot een verblijf in Walmart was veroordeeld, had Devon een paar dingen geleerd. Ten eerste hoefde ze zichzelf niet te laten verslonzen alleen maar omdat ze Walmart-spullen moest dragen. Dat ze dood was wilde nog niet zeggen dat ze niet mee kon doen aan de mode. Natuurlijk waren de andere werknemers jaloers op haar.

Het tweede wat ze geleerd had, was dat ze dezelfde energie en hetzelfde uithoudingsvermogen had als toen ze nog cheerleader was. Ze kon weer handstanden maken, salto's, schroeven, net als vroeger. Helaas was ze niet de enige met een jeugdig lichaam. Er was ook een vrouw die Beauty heette, zij was goed in karate en je moest uitkijken als je te dicht bij de lippotloden kwam.

En ten derde had ze geleerd dat achter de naambordjes met de smileys veel, heel veel, zeer boze dode mensen rondliepen, die net als zij onterecht en onrechtvaardig waren veroordeeld tot een leven lang muzak.

Zij moest een eeuwigheid lang schoenen in schappen zetten. Daar had ze blij van kunnen worden, ware het niet dat ze voortdurend moest denken aan de tijden dat ze haar voeten in schoenen van Prada, Manolo Blahnik en Valentino kon steken. Deze goedkope schoenen roken nu eenmaal niet als Fendi.

Maar het kon altijd nog erger, vermoedde ze. Ze had ook naar de keuken gestuurd kunnen worden, waar ze tot in de eeuwigheid koolsla en kipnuggets moest uitserveren.

Ze liep naar de paskamer en trok het bloemenjurkje uit dat ze gisteren nog uit de handen van een vrouw van de afdeling huishoudelijke apparaten had gegrist. Ze trok het zwarte jurkje aan, dat strak om haar lichaam viel. Toen ze zichzelf in de grote spiegel bekeek, glimlachte ze tevreden. Ze zag er even mooi en perfect uit als altijd.

Maar ineens begon het beeld te vervagen en verdween toen in zijn geheel. De rekken met kleding verdwenen als sneeuw voor de zon. Ze bevond zich in een grijze mist en haar huid tintelde. Ze keek naar zichzelf en zag dat het zwarte jurkje was verdwenen. Daarvoor in de plaats was het Chanel-pakje verschenen, tezamen met het Mikimoto-parelsnoer.

'Daar ben je. Jij blijft nooit lang waar je moet blijven.'

Ze keek op. 'Mevrouw Highbanger?'

'Highbarger,' corrigeerde haar voormalige wiskundelerares haar. 'Jij was bij de schoenen ingedeeld, niet bij de sportapparaten.'

Devon haalde haar schouders op.

'Kom mee.' Zonder haar voeten te bewegen gleed Devon achter haar lerares aan over de mistige wolken. 'Je hebt een tweede kans gekregen om hogerop te komen.'

'Echt waar?'

Mevrouw Highbarger boog haar hoofd. Ze droeg nog steeds dat vreselijke paarse pakje met de gouden knopen, maar Devon besloot dat het niet haar schuld kon zijn dat iemand haar in zo'n afgrijselijk gedateerd ding had begraven. Al had het natuurlijk wel in haar kast gehangen toen ze stierf.

'Mag ik nu naar de hemel?' vroeg ze.

'De keuze is aan jou.' Als op een onzichtbare roltrap bewogen ze zich omhoog de wolken in.

'Laten we dan maar gaan.' Na de hel van Walmart was ze wel toe aan de hemel.

'Even wachten. Het geschenk dat je de vrouw hebt gegeven die je tijdens je leven verkeerd hebt bejegend, heeft de schade tenietgedaan die je haar tijdens je aardse bestaan hebt berokkend.'

'Hè, wat?'

Mevrouw Highbarger keek achterom. 'Uiteindelijk heeft jouw handelswijze meer geholpen dan schade aangericht.'

'Eerlijk waar?'

'Verbaast dat je?'

Het schokte haar. Had ze hoe heet ze ook al weer niet vervloekt met alleen maar dates die verkeerd afliepen? Wat ze ook verdiend had omdat ze had geprobeerd Devons man in te pikken. 'Natuurlijk niet.'

God hoort alles, ook de leugens.

Oeps. 'Heeft ze iemand gevonden?'

Ze hielden halt en de wolken kwamen bijeen om een soort transparant scherm te vormen. Er verschenen beelden van een footballwedstrijd en Devon herkende Zach langs de zijlijn. Hij zag er nog net zo knap uit als in haar herinnering.

'Wat doet hij?'

'Kijk maar.'

Hij riep wat, maakte handgebaren en bleek langs de zijlijn te staan van een wedstrijd van de Cedar Creek Cougars. 'Is hij coach geworden op mijn oude school?'

'Ja.'

'Ik dacht dat hij een baan had bij dat sportkanaal.'

'Hij is speciaal voor je dochter in Cedar Creek gebleven.'

'O.' Dat vond Devon prettig. Tiffany vond het fijn daar met al haar vriendinnen.

Het beeld maakte plaats voor een zilverkleurige Cadillac Escalade die 's nachts over een snelweg door de vlaktes van Texas reed. Zach zat erin en hij trommelde met zijn duimen op het stuur. Ze herkende het ongeduldige gebaar en glimlachte. Op haar manier had ze van Zach gehouden. Hij had haar gegeven wat ze wilde hebben en het belangrijkste vond. Geld en status. Hun kind.

'Hoe gaat het met Tiffany?' vroeg ze haar vroegere lerares. Ze maakte zich geen zorgen om haar dochter. Ze wist dat Zach goed voor haar zou zorgen, maar ze miste haar meisje wel. De dood had veel veranderd, maar dat niet.

'Het gaat goed met haar.'

De auto stopte en Zach stapte uit. Hij liep naar een appartement, klopte aan en de deur ging open. Daar verscheen hoe heet ze in de deuropening in wat wel een zwarte onderjurk leek. Devon snakte naar adem toen Zach naar binnen liep en haar in zijn armen nam.

'Wat? Godver, nee! Dit kan niet waar zijn.' De dood kon veel dingen veranderen, maar niet zo'n krachtige emotie als haat. Ze keek toe hoe Zach haar gepassioneerd kuste. Tijdens hun tienjarige huwelijk had hij ook andere vrouwen gehad. Dat wist ze en het had haar niet kunnen schelen. Op de dag dat ze had besloten naar Cedar Creek terug te verhuizen terwijl hij in Denver zou blijven, had ze geweten dat hij aan zijn trekken zou komen met anderen. Ze had niet anders verwacht en zolang hij niet bij een of ander seksschandaal betrokken zou raken, vond ze het allemaal prima. Hij kon naar bed met wie hij maar wilde – behalve met háár.

'Hoe is het zover gekomen?' Devon boog zich voorover en wapperde met haar handen tot het beeld in de wolken verdween.

'Met elke date dat ze de afgelopen drie jaar had, is het slecht afgelopen en ze bleef steeds alleen.'

'Waarom heeft de vloek – ik bedoel het geschenk – zijn werk niet gedaan met Zach?'

De lerares haalde haar schouders op. 'Gods wegen zijn on-doorgrondelijk. Misschien is het haar lot.'

'Dus ze zijn een stel?'

'Het is nog pril, maar inderdaad. Deels komt het door jou. Als jij je er niet mee had bemoeid, was ze wellicht met iemand anders getrouwd.'

Devon vouwde haar armen over elkaar. Dit kon niet waar zijn! Sommige mensen begrepen niet hoe het voelde als er dingen van je werden afgepakt. Als je moeders auto in beslag werd genomen, je meubels werden weggehaald en je huis ontnomen werd. De tweede echtgenoot van haar moeder had haar hele bankrekening leeggehaald en ze waren alles kwijtgeraakt. Als een stel bedelaars hadden ze moeten leven van wat ze van familieleden kregen, tot mama een man vond die rijk genoeg was en ze alles weer terugkregen. Devon vond het vreselijk om zo te moeten leven, maar ze had een belangrijke les geleerd. Altijd voor de winst gaan en je door niets of niemand laten afnemen wat van jou is.

Nooit.

'U zei dat ik een tweede geschenk heb verdiend.' Ze zette haar handen in haar zij. 'Toch?'

'Zeker, maar je hoeft het deze keer niet te gebruiken voor de vrouw die je eerder een hak hebt gezet. Dat is nu in orde ge-maakt. Dus dit geschenk mag je gebruiken om de mensheid te dienen. Je kunt fantastische dingen doen. Een einde maken aan honger en armoede, of de wetenschap helpen met het zoeken naar medicijnen tegen ongeneeslijke ziektes. Ik stel voor dat je je geschenk gebruikt voor een hoger doel.'

Een doel op je smoel.

Ik stel voor dat je deze gelegenheid niet misbruikt.

Ze had nog nooit geluisterd naar mevrouw Highbarger en ze was niet van plan daar nu mee te beginnen. Er was maar één ding dat ze kon doen. Iets waarom Zach haar altijd had gehaat. Ze deed haar ogen dicht en zei: 'Ziezo, geregeld.'

Mevrouw Highbarger schudde haar hoofd en keek er weer zeer teleurgesteld bij. 'Je leert het ook nooit,' zei ze en haar beeltenis begon te vervagen.

'Ze krijgt hem niet!' schreeuwde Devon. 'Dinges is altijd jaloers op me geweest. Toen we twaalf waren kaapte ze de rol van Tinkerbell al voor mijn neus weg. En toen probeerde ze Zach van me af te pikken, maar hij was van mij!'

Zoals al eerder was gebeurd, werd ze achteruit bewogen naar een stel glazen schuifdeuren die ineens verschenen. De deuren sloten zich weer en de grijze mist trok weg om plaats te maken voor muren. Devons huid tintelde opnieuw en het Chanel-pakje maakte plaats voor een vreselijke polyester bloemenjurk met een grote kanten kraag waarvan de zoom ver onder haar knie eindigde. Ze zag eruit alsof ze in 1983 was beland.

Ze keek om zich heen en zag rekken vol kleding, handdoeken en lakens en verderop een grote muur met elektrisch gereedschap. 'Waar ben ik?'

Een man met een vriendelijk gezicht en zijn naam, Norman, op de borst van zijn poloshirt gestikt kwam op haar af lopen.

'Hallo,' zei hij. 'Welkom bij Sears. Voor al uw elektrische gereedschap.'

Hoofdstuk 12

Zach keek in Adeles ogen en zag hoe ze een tint donkerder werden. 'Mag ik binnenkomen?'

Ze knikte en deed een pas naar achteren. 'Hebben jullie gewonnen?'

'Ja.' Hij volgde haar het huis in.

'Met hoeveel?'

'Weet ik niet meer.' Hij bracht zijn mond weer naar haar zachte lippen. Hij wilde het rustig aan doen, kalmpjes aan beginnen, maar Adele deed daar niet aan mee. De kus die zij hem gaf liet weinig ruimte voor rust en kalmte. Het was een vurig spel van tongen en lustgevoelens. Maar dat vond hij prima. Soms moest je er keihard in gaan en dat deed ze vol vuur. Hij duwde de voordeur dicht en drukte haar lichaam tegen het zijne, zo stevig dat hij haar over zijn hele lijf kon voelen. Haar handen streelden zijn armen en rug met een gretigheid alsof ze er geen genoeg van kon krijgen. Hij vond het heerlijk dat hij dat effect op haar had. Want één ding was zeker, hij kon maar geen genoeg krijgen van haar.

Hij had haar die nacht om vier uur alleen gelaten en nog geen zestien uur later was hij weer terug, voor meer van hetzelfde. Hij was als een gek teruggereden vanuit Amarillo om bij haar te kunnen zijn, terwijl hij niet eens zeker had geweten dat zij hem wilde zien.

Haar hand bewoog zich van zijn middel naar zijn gulp. Ze

tastte naar zijn harder wordende penis en streelde hem door de stof heen. Zijn scrotum spande zich in een golf van begeerte en hij moest zich schrap zetten om zijn evenwicht niet te verliezen.

Hij maakte zich los van haar mond. 'Ik moest je gewoon zien.'

'Ik hoopte al dat je zou komen. Ik ben naar de supermarkt geweest.' Ze reikte met twee vingers onder haar onderjurk en haalde een condoom verpakt in zwart plastic tevoorschijn. 'Toen ik de doos met magnums op de toonbank zette, vielen de ogen van de verkoper zowat uit zijn hoofd.'

O, wat geweldig dat ze daaraan had gedacht. Hij pakte het condoom van haar aan en stak het in zijn kontzak. 'Wat had je gedaan als ik niet was komen opdagen?'

'Dan was ik je gaan zoeken.' Ze trok het groen-zwarte shirt over zijn hoofd en greep naar zijn riem. 'Ik heb je mobiele nummer niet, dus ik kon niet bellen om te vragen of je langs wilde komen.'

'Dat regelen we wel.' Hij pakte de zoom van het zwarte jurkje en trok het tot aan haar taille omhoog. 'Straks.' Zijn handen vonden haar billen, die een klein zijden broekje droegen. Terwijl zij probeerde zijn riem los te maken, bracht hij zijn mond naar haar hals, waar hij haar zachte huid zoende. 'Dit is fijn.' Ze rook naar bloemen en hij kuste een lijn naar het kanten randje van de onderjurk.

'Die heb ik vanmiddag gekocht. Is sexyer dan dat oude T-shirt.'

'Ik vind dat T-shirt leuk.' Hij pakte haar bij haar polsen om te voorkomen dat haar bezige handen de zaken al voor elkaar hadden voordat ze daadwerkelijk begonnen waren. 'Niet zo snel.' Ze kromde haar rug en hij begroef zijn gezicht in haar decolleté. Hij wreef met zijn wang over haar borsten en zoog aan haar harde tepels door de dunne, gladde stof. Hij was dol op haar borsten. In zijn handen. In zijn mond. Tegen hem aan gedrukt.

'Laat me los, ik wil jou aanraken.' Ze vocht om los te komen, maar hij wilde nog niet dat ze hem daar aanraakte. Hij wilde niet dat het zo snel voorbij zou zijn. Hij mocht dan wel vergeten zijn dat hij haar ooit een boek had gegeven, maar dit wist hij nog heel goed. Tenminste, zijn lichaam wist het nog heel goed. Het voelde alsof hij weer tweeëntwintig was. Alsof ze verdergingen waar ze ooit waren gebleven.

Hij liet haar los en ze reikte meteen naar zijn gulp. Daar trok ze de knoop los, de rits omlaag en stak haar hand al naar binnen. Hij voelde haar zachte hand om zijn penis en hij verloor bijna zijn beheersing, nog voordat hij bij haar binnen was geweest.

'Schatje, je moet wat rustiger aan doen.' Hij draaide haar om en duwde haar billen tegen zich aan.

'Nee,' fluisterde ze terug, ze strekte haar armen en trok zijn gezicht weer naar zich toe. 'Straks.'

Ze gaf hem een lange, hete, natte kus waardoor zijn wil om kalm aan te doen werd gebroken. Hij vond het heerlijk hoe ze hem overal betastte. Hoe ze hem liet weten dat ze hem heel graag wilde. Hij had veel vrouwen meegemaakt die van alles zouden hebben gedaan voor een wip met een footballspeler en hij wist altijd precies of een vrouw hem echt wilde of alleen maar deed alsof. Adele deed niet alsof. Ze wilde hem net zo graag als hij haar wilde. En hij wilde haar steeds meer, met elke hartslag die de hartstocht verder door zijn lichaam verspreidde. Tot in de duistere krochten van zijn ziel wilde hij haar bezitten. Hij wilde haar het liefst op de grond duwen en haar overal zoenen en likken, om daarna diep in haar hete, natte lichaam te stoten.

Hij pakte haar handen die op zijn achterhoofd rustten en bracht ze naar voren. Daarna boog hij haar voorover. Ze greep het haltafeltje met beide handen vast. Hij trok haar broekje naar beneden en pakte haar zachte billen vast. Hij vond haar ronde billen bijna net zo lekker als haar borsten. Hij trok het condoom uit zijn achterzak en liet zijn broek naar beneden vallen tot de gesp van zijn riem met een klap op de grond viel. 'Doe je benen een beetje uit elkaar,' zei hij en hij schoof zijn boxer omlaag en rolde het condoom af op zijn stijve.

Ze deed wat hij vroeg en hij bracht zijn handen via haar kont naar de plek tussen haar benen. Daar was ze vochtig en klaar voor hem en ze kreunde diep terwijl hij haar benen nog verder spreidde en haar vochtigheid streelde. Ze boog nog verder voorover en hij gleed bij haar naar binnen. Ze voelde ongelooflijk strak om hem heen en hij trok zich weer terug om nog een keer helemaal in haar te verdwijnen. Hij veegde haar krullen opzij en beet zachtjes in haar hals. Van mij, dacht hij, terwijl hun lichamen versmolten. Ze duwde met haar kont tegen hem aan; vroeg om meer. Hij gaf haar wat ze vroeg, met lange, harde halen. Hij kwam keer op keer bij haar naar binnen, en zijn hart bonkte in zijn hoofd toen hij de eerste samentrekking van haar orgasme voelde. Dat bracht een verlangen bij hem teweeg dat hem ongeduldig maakte. Hij bracht zijn penis nog eenmaal hard bij haar naar binnen, zo hard dat het condoom knapte. Een golf van hete vloeistof verspreidde zich om hem heen en hij stootte dieper en dieper naar binnen en tot hij helemaal leeg was. Hij werd overspoeld door het meest intense orgasme dat hij ooit had meegemaakt en hij sloot zijn ogen. Het verspreidde een gloeiende hitte over zijn lichaam, kneep zijn ingewanden samen en benam hem de adem. Zijn hart bonsde hard en het voelde alsof hij zojuist was gestorven en in de hemel terecht was gekomen.

'Godverdomme.'

Adele trok de ceintuur van haar zwarte badjas strak om haar middel en verliet de grote badkamer. Ze liep op het geluid in de keuken af. Ze had zojuist met Zach het lekkerste vluggertje van haar hele leven beleefd – daarna had hij zich van haar losgemaakt, zijn broek opgetrokken en was hij zonder nog een woord te zeggen naar de badkamer gelopen.

Nu stond hij bij het aanrecht en dronk een glas water. Hij stond met zijn rug naar haar toe en in de keukenlamp lichtten de blonde lokken op zijn hoofd op en zijn gespierde schouders en rug kregen nog scherpere contouren. Zijn broek hing laag op zijn heupen.

Hij draaide zich om en zette het glas neer. Hij had zijn broek dichtgedaan, maar zijn riem niet. 'Het condoom ging kapot.'

'Ik weet het.' Hij was een sportman geweest. Hij had geen goed huwelijk gehad en hij had het ongetwijfeld met heel veel vrouwen gedaan. Ze pakte het glas en dronk het leeg, wensend dat er iets sterkers in zou zitten. Limoncello of wodka jus. Ze zou niet over haar toeren raken, sprak ze zichzelf toe. Tenminste, nu nog niet. 'Daar moeten we het even over hebben.'

Terwijl hij het glas weer voor haar vulde keek hij haar over zijn brede schouder aan. 'Ik heb sinds de verwekking van Tiffany geen onveilige seks meer gehad.'

De opluchting die ze voelde verdreef de spanning in haar rug en buik en toverde een glimlach op haar gezicht. 'Echt?'

'Echt.'

'Dan denk ik dat we geen probleem hebben.' Ze pakte het glas van hem aan en biechtte op: 'Ik heb echt al heel lang geen seks meer gehad.'

'Hoe lang niet?' Hij leunde tegen het aanrecht.

Ze nam een slok en gaf het glas weer terug. 'Drie jaar geleden, toen ik het uitmaakte met mijn vriend. Hij begon zo vreemd te doen dat ik mezelf heb laten onderzoeken en ik heb niks. Alles is dus oké.'

Hij richtte zijn blik op haar buik. 'Mijn jongens zwemmen nu stroomopwaarts op zoek naar jouw eitje en jij denkt dat we geen probleem hebben?'

Ze schudde haar hoofd. 'Ik heb een Mirena.'

'Wat is een murena?' Hij nam een slok en keek haar over de rand van het glas met zijn bruine ogen bezorgd aan.

'Mirena. Een soort spiraaltje, met hormonen.'

'Hoe goed werkt dat als voorbehoedsmiddel?'

'Het is heel effectief; het gaat in maar één procent van de gevallen mis.'

'Weet je het zeker?' Hij zette het glas op het aanrecht en keek haar vorsend aan. 'Ik wil niet nog een kind.'

Adele wist dat ze niet beledigd moest zijn, maar ze was het toch. Hij keek haar opeens aan alsof ze de vijand was. 'Ik weet het zeker. Ik ben een paar maanden geleden voor een jaarlijkse controle bij mijn arts geweest en toen zat het ding nog precies waar het hoort te zitten. Echt, Zach, ik kan op dit moment echt geen kind gebruiken. Daarom heb ik een spiraaltje laten plaatsen.'

'Devon zei dat ze aan de pil was toen ze zwanger raakte, maar zij loog tegen me.'

Ze sloeg haar armen over elkaar. 'Denk je dat ik tegen je zou liegen, Zach?'

'Je zou niet de eerste zijn die over zoiets zou liegen.' Hij hield zijn hoofd schuin en keek haar aan.

Nog nooit had iemand haar ervan beschuldigd dat ze loog over een voorbehoedsmiddel. En dat hij haar vergeleek met Devon maakte haar zo woedend dat ze hem wel kon slaan. 'Dan moet je maar gaan.' In plaats van hem te slaan, liep Adele de keuken uit en naar de voordeur. Ze vroeg zich af of dit bij de vloek hoorde. Normaal gesproken was Zach heel redelijk, maar op dit moment deed hij nogal idioot. Hij gedroeg zich belachelijk en ze was niet van plan hem zomaar te vergeven.

Ze raapte zijn trui op van de grond. Welke vrouw zou liegen over een voorbehoedsmiddel, dacht ze ziedend.

Devon dus.

Adele sloeg die informatie op om er later over na te denken. 'Je mag mij niet vergelijken met andere vrouwen. Ik zou nóóit liegen over zoiets,' zei ze, terwijl ze hem zijn shirt gaf. 'Daar beledig je me echt mee.'

'Ik heb nog nooit meegemaakt dat een condoom kapotging.' Hij trok het shirt over zijn hoofd.

'En?'

'Dus waarom nu dan wel?' Hij stak zijn armen in de mouwen en trok het shirt omlaag.

Adele fronste haar wenkbrauwen en probeerde haar woede te beheersen. 'Ik wil geen kind van je, Zach. Ik ga hier weg zodra

Sherilyn is bevallen en zelf voor haar kind kan zorgen. En dan kom ik niet meer terug. Het laatste wat ik dus wil is een kindje maken met een of andere sportheld en dan vervolgens zelf voor de verzorging opdraaien.'

'Maar je hoeft het kind niet helemaal alleen op te voeden.' Hij haalde zijn autosleutel tevoorschijn. 'Dat zou ik nooit toestaan, dat begrijp je toch wel.'

Dat was hem, de druppel. 'Jij dook hier op vanavond. En nu doe je net of dat kapotte condoom mijn schuld is! Alsof ik er iets mee heb uitgespookt!'

'Jij had ze gekocht. Elke man zou denken...'

'Eruit!' onderbrak ze hem. Ze gooide de deur open en wees naar de donkere Texaanse avondlucht.

'Jezus, waarom ben je zo kwaad?'

Ze duwde hem de deur uit. 'Dit hoor je misschien niet vaak, Zach Zemaitis, maar niet alle vrouwen gebruiken leugens om een kind van jou te kunnen baren. Sommige vrouwen vinden de gedachte alleen al afschuwelijk.'

'Daar is het weer.' Hij glimlachte ineens. 'Als je kwaad bent krijg je weer een Texaans accent.'

'Geweldig. Dan kun je me nog beter verstaan. Sodemieter op, eikel, en waag het niet nog een keer bij me aan te komen!' Ze gooide de deur dicht. Ze had inderdaad de laatste woorden uitgesproken als een echte Texaanse, hoorde ze nu zelf. Alleen had haar moeder haar niet geleerd zo te vloeken. Haar moeder had Sherilyn evenmin geleerd zo te vloeken, maar beide zussen hadden er de laatste tijd een handje van schuttingtaal te gebruiken. Dat kwam natuurlijk door Zach en die andere eikel, William. Ze had de schuld voor Zachs gedrag graag aan de vloek willen wijten, maar dat was helemaal niet nodig geweest. Nee, hier had Zach geen vloek voor nodig gehad. Dit had hij helemaal zelf gedaan.

Toen Zach door de woonkamer langs de open haard liep, bleef hij even staan. Hij keek naar het portret van Devon dat erboven hing. Adele vond het eng. Hij hield zijn hoofd scheef en keek naar Devons grote groene ogen. Hij vond het portret niet eng. Er was een zacht spotje op gericht, alsof het schilderij in het museum hing, en het was eerder narcistisch dan eng. Maar hij had er eigenlijk nooit zo over nagedacht. Het was al drie jaar geleden dat Devon was overleden en tenzij iemand in een gesprek haar naam te berde bracht, dacht hij eerlijk gezegd nooit meer aan zijn overleden vrouw.

...als je wilde scheiden van Devon, waarom ziet je huis er dan uit als een soort mausoleum voor haar? had Adele de nacht ervoor gevraagd. Was zijn huis echt net een mausoleum? Had hij zijn dochters verdriet en zijn eigen schuldgevoel over Devons dood laten overheersen in hun huis? Misschien. En misschien zou hij, als Tiffany weer terug was, met haar praten over het portret.

Hij liep de gang weer in, op weg naar zijn slaapkamer en deed het licht aan. *Dit hoor je misschien niet vaak, Zach Zemaitis, maar niet alle vrouwen gebruiken leugens om een kind van jou te kunnen baren. Sommige vrouwen vinden de gedachte alleen al afschuwelijk.* Hij trok glimlachend zijn kleren uit en liep naar de badkamer. Hij had te heftig gereageerd, dat was duidelijk, maar het gescheurde condoom had zijn amoureuze vuur onmiddellijk gedoofd en hem de stuipen op het lijf gejaagd. Als het op voorbehoedsmiddelen aankwam, waren vrouwen niet te vertrouwen, vond hij. Hij vertrouwde alleen op zichzelf. Maar geloofde hij daarmee werkelijk dat ze had gelogen?

Zach zette de douche aan en stapte eronder. Nee, hij geloofde niet dat ze gelogen had. Niet alleen had ze hem tot de vorige avond voortdurend geprobeerd te ontwijken, maar hij geloofde ook niet dat Adele over zoiets belangrijks zou liegen.

Hij dacht aan de laatste wedstrijd. Ze hadden nipt gewonnen in de laatste vier minuten en hij wist dat dat deels aan hem lag. Hij had de jongens niet de volle honderd procent kunnen geven. Hij had zijn aandacht geprobeerd te verdelen tussen de wedstrijd en Adele. Terwijl zijn team moeite had met zijn tactische patronen voor de passes, had Zach moeite zijn aandacht bij de wedstrijd te houden in plaats van bij Adele. Terwijl hij naar het team had moeten kijken om ervoor te zorgen dat hij op het juiste moment zijn handen in de lucht stak zodat zij de bal gooiden, vroeg hij zich af wat Adele aan het doen was met haar handen en was hij bezig uit te rekenen hoe lang het zou duren om terug te rijden naar Cedar Creek.

Hij was afgeleid en ongeduldig. Hij zat te wachten tot ze gewonnen hadden zodat hij terug kon naar Adele. Dat was hem nooit eerder gebeurd. Het was hem altijd gelukt zijn hoofd bij een wedstrijd te houden en zijn privéleven erbuiten te houden. Niets had zijn wedstrijdconcentratie kunnen verstoren. En zeker geen vrouw.

Misschien kwam het omdat hij al drie jaar geen seks had gehad dat hij moeite had zich op iets anders te concentreren dan Adele weer te kunnen zien. Haar dicht tegen zich aan te houden en haar uit te kleden. Het was zijn team ook opgevallen en Joe had er zelfs commentaar op geleverd.

'Is er iets mis, Z?' had hij gevraagd toen ze voor de tweede helft terugliepen van de kleedkamer naar het veld.

'Er is niets mis,' had hij zijn assistent-coach verzekerd en de tweede helft had hij zijn kop er iets beter bij kunnen houden.

Hij verlangde dat de jongens 110 procent gaven en ze hoefden van hem niet minder te verwachten. Hij moest het nodig rustiger aan doen met Adele; de dingen voorzichtiger aanpakken, voordat hij echt problemen kreeg. Maar dat zou niet zo moeilijk zijn, aangezien ze hem het huis uit had gezet met de mededeling dat hij niet meer terug hoefde te komen.

Natuurlijk was het verkeerd van hem geweest om als een idioot tekeer te gaan en haar van leugens te betichten, maar van een gescheurd condoom raakte hij nou eenmaal buiten zinnen. Er bestond een kans van één op de honderd dat ze zwanger zou raken, maar hij vond die kans toch te groot. Bovendien was een kapot condoom precies de afleiding die hij nu niet kon gebruiken.

Hij moest nog één wedstrijd winnen voor het staatskampioen-schap volgende maand en hij had al zijn concentratie en energie nodig om die trofee mee naar huis te krijgen.

Adele was prachtig en hij wilde haar heel graag weer helemaal opnieuw leren kennen. Ook wilde hij haar in bed nog veel beter leren kennen, maar hij kon de afleiding van een vrouw op dit moment gewoon niet gebruiken. Vooral niet van een vrouw die hem met haar zachte handen op de harde plekken dusdanig wist aan te raken dat hij alles om zich heen vergat, behalve haar.

Adele negeren was geen optie. Ten eerste omdat hij dat niet wilde en ten tweede omdat het onmogelijk was. Hij had het al geprobeerd en had gefaald, maar het was wel noodzakelijk het rustig aan te doen. Tenminste, tot na de kampioenswedstrijd.

Hij zag de blik in haar ogen weer voor zich toen ze de deur achter hem dicht had gesmeten. Het duurde nog maar een paar weken en die tijd had ze misschien nodig om af te koelen.

Hoofdstuk 13

'Tante Adele, weet jij wat de wortel uit zestien is?'

Ze dacht even na terwijl ze haar geroosterde boterham met boter besmeerde. 'Vier, geloof ik.' Ze keek naar Kendra die aan de keukentafel bezig was met haar huiswerk. Het was heel lang geleden dat ze voor het laatst de vierkantswortel uit een of ander getal had moeten berekenen. 'Of misschien is het wel tweeëndertig.' Ze sneed de beboterde toast doormidden en legde hem op een bord naast het roerei dat ze zojuist gemaakt had. 'Nee, het is vier. Denk ik.'

'Laat maar,' zei Kendra met een zucht en ze haalde een rekenmachientje tevoorschijn uit haar rugzak. Ze tikte wat getallen in en schreef het antwoord in haar schrift.

'Wat was het nou?'

'Vier.'

Kendra was nu al zo'n drie dagen na de terugkeer van de danswedstrijd niet vrolijk. Het team was op de derde plaats geëindigd en ze was als tiende geplaatst in de solocompetitie.

'Ik kon me niet concentreren,' zei ze. 'Ik was bang dat mama de baby zou krijgen en ik er niet was.'

'Tiende worden van al die meisjes uit die andere teams, dat is helemaal niet slecht,' had Adele tegen haar gezegd, maar ze had net zo goed tegen een muur kunnen praten. 'Luister eens, je kunt alleen maar altijd goed je best doen. Als dat niet goed genoeg is, dan doe je de volgende keer nog beter je best.'

'Dat zei mama ook al.'

'Je moeder is een wijze vrouw,' hoorde Adele zichzelf zeggen en ze was geschokt.

'Tiffany zei dat ze me zou helpen met mijn kicks.'

'Dat is lief van haar. Komt ze je hier helpen?' Adele had Zach niet meer gezien sinds ze hem die avond de deur uit had gezet en dat vond ze wel best. Ze had het druk en had geen tijd over voor een man die zo van streek was vanwege een kapot condoom, vooral niet als ze hem net had uitgelegd dat haar eigen voorbehoedsmiddel voor negenennegentig procent veilig was.

'Waarschijnlijk bij haar, daar is meer ruimte.'

Kendra tikte nog wat in op haar rekenmachine.

'Dan zet ik je na school bij haar af en kom je om vijf uur weer ophalen,' zei Adele en ze zette het bord voor haar nichtje neer. 'Ik zou het fijn vinden als je dan buiten alvast klaarstaat.'

'Hoezo?'

Omdat Tiffany's vader een eikel is die denkt dat vrouwen staan te popelen om een kind van hem te krijgen. 'We moeten gewoon nog veel doen.'

'Oké.'

Nadat Adele Kendra bij school had afgezet, liep ze haar gebruikelijke rondje en bracht daarna een bos lelies bij haar zus. De bloemen geurden heerlijk en zagen er prachtig uit; ze zouden Sherilyn zeker opvrolijken.

Toen Adele haar ziekenhuiskamer binnenliep, was Sherilyn er niet. Heel even stond haar hart stil en vroeg ze zich af of haar zus nu in de verloskamer lag. Toen werd de wc doorgetrokken en zwaaide de deur van de badkamer open. Sherilyn schuifelde naar haar bed in een verfomfaaide roze nachtjapon, met haar haren in een miezerig staartje en met donkere kringen onder haar ogen.

'Ik dacht dat er iets met je was gebeurd.' Adele legde een hand op haar bonzende hart. 'Ik kreeg bijna een hartverlamming.'

Sherilyn trok een bos verlepte rozen uit een vaas die naast het aanrechtje stond en gooide ze weg. 'Ik verveel me zo dat ik zelfs de afleiding van een hartverlamming wel zou kunnen gebruiken.' Ze spoelde de vaas schoon en vulde hem met water.

'Slecht geslapen?' Adele nam de lelies uit het papier en zette ze in het water.

Sherilyn haalde de bloemen er weer uit en sneed vervolgens een stukje van de stelen af. 'Ik kon weer eens niet slapen. Ik geloof niet dat ik één oog heb dichtgedaan.'

'Kun je daar niet iets voor nemen?'

'Nee.' Sherilyn zette alle lelies stuk voor stuk weer in de vaas. 'Ik heb zelfs een compilatie van oude afleveringen van *Big Brother* gezien. Het eerste seizoen én het tweede seizoen. Ik dacht dat ik daar wel van in slaap zou vallen.'

Adele wist vrijwel zeker dat *Big Brother* op het lijstje stond van programma's waar Kendra niet naar mocht kijken en ze zou nog minder geschrokken zijn als ze naar alle Chucky-films had gekeken.

'En in plaats van dat het me slaperig maakte, moest ik wakker blijven om te zien welke trut werd weggestemd en welke niet.' Sherilyn stak de laatste lelie in de vaas.

'Pardon?'

Er verscheen een rimpel op het voorhoofd van haar zus. 'Zei ik net trut?'

'Ik geloof het wel.'

'Ik verveel me zo,' zei Sherilyn met een diepe zucht. 'Dat ik langzaam maar zeker steeds gekker word.'

Sherilyn was niet de enige die gek was geworden. Adele leek wel gek om weer met Zach Zemaitis het bed in te duiken. Het was nooit een goed idee om weer iets te beginnen met een ex. Dat wist ze en ze wilde dat ze thuis was gebleven in Boise. Als ze thuis was geweest, had ze haar vriendinnen opgetrommeld voor een spoedlunch. Dan kon ze ze over Zach vertellen en dan zouden zij zeggen dat zij geweldig was en hij een eikel. Ook al was dat een leugen. Dan zouden ze haar iets adviseren wat ze waarschijnlijk niet zou doen, maar ze zou zich er in elk geval beter door voelen.

'Vertel me iets leuks. Alles mag,' smeekte Sherilyn en ze droeg de vaas naar het tafeltje naast haar bed. 'Ik ben het zo beu steeds naar dezelfde vier muren te staren. Ik kan wel gillen.'

Adele vroeg zich af of ze haar zus alles op zou biechten. Of ze haar zou vertellen over Zach, maar ze besloot het toch niet te doen. Sherilyn en zij hadden nooit zo'n hechte band gehad. Haar zus had altijd haar oordeel klaar en Zach was een liefje voor één nacht geweest – oké, twee nachten – in háár huis, toen haar dochter niet thuis was. Adele wist niet wat haar zus daarvan zou denken. Jezus, Adele wist zelf niet eens wat ze ervan moest denken.

'Ga lekker je haar wassen, dan zet ik krullen met de krultang,' stelde ze voor. 'Dan lopen we daarna naar de grote wachtruimte verderop om te kijken hoe in het aquarium de grote vissen de kleintjes opeten.'

'Klinkt sadistisch en treurig,' zei Sherilyn. Ze haalde haar shampoo tevoorschijn. 'Maar het is het leukste plan dat ik in tijden heb gehoord.'

Terwijl Adele het haar van haar zus krulde spraken ze over Kendra en de baby en de vorderingen van de echtscheiding. Tegen de tijd dat Adele klaar was met haar haren, was Sherilyn moe en wilde ze gaan slapen. Dus spraken ze af om het eetgedrag van de vissen een volgende keer te observeren en Adele vertrok even voor twaalf uur.

Ze had meer dan genoeg te doen. En maar drie uur om alles af te krijgen, voor ze Kendra van school moest ophalen. Maar toen ze de straat in reed, zat Zach op de stoep voor het appartement. Ze herkende hem al van verre. Bovendien was de Cadillac die tegen de stoep geparkeerd stond onmiskenbaar de zijne. Ook de lange benen, brede schouders en de blonde haren boven zijn intense blik waarmee hij haar nakeek terwijl ze de inrit op reed, waren onmiskenbaar de zijne. Eveneens onmiskenbaar waren de vlinders in haar buik en haar versnelde hartslag. Maar ze werd er niet blij van.

Ze zette de auto niet in de garage, maar liet hem op de oprit staan, stapte uit en stak het gazonnetje over. Naast zijn grote cowboylaarzen stond een pakje ter grootte van een schoenendoos, ingepakt in glimmend roze papier en met een grote roze strik.

'Het spijt van me van laatst,' zei hij terwijl hij opstond.

Ze zette haar handen in de zij. 'Wat spijt je dan precies?' Als hij dacht dat hij hier aan kon komen zetten met wat lingerie zodat ze hem makkelijk zou vergeven, dan had hij het mis.

'Omdat ik zo lullig deed over dat gescheurde condoom. Ik weet dat je zei dat ik niet meer bij je aan de deur mocht komen, maar ik denk dat je er nog eens over na moet denken.'

'Waarom dan?' Tenzij het iets van La Perla was. Ze was in staat veel te vergeven als het mooie lingerie was. Het was heel lang geleden dat ze voor het laatst iets geweldig moois had gedragen. Toch leek deze doos te groot voor lingerie.

Een briesje waaide door zijn korte blonde haar. 'Ik heb iets wat je nodig hebt.'

Ze had van een vriendje een keer een sexy verpleegsterspakje gekregen en van weer een andere een stel handboeien en een zweepje. 'Wat is het dan?'

'Als ik mee naar binnen mag, laat ik het je zien.'

'Als het maar geen ordinair, kruisloos slipje is.' Ze liep het trapje op en toen konden ze elkaar recht in de ogen kijken. De vlinders verspreidden zich van haar buik naar haar hart. 'En je moet vooral niet denken dat ik je zomaar vergeef omdat je hier aankomt met een verontschuldiging en een cadeautje.'

Daar moest hij even over nadenken. Toen haalde hij zijn schouders op. 'Oké.'

'En ook niet dat je je linke' – ze prikte met haar wijsvinger in zijn borstkas – 'versiertrucjes kunt uithalen, of me uit de kleren kunt krijgen.'

Er verschenen lachrimpeltjes bij zijn ogen. 'Nee, mevrouw.'

'Jouw geflirt mag dan misschien werken bij de zwakke vrouwtjes, maar zo gemakkelijk ben ik niet.'

'Dat heb je mij nooit horen zeggen.' Hij schoof een krullende lok achter haar rechteroor en zijn koele vingers raakten haar wang. Nadat hij zijn hand had weggehaald, voelde ze zijn aanraking nog steeds. 'Daarom heb ik speciaal voor jou een paar nieuwe versiertrucs bedacht.'

Ze moest er bijna om lachen, maar was er nog niet aan toe hem te vergeven. Niet alleen had hij zich als een idioot gedragen, het had ook drie dagen geduurd voordat hij zich kwam verontschuldigen. Ze keek hem streng aan en liep de trap verder op. Daarna deed ze de voordeur open en liet hem voorgaan. Ze hing hun jassen op en daarna gaf hij haar het cadeau dat hij had meegenomen. Het was zwaar. Ze zette het neer op de tafel in de hal en trok de strik los. Het was overduidelijk geen lingerie, bovendien was de doos te groot.

Ze trok hem open en haalde een leren gereedschapsgordel tevoorschijn, compleet met schroevendraaiers, hamer en een rolmaatje.

'Een gereedschapsgordel,' zei ze met een brede glimlach. Geen enkele man had haar ooit iets gegeven wat ze echt kon gebruiken.

'Sorry, hij is wel kruisloos.'

'Inderdaad.' Ze sloeg hem om haar heupen en maakte de gesp vast. 'Zullen we hem uitproberen?'

'Graag.'

Ze had het gevoel dat hij iets heel anders wilde uitproberen, maar ze was veel te opgewonden om er aandacht aan te besteden. De hamer sloeg tegen haar been terwijl ze naar de babykamer liep. Het was gewoon een gereedschapsgordel. Een stuk leer met een gesp, dus ze moest proberen er niet meer in te zien. Zoals dat hij de moeite had genomen om naar de gereedschapswinkel te gaan en speciaal voor haar gereedschap uit te zoeken. En dat vervolgens te laten inpakken en er daarna mee op de stoep te gaan zitten wachten tot ze thuis zou komen. Het was gewoon een van die slinkse versiertrucjes om haar uit de kleren te krijgen, maar ze moest toegeven dat het goed verzonnen was.

Hij bleef midden in de kamer staan en keek naar de dozen die tegen de muur stonden.

'Waar wil je mee beginnen?'

'Het wiegje.'

Hij pakte een schroevendraaier uit haar gordel en trok de grote nieten uit het karton alsof het niets was. Het zou haar waarschijnlijk uren hebben gekost om die eruit te krijgen. Zijn grote handen, waarmee hij al bijna zijn hele leven verre passes gooide op het footballveld, werkten met zoveel gemak dat ze besefte dat een man ook handig kon zijn buiten de slaapkamer.

'Je hoeft me niet te helpen, hoor.' Nu ze hem zo bezig zag, voelde ze een warm, spannend gevoel in haar onderbuik. Haar lichaam leek zich de vaardigheid van zijn handen te herinneren. Het warme gevoel verspreidde zich via haar bloedbaan. 'Je hebt vast wel wat beters te doen.'

Hij keek naar haar op. 'Er zijn zoveel dingen die ik moet doen, maar ik ben nou eenmaal hier.' Hij staarde haar een paar tellen aan, voordat hij zijn aandacht weer richtte op de grote doos. 'Ik heb geprobeerd weg te blijven. Nadat je me het huis uit gooide, dacht ik dat dat maar goed was ook. Jij leidt verschrikkelijk af en ik kan op dit moment geen afleiding gebruiken.' Hij gaf haar de schroevendraaier terug en trok de doos met zijn blote handen open. 'Ik moet nog banden bekijken en tactieken bedenken voor de training van vandaag, maar nu ben ik hier. Zit ik babymeubelen in elkaar te zetten voor jou, omdat ik je niet uit mijn gedachten kan krijgen. Ik doe een tape in de recorder, en ik kan alleen maar aan jou denken.' Hij liet het karton vallen en pakte de gebruiksaanwijzing. 'Maar weet je, Adele, ik heb geen idee of jij het fijn vindt dat ik er ben.' Zijn polo kwam los uit zijn broekband en schoof omhoog, zodat ze de gebruinde spierbundels op zijn rug kon zien. Hij ging rechtop staan en zijn blik gleed van de gebruiksaanwijzing naar haar gezicht. 'Ik weet niet wat jij wilt.'

Ze keek naar hem, hoe hij de kleine kamer vulde met zijn lichaam; zijn lange benen en brede schouders. Hoe hij samen met haar het wiegje in elkaar wilde zetten zodat hij bij haar kon zijn, en zij wist het zelf ook niet. Na drie jaar droogstaan, was het fijn weer een man om zich heen te hebben. Maar dat het deze man was, leek om verschillende redenen niet zo'n goed idee.

'Wil je dat ik wegga?'

'Nee.'

'Je klinkt niet overtuigd.'

'Ik wil wel dat je blijft. Het is alleen... ik wou alleen dat ik niet zou willen dat je bleef.' Ze haalde diep adem. 'Ik weet niet of het zo'n goed idee is om weer samen te zijn met iemand van vroeger. Er is gewoon zoveel...' Ze hief een hand, om hem vervolgens weer te laten zakken. 'Meestal is datgene waardoor de relatie is verbroken, nog niet opgelost.'

'Zij is er niet meer.'

'Nee, maar ik weet niet of het verstandig is om iets weer op te pakken wat ooit kapot is gegaan.'

Hij hield zijn hoofd schuin en keek haar aan. 'Gisteren, toen ik toekeek hoe mijn spelers aan het trainen waren, herinnerde ik me ineens toch weer hoe ik jou in je studentenkamer dat elfjesboek gaf, veertien jaar geleden. Het ene moment stond ik nog te schreeuwen tegen mijn jongens, en het volgende moment kreeg ik een flashback van de blik in je ogen toen ik jou dat boek gaf. Ik wist ineens precies hoe mooi je het vond.'

'Dat klopt.'

'Toen dacht ik ook weer aan die avond waarop ik je vertelde dat Devon zwanger was.'

Dat herinnerde zij zich ook nog.

'En ik wist ook nog hoe je toen keek.'

Adele keek naar de punten van haar flatjes. 'Dat bedoel ik dus met dingen die kapotgingen.'

Er viel een stilte. Toen zei hij: 'Ik ben een paar dagen later nog naar je huis gegaan, maar je was weg. Niemand wist waar je naartoe was gegaan.'

Ze keek verbaasd omhoog. 'Je bent hier nog terug geweest?'

'Ja.'

Ze schudde haar hoofd. 'Misschien moeten we hier niet over praten.'

'Ik denk van wel.' Hij gooide de gebruiksaanwijzing op de losse onderdelen van het wiegje. 'Ik heb er altijd spijt van gehad dat ik je toen zoveel verdriet heb gedaan.'

'Het is zo lang geleden. Daar ben ik nu wel overheen.'

'Echt waar?'

'Ja.' Het was waar. Maar dat betekende niet dat ze zo stom was om dezelfde fout een tweede keer te maken. Nu was ze ouder en wijzer. Ze wilde geen gevoelens ontwikkelen voor Zach. Ten eerste woonde hij hier, in Texas. En haar leven speelde zich meer dan duizend kilometer verderop af en wachtte tot ze terug zou komen.

'Ik hoop het, want destijds deed ik wat mijn geweten me ingaf. Met het risico dat je me weer zegt dat ik de schijt kan krijgen en me de deur in mijn gezicht gooit, zou ik het allemaal precies zo doen als het weer zou gebeuren. Dan zou ik opnieuw de verantwoordelijkheid voor mijn daden nemen. Dat was niet gemakkelijk, maar ik had geen keuze.'

'Dat weet ik. Ik heb altijd geweten dat je zou doen wat je geweten je ingaf. Dat was een van de dingen die ik zo aantrekkelijk aan je vond, maar dat neemt niet weg dat het verschrikkelijk pijn deed.' Ze keek hem in zijn bruine ogen en zei: 'Of dat ik je me nog een keer zoveel verdriet laat doen.'

'Ik zal je zeker niet nog een keer zo'n verdriet doen.' Hij reikte naar haar hand en trok haar naar zich toe. 'Ik vind je leuk en ik denk dat je mij ook leuk vindt. We zijn volwassen. Laten we het gewoon gezellig hebben met elkaar zolang jij hier bent.'

Hij streelde met zijn vingers over haar rug en dat veroorzaakte hete tintelingen langs haar hele ruggengraat. Haar borsten werden geprikkeld door zijn lichaamswarmte die ze door twee lagen kleding heen voelde. Ze had geen zin om de tintelingen te laten verdwijnen. Nog niet, tenminste. Ze zou niet lang genoeg blijven in Cedar Creek om helemaal voor hem te vallen. Deze keer niet.

'Oké, als je me maar niet mee uit vraagt,' zei ze, bang dat met een echte date de vloek alles in de war zou schoppen.

'Wat? Tuurlijk vraag ik je mee uit.'

Ze schudde haar hoofd. 'Nee, niet doen. Dat verpest alles.' Ze sloeg haar armen om zijn nek en bood hem haar mond voor een kus. Ze vond hem leuk. Na drie jaar zonder man gaf hij haar het gevoel dat ze begerenswaardig was. Ook al was dat niet hetzelfde als houden van, het was niet de liefde die ze hem jaren geleden gegeven had, met heel haar hart en ziel. Het was zelfs niet de simpele, gemakkelijke liefde die ze eerder in haar volwassen leven voor andere mannen had gevoeld.

Ditmaal was het lust wat ze voelde, met heel haar hart en ziel. Ze was oud genoeg om lust en liefde niet door elkaar te halen; om het verschil te weten tussen begeerte en diepere gevoelens. Zelfs niet toen hij op de vloer met haar de liefde bedreef en haar een orgasme bezorgde waar ze helemaal van moest bijkomen. Zelfs niet toen hij de daaropvolgende twee dagen weer langskwam en het kunstje opnieuw uithaalde.

Tijdens het weekend van Thanksgiving ging hij met Tiffany op familiebezoek in Austin, maar de maandagochtend daarop stond hij weer vroeg bij haar op de stoep. Samen liepen ze haar rondje en hij vertelde over zijn moeders maïsbrood en haar Texaanse fruitsalade.

'Dat vind jij lékker?' kon Adele tijdens het rennen nog net uitbrengen. Meestal hield Adele er niet van om te praten tijdens het hardlopen, maar Zach leek daar geen probleem mee te hebben. Sterker nog, een paar keer draaide hij zich om om achterwaarts te joggen.

Uitslover.

'Jij niet dan?'

Adele schudde haar hoofd. 'Te veel smaken in één bakje.'

'Weet je zeker dat je uit Texas komt?'

Dat vroeg zij zich zelf ook wel eens af.

De twee weken die volgden jogden ze bijna elke doordeweekse dag samen, om elkaar na afloop onder de douche of in Sherilyns bad in te zepen, en ze beoefenden daarnaast nog talloze andere vormen van lichaamsbeweging. Zach bracht altijd zijn eigen condooms mee en zij zorgde altijd voor een lekker ontbijtje. Samen lukte het ze zelfs om de wieg en een schommelstoeltje in elkaar te zetten.

Hij parkeerde zijn auto altijd gewoon voor het huis en het leek hem niet te kunnen schelen dat iemand ze samen zou zien, maar ze wist dat Tiffany er niet van op de hoogte was dat haar vader veel tijd met Adele doorbracht. En Adele hield zichzelf niet voor de gek door te denken dat Tiffany dat prima zou vinden.

'Pappie wil het portret van mama weghalen,' vertelde Tiffany op een dag toen Adele haar naar huis bracht. 'Hij vindt dat het tijd wordt, maar ik ben er kwaad over. Toen jouw moeder stierf, haalde jouw vader toen ook alle foto's weg?'

Adele ging ervan uit dat 'alle foto's' schromelijk overdreven was. 'Niet allemaal. Alleen de foto's waar hij verdrietig van werd.' Ze keek in haar spiegel en zocht Tiffany's groene ogen. 'Misschien kun je samen iets uitzoeken en ophangen waar jullie allebei blij van worden.'

Er verscheen een diepe rimpel tussen Tiffany's ogen en Adele richtte haar blik weer op de weg. 'Denk je dat pappie verdrietig wordt van het schilderij van mama?' Nee. 'Praat er eens met hem over.'

'Ja ja,' snoof Tiffany. 'Hij wil alleen maar praten over de wedstrijd van vrijdag.'

Die bewuste wedstrijd was de finale om het staatskampioenschap en werd gespeeld in het Warren P. Bradshaw stadion aan de andere kant van de stad. Cedar Creek was er al de hele week vol van. Het sufferdje had er al een artikel aan gewijd, inclusief een interview met Zach, en dat was al de hele staat door gegaan. Hij was geïnterviewd door *The Dallas Morning News* en de *Austin American Statesman*. Een vroegere ster uit de NFL die coach was geworden van een plaatselijk high school footballteam, was groot nieuws.

Ze vroeg of hij de druk voelde en er nerveus van werd. Hij haalde zijn schouders op. 'Iedereen wordt zenuwachtig voor een wedstrijd. L.C. Johnson moest voor elke wedstrijd kotsen. Een heleboel jongens trouwens.'

'Jij ook?'

'Nee.'

'Wie is L.C. Johnson?'

Hij grinnikte en kuste haar hals. 'Een van de beste spelers in de NFL. In het laatste jaar dat ik voor Denver speelde, gooide hij hoge ogen. Niet alleen trok hij onvermoeibaar sprintjes, maar hij ving ook nog eens elke bal die ik naar hem gooide.'

Ze schoof de krullen uit haar hals zodat hij er beter bij kon. 'Mis je het?'

'Het football?' Hij schoof met zijn vinger over haar naakte schouder en duwde haar behabandje naar beneden. 'Soms, maar niet zoveel als in het begin. Ik mis het gooien van de perfecte pass. Ik mis het winnen van een wedstrijd. Maar wat ik niet mis is het opstaan op de ochtend na een wedstrijd, of dwars door de pijn en de misselijkheid heen spelen als je net door een vent vol geraakt bent die de opzet had je te vermoorden.'

Ze trok haar hoofd terug en keek hem aan. 'Wat afschuwelijk.'

'Hoort bij het spelletje. Trouwens, mijn masseuse en ik woonden onder één dak.'

Ze lachte. 'Ik zie Devon niet voor me als masseuse.'

'Schatje, Devon woonde in Denver ook niet bij mij.'

'Echt niet?'

Hij schudde zijn hoofd. 'Bijna ons hele huwelijk woonde ze hier. In dat grote huis dat ze voor zichzelf heeft laten bouwen. Ik kwam zo vaak mogelijk bij haar en Tiffany langs.'

Adele kon zich niet voorstellen dat je trouwde met Zach en

dan zo ver bij hem vandaan woonde. 'Dat klinkt niet als een goed huwelijk.'

'Dat was het ook niet.'

Ze keek hem recht in zijn bruine ogen en vroeg toen iets wat haar helemaal niks aanging: 'Hoe kun je nou trouw zijn als je allebei in een andere staat woont?'

'Dat was ik ook niet.'

Adele had altijd al gedacht dat hij een typische oppervlakkige sporter zou zijn, maar het stoorde haar meer dan ze wilde toegeven. Het stoorde haar meer dan eigenlijk zou moeten. Ze keek naar beneden. 'O.'

Zachs handen om haar gezicht brachten haar ogen weer vlak bij de zijne. 'Het kon Devon geen bal schelen met wie ik in bed lag. Maar ik kan in jouw ogen lezen dat jij daar heel anders over denkt.'

Hij had gelijk. Dat deed ze zeker.

'Jij bent een vrouw die wil dat man en vrouw elkaar zowel geestelijk als lichamelijk trouw zijn. Zo wilde Devon mij niet.'

'Wat wilde ze dan?'

'Geld en status. Zolang Devon kreeg wat ze wilde, maakte het haar niet uit wat ik deed.'

'Wat kreeg jij dan?'

Hij keek haar aan alsof hij zichzelf die vraag nog nooit had gesteld. Zacht schudde hij zijn hoofd. 'Hoe kwamen we ook al weer op dit onderwerp?'

'Football.'

'Aha.' Hij sloeg zijn arm om haar middel en trok haar naar zich toe. 'Kom je naar de wedstrijd?'

Ze keek naar zijn knappe gezicht en had bijna ja gezegd, maar iets weerhield haar daarvan. Er was iets wat haar ervan weerhield weer helemaal hoteldebotel op hem te worden. 'Ik moet bij Sherilyn blijven,' zei ze en ze keek weg toen ze de teleurstelling in zijn ogen zag.

Hoofdstuk 14

Op de tweede zaterdag in december streden de Cedar Creek Cougars tegen Odessa om het staatskampioenschap in het Warren P. Bradshaw stadion. Vijfentwintigduizend fans, afkomstig uit de hele staat, zaten op de tribunes te joelen en te zingen en met hun voeten te stampen.

Na de eerste helft stond de score op veertien gelijk en Zach stond met zijn armen over elkaar in de kleedkamer van de thuisploeg. Zijn team had een bijna perfecte wedstrijd gespeeld tot nu toe. Ze waren op elkaar afgestemd, sloegen en trapten de bal steeds verder naar voren. Ze deden alles wat hij van ze vroeg en toch was hij bang dat het niet genoeg was. Ze speelden tegen Odessa en dat team was groter en sneller dan de Cougars.

Joe stond voor de jongens de verdedigingsmanoeuvres te bespreken en voor de verandering was hij deze keer rustig. Hij legde alle strategieën uit en vertelde hoe het team moest reageren op de aanvallen van Odessa.

Zach kende de spanning die het spel opleverde, hij had er bijna zijn hele leven mee geleefd. De laatste keer dat hij die spanning had gevoeld, was toen hij in de Super Bowl speelde. Toen Joe klaar was, stapte Zach naar voren. Hij keek naar het team dat tegenover hem zat, in elkaar gebeukt, bebloed en onder de vegen van het gras. Hij was nog nooit zo trots geweest.

'Jongens, jullie hebben me alles gegeven wat jullie maar konden geven. Jullie hebben met bloed, zweet en tranen geknokt in

de eerste helft. Op geen enkel moment hebben jullie gas terugge-
nomen en ik en de andere coaches zijn jullie daar zeer dankbaar
voor.

Jongens, ik zal er niet om liegen, want daar zijn jullie te slim
voor en bovendien verdienen jullie het de waarheid te horen. Die
gasten van Odessa zijn veel zwaarder en sneller dan wij. Dat
wisten we voordat we eraan begonnen, maar toch gingen jullie
ervoor. Voetje voor voetje, pass voor pass, precies zoals we hadden afgesproken. Jullie mogen trots zijn op wat jullie tot nu toe
hebben bereikt.

Maar vanaf nu moeten jullie er nog een tandje bij zetten, iets
extra's geven wat je ergens vandaan moet halen. Iets extra's wat
ervoor zorgt dat jullie zo goed spelen als jullie nog nooit eerder
hebben gedaan. Jullie gaan elke kans pakken. Elk voordeel be-
nutten. Als jullie dat veld weer op gaan, gaan alle remmen los.
Dan bijten jullie je vast in het gras en geven ze geen millimeter
ruimte. Ik weet dat jullie dit kunnen winnen! Ze mogen dan sterker en sneller zijn, jullie zijn slimmer. Het komt er uiteindelijk
gewoon op neer wie het liefst wil winnen.'

Hij keek naar de gezichten van zijn jonge krijgers, met hun
haren alle kanten op of juist vastgeplakt op hun hoofd.

'Dit is het, heren. Dit is waar jullie al het hele seizoen voor spelen. Sommigen van jullie zullen succesvol zijn aan de universiteit.
Weer anderen krijgen een heel ander leven, maar ik kan jullie
godverdomme op een briefje geven dat jullie deze avond nooit
van je leven zullen vergeten. Jullie zullen erop terugzien met een
gevoel van triomf of met een gevoel van spijt. De keuze is aan
jullie. Geef je hart en je ziel, dan is de overwinning voor jullie.'

Hij verzamelde het team om zich heen. 'Dus laat het maar
horen: met hart en ziel voor de overwinning!'

'Met hart en ziel voor de overwinning!' brulden de jongens en
ze beukten met hun helmen en bovenlijven tegen elkaar. Toen
steeg er een vreugdegehuil op en ze renden weer naar het veld,
op naar de dood of de gladiolen.

Zach ging bij de andere coaches staan en samen volgden zij de spelers door de tunnel, begeleid door het gejoel en getoeter en getrommel van de Cedar Creek-band, die het strijdlied van de school aanhief.

In het laatste quart speelden beide teams volgens het boekje, maar in de laatste vijf minuten had de snelheid en kracht van Odessa hun eindelijk voordeel opgeleverd en stonden ze op de achtendertigyardlijn.

Zach stond met bonkend hart aan de zijlijn en bestudeerde de formaties van beide teams. Hij keek naar hun opstellingen en in die laatste vijf minuten zag hij eindelijk waar hij al de hele wedstrijd naar op zoek was: een breuk in de verdedigingslinie van Odessa. Iets wat hij niet had gezien in al die uren opnames kijken. Als de Cougars daar gebruik van konden maken, erdoorheen konden breken, dan hadden ze een kans het tij te keren. Hij vroeg om een time-out en liep naar zijn quarterback. Hij vertelde hem dat hij linksom moest gaan. Daarna liep hij weer terug naar de zijlijn en keek even omhoog omdat iets zijn aandacht trok. Misschien was het een toeter of een pompon daarboven, maar iets deed hem omhoogkijken, waardoor hij haar zag zitten. Ergens halverwege de tribunes, een paar stoelen verwijderd van de vijftigyardlijn. Misschien was het haar wilde blonde haar dat zijn aandacht trok. En zo was het altijd geweest. Als Adele ergens tussen de mensen was, werd zijn aandacht altijd getrokken door haar.

Hij richtte zijn blik weer op het veld, trok de klep van zijn pet omlaag en glimlachte. Ze was toch gekomen. Nu moest hij die wedstrijd maar winnen ook.

Omdat ze in Texas was opgegroeid, kende Adele de basisbeginselen van het football wel. Er werd gespeeld gedurende vier quarts en elk team moest proberen een touchdown te scoren als het de bal had. Maar nu ze naar Zach stond te kijken, kreeg ze het gevoel dat er veel meer bij kwam kijken. Op het eerste gezicht leek hij gewoon stil aan de kant te staan, maar hoe langer ze naar hem keek, des te meer ze zag hoe hij stond te gebaren. Hij wees naar links of naar rechts, maakte een of ander gebaar met zijn vingers of wees naar een van de spelers in de kluwen. Hij sprak veel in een headset en hief een gebalde vuist als de Cougars terrein hadden gewonnen. Hij was als een generaal die over zijn troepen heerste en ze werd warm vanbinnen als ze naar hem keek. Op een gegeven moment draaide hij zich om en keek hij in haar richting, waarna iets in haar buik een salto maakte.

Ze trok de kraag van haar dikke jas een stukje hoger op en keek naar Kendra, die twee rijen verderop zat met Tiffany en een paar andere meisjes. Adele was echt blij dat Kendra veel vriendinnen had gemaakt sinds de verhuizing naar Cedar Creek. Anders was haar leven als dertienjarige een stuk lastiger geweest.

Om haar heen begon het publiek te juichen en Adele keek vlug naar het veld. Een van de Cougars had de bal op de vijftienyardlijn van Odessa onderschept. Met nog vier minuten op de klok begonnen de Cougars zich gestaag over het veld te bewegen. Als Adele een nagelbijter was geweest had ze al haar vingers opgegeten terwijl ze yard voor yard terrein wonnen. Toen er nog minder dan een halve minuut te gaan was, was de spanning om te snijden en kreeg ze kippenvel. Toen liet de quarterback van de Cougars zich terugvallen, keek naar rechts en gooide de bal vervolgens naar links. De bal zeilde door de lucht, recht in de handen van de receiver, die er vanaf de tienyardlijn mee begon te rennen. De menigte werd gek, sprong massaal op en begon te schreeuwen toen er zes punten op het scorebord verschenen. Maar Odessa stond nog steeds één punt voor terwijl er nog maar vijf seconden te spelen waren.

'Nu gaat het om de reservetijd,' zei de man naast haar. Hij had zijn gezicht geel met groen geschilderd en droeg een Cougarstrui.

Reservetijd! Adele dacht dat ze het zou besterven. Ze vroeg zich af hoe Zach het uithield. Hij vroeg om een time-out en ze keek recht op zijn rug in het donkergroene Cougars-jack, terwijl hij beneden haar stond, omringd door spelers. Hij wees en gebaarde en zij knikten. Daarna begaf hij zich weer naar de zijlijn en zette zijn handen in zijn zij. Terwijl hij toekeek hoe zijn team zich weer bij de lijn posteerde, trok hij voortdurend aan de klep van zijn pet alsof die maar niet lekker wilde zitten.

'Ze gaan voor de twee punten,' zei de man naast haar met een grafstem. 'Ik hoop maar dat het ze lukt.'

Adele keek naar de *scrimmage*, net op het moment dat de bal loskwam. De quarterback had de bal te pakken, liep achteruit en bracht zijn hand naar achteren voor een pass naar links. De verdediging van Odessa anticipeerde en begon links het laatste vak in te lopen, waardoor er op rechts een enorm gat ontstond voor Cedar Creek. Toen pas zag Odessa dat de bal nog niet geworpen was, maar gewoon was afgegeven en door een speler naar de laatste lijn was gedragen.

'Ze deden de Statue of Liberty!' schreeuwde de vent naast Adele en de helft van het publiek begon te juichen, terwijl de andere helft ooh en aah riep. Er werden twee punten bij de score van de Cougars opgeteld terwijl de klok terugtelde tot twee nullen. De wedstrijd zat erop.

'Hebben we gewonnen?'

De man knikte en omhelsde haar.

'M-m-maar hoe?' kon ze nog net uitbrengen, terwijl de man op en neer begon te springen en zij haar best deed te voorkomen dat ze schmink op haar gezicht kreeg. Hoe had die quarterback de bal kunnen afgeven terwijl iedereen dacht dat hij hem ging gooien? Hoe was dat mogelijk?

'Dat was gewoon briljant!' Toen begon hij een soort indianengeluid te maken waar Adeles oren niet tegen konden. Hij liet haar eindelijk los en sprong over de banken naar beneden om op het veld te kunnen komen. Adele zocht met haar ogen naar Zach en zag hem toen op het veld staan, te midden van zijn jongens. Die sprongen allemaal over elkaar heen en maakten hun speciale overwinningsgebaar. Twee spelers kwamen het veld op rennen met de koelbox tussen hen in en gooiden de inhoud daarvan over Zach heen. Hij lachte toen de ijsblokjes van zijn pet en schouders af gleden en schudde zijn hoofd.

Kendra had haar tante gevonden en samen keken ze naar de ceremonie. De Cougars hesen de grote gouden trofee op hun schouders en lieten hem rondgaan. De belangrijkste spelers werden nog even met naam en toenaam vermeld en Zach hield een korte toespraak over zijn team. Daarna werd hij geïnterviewd door diverse media uit Austin en Dallas en terwijl het publiek langzaam de tribunes verliet, begaven Zach en de spelers zich in de richting van de spelerstunnel.

'Ben je er klaar voor?' vroeg Adele aan Kendra. Ze haalde een van Sherilyns lijstjes uit haar jaszak. Ze moesten twee kerstbomen kopen. Een voor in het ziekenhuis en een voor in het appartement en ook nog kerstballen en cadeaus. 'We hebben nog een boel te doen voor Kerstmis. We moeten de flat versieren en je moeders kamer,' zei ze en ze keek opzij, hopend dat ze nog een laatste glimp zou opvangen van Zach en zijn gelukspet, die ze vorige maand nog had gered uit het damestoilet.

Tiffany stond achteraan in de menigte en wachtte tot haar vader zich een weg had gebaand naar haar. Ze zag hoe hij boven iedereen uitstak terwijl hij handen stond te schudden met de mensen die bij de ingang van het stadion wachtten op de coaches en spelers. Toen ze zijn pet en zijn grote glimlach zag, zwol haar hart van trots. Ze hield zoveel van hem en ze was blij dat ze zijn dochter was. Soms werd ze wel eens bang als ze eraan dacht dat hem iets kon overkomen, zoals met mama. Bij de gedachte dat ze haar vader kon kwijtraken, deed haar maag pijn en kromp haar hart ineen.

Een man met een grote cowboyhoed schudde haar vaders hand en omhelsde hem plotseling stevig. Het leek alsof hij stond te huilen.

Tiffany was ook dol op football, maar tjonge jonge, het was toch lang zo vet niet als dansen. Dat was pas écht hard werken.

Ze bleef staan wachten terwijl de mensen langs bleven stromen en hij handen bleef schudden en schouderklopjes in ontvangst nam. Ze keek op haar roze horloge. Het duurde al veertig minuten. Jeetje, dat was echt lang en het leek er niet op dat de menigte kleiner werd. Tiffany vond het niet erg haar vader af en toe te delen met anderen, maar dit werd belachelijk. Eigenlijk zou ze met Becky Lee en haar moeder Cindy Ann terugrijden, maar ze wilde liever naar huis met haar vader.

Eindelijk, na een hele poos, keek hij in haar richting. Hij glimlachte en zwaaide. Ze zwaaide terug en zijn glimlach werd groter. Iets in zijn blik deed haar omdraaien en achter zich kijken. Daar zag ze Adele en Kendra staan. Ze draaide zich weer terug en toen wenkte hij haar naderbij te komen. Ze pakte haar klapstoeltje en begon zich een weg door de menigte te banen. Vlak voordat ze hem bereikte, strekte hij zijn hand uit, maar niet naar haar. Vlak voor Tiffany pakte haar pappie ineens de hand van Adele en trok haar naar zich toe.

'Pardon,' zei hij tegen iemand die tegen hem stond te praten. Hij sloeg zijn arm om Adeles middel en legde zijn andere hand om haar gezicht; toen gaf hij haar, waar de hele stad bij stond, een kus op haar mond.

Tiffany's hart kneep samen en ze hapte naar adem. 'Pappie,' fluisterde ze. Maar hij hoorde haar niet. Hij ging helemaal op in de mond van Adele.

Hoofdstuk 15

'Gefeliciteerd,' zei Adele tegen Zach. Zijn schouders waren nog nat van het bad ijswater dat hij van zijn spelers had gekregen.

Hij kuste haar opnieuw en trok haar tegen zich aan. 'Wij vieren het later wel,' zei hij met zijn mond bij haar oor. 'Als we alleen zijn.'

'Het is kerstvakantie. De meisjes hebben vrij,' zei ze. 'Dat kon nog wel eens lastig worden.'

Hij kreunde. 'Ik bedenk nog wel iets om jou uit de kleren te krijgen.' Hij leunde wat naar achteren en keek haar aan. 'Dank je wel dat je gekomen bent.'

Ze beantwoordde zijn blik. Zag zijn glimmende bruine ogen met de lachrimpels ernaast. Haar hart maakte een sprongetje van trots en blijdschap, en nog iets anders.

'Ik ben blij dat ik gekomen ben.'

'Coach Z!' riep iemand en hij keek om. Hij glimlachte en liet zijn handen zakken. Toen keek hij weer naar haar. 'Ik zie je snel.'

'Snel' werd maandagochtend. Tiffany en Kendra waren naar een dansklasje in San Angelo die dag en Zach stond die ochtend al vroeg op haar stoep. Hij droeg een kort sportbroekje en een sweatshirt en samen gingen ze op pad voor hun gebruikelijke hardloopsessie. Alleen stopte hij deze keer na elke honderd meter om haar te kussen. Hij warmde haar helemaal op met zijn grote lijf en zij sloeg haar armen om zijn middel. Op de hoek van

5th en Yellow Rose Street begon hij haar weer hevig te tongzoenen en duwde zijn onderlichaam tegen het hare. Ze bewoog haar been langs zijn stijve en daarmee was de jogsessie voorbij. Ze belandden in Sherilyns bubbelbad, gevuld met heet water en geurend badschuim.

'Je zag er eigenlijk best lekker uit, langs de zijlijn zaterdag,' zei ze. Zach zat tegenover haar in bad en ze streelde zijn kuit met haar grote teen. 'Ik begrijp best waarom al die dames van de Junior League jou zo aantrekkelijk vinden.' Ze liet zich in het schuim zakken om haar glimlach te verbergen.

Hij trok een wenkbrauw op en pakte haar voet. 'Alleen maar de dames van Junior League?'

'En misschien nog een paar.' Ze trok een schouder op. 'Jij bent toch veel leuker om naar te kijken dan de wedstrijd.'

'Toen ik naar de tribune keek en jou zag zitten, kon ik gewoon niet geloven dat je er was.' Hij masseerde de onderkant van haar voet met kleine cirkelbewegingen van zijn duimen. 'Ik ben blij dat ik je pas de tweede helft zag zitten.'

'Waarom?'

'Omdat jouw aanwezigheid tien keer zoveel spanning veroorzaakte.' Hij tilde haar voet uit het water en gaf er een kus op. 'Ik wilde niet afgaan en verliezen met jou erbij.'

Schuim gleed langs haar voet en enkel naar beneden. Ze keek naar hem, zoals hij daar tegenover haar zat met haar voet in zijn hand, en ze kreeg een heel warm gevoel vanbinnen. 'Je bedoelt dat je niet wilde verliezen waar de hele stad bij was.'

'Ook dat niet, maar ik wilde vooral geen flater slaan waar jij bij was.' Zijn duimen bewogen zich over haar hiel en hij kuste haar wreef. Toen hield hij zijn hoofd schuin en zei: 'Toen ik nog football speelde, maakte ik me helemaal niet druk over vrouwen die naar me keken. Sterker nog, ik denk dat dit de eerste keer is dat ik probeerde indruk te maken op een vrouw.' Hij beet zachtjes in de zijkant van haar voet. 'Eerst op de universiteit en nu hier.'

Ze voelde haar oogleden zwaar worden. 'Probeer je nu ook in-druk op me te maken?'

'Waarom denk je anders dat ik hier in dit schuimbad zit, geu-rend als een rozentuin?'

'Omdat je je prettig voelt in een schuimbad, geurend als een rozentuin?'

Hij schudde zijn hoofd. 'Omdat ik jou prettig vind. Al sinds ik je zag zitten in de sportzaal op de school van de meisjes wilde ik weer bij je zijn.'

Bij iemand willen zijn betekende nog geen liefde, maar dat was niet uit te leggen aan dat heel warme gevoel dat haar hart om-vatte. De vlinders in haar buik tilden haar op alsof ze zeepbellen had ingeslikt. Dit ging de verkeerde kant op. De kant op van een man met blond haar en bruine ogen die haar van achter haar tenen aan zat te kijken.

'Waar denk je aan?' vroeg hij zacht.

Ze schudde haar hoofd. 'Niets.' Hij wilde het toch niet weten. Ach, ze wilde het zelf niet eens weten. Maar toch was het zo dat ze weer verliefd op hem werd. Ze voelde het als hij haar kuste en aan de manier waarop haar hart tekeerging. Ergens tussen die avond dat ze hadden staan zoenen in de damestoiletten en vandaag waren haar gevoelens veel sterker geworden dan ze had gedacht.

'Waarom frons je dan zo?'

Ze wist niet dat ze zat te fronsen. Ze glimlachte moeizaam. 'Omdat ik je zal missen als ik wegga,' zei ze. En dat was ook zo, al was dat niet waar ze aan had moeten denken.

'Dat duurt nog wel even. Wie weet, misschien wil je tegen die tijd helemaal niet weg.'

Ze wachtte tot hij verder zou gaan en zou zeggen dat hij wilde dat ze in Cedar Creek zou blijven, bij hem. Maar dat deed hij niet. In plaats daarvan beet hij zachtjes in de bal van haar voet. Ze moest zo snel mogelijk dat bad uit. Zo ver mogelijk van hem vandaan zien te komen, voordat ze haar hart helemaal aan hem verloren had.

Dat zou een slimme zet zijn, maar in plaats daarvan reikte ze naar zijn hand en hij liet haar voet zakken. Hij trok haar naar zich toe en reikte naar het condoom op de rand van het bad. Hij stond op en ze nam het pakje van hem over. Ze knielde voor hem neer en zakte tot haar borsten in het geurende, bubbelende schuim. Warm water uit de jets streek langs haar been. Ze legde haar hand om zijn grote, stijve penis en keek omhoog. Zijn oogleden waren half dicht en ze deed haar lippen uiteen om hem in haar mond te nemen.

Hij kreunde diep en veegde haar haren uit haar gezicht. Ze gleed met haar hand op en neer langs zijn harde lul en likte met haar tong het randje onder zijn eikel. 'Dat is zo lekker,' bracht hij fluisterend uit en hij keek op haar neer met zijn omfloerste bruine ogen. Ze begon haar mond op en neer te bewegen en hij hield zijn handen op haar hoofd, maar duwde niet tegen haar achterhoofd zoals sommige mannen wel eens deden. Hij had gewoon haar krullen vast terwijl zij met hem bezig was. Hij zei tegen haar hoe heerlijk hij het vond wat ze met hem deed en toen viel zijn hoofd in zijn nek en kwam hij klaar in haar mond.

Toen pakte hij haar zachtjes bij haar armen en trok haar overeind. 'Dank je wel,' zei hij en hij trok haar dicht tegen zich aan. 'Ik weet nog goed dat je dat de eerste keer voor me deed.' Hij streelde haar rug van boven naar beneden en omvatte toen haar billen met beide handen.

'Ik ook.' Ze schoof met haar hand tussen hun beide lichamen en pakte zijn penis weer. Hij was niet meer zo stijf als kort daarvoor, maar ze masseerde hem tot hij weer hard werd. 'En ik weet ook nog hoe snel je hem weer omhoog kon krijgen. Dat kun je nog steeds.' Ze rolde het condoom over zijn erectie af en duwde hem naar beneden tot hij weer tot aan zijn borst in het schuimbad zat. Ze ging schrijlings op hem zitten, legde haar handen aan weerszijden van zijn gezicht en kuste hem. Haar tepels streelden zijn huid en ze streek met haar vingers door zijn haar. Ze kuste zijn nek en zijn hals en ging met haar handen over zijn hele lichaam. Het was niet meer alleen maar pure seks. Dit was meer dan een optelsom van lichaamsdelen en toen ze hem diep in haar liet glijden, legde ze haar handen weer tegen zijn gezicht en keek hem diep in de ogen. Zijn ademhaling kwam hortend en stotend terwijl zij zich ritmisch op hem bewoog.

'Zach,' fluisterde ze met een stem vol begeerte en emotie. Binnen enkele minuten werd ze overspoeld door een orgasme dat ook haar hart omvatte. Haar vagina omklemde hem en hij greep haar billen stevig vast. Terwijl hij klaarkwam kuste ze hem en bracht zo de conflicterende gevoelens op hem over die ze nu voor het eerst voelde.

Toen ze hijgend bijkwam, veegde hij zacht het haar uit haar gezicht. Hij zocht met zijn blik haar gezicht af. 'Ik dacht dat de seks na vorige week niet beter kon. Maar ik heb me vergist.'

Ze sloeg haar armen om hem heen en kuste zijn kruin. Wat moest ze nu? Nu ze weer helemaal hopeloos verliefd op hem was – voor de tweede keer?

Hij beet zachtjes in haar schouder. 'De komende weken worden nogal druk,' zei hij. 'Nu de meisjes vrij hebben tot na oud en nieuw. Maar toch wil ik je zien. Ik wil nog zoveel mogelijk bij jou zijn, voordat je zus bevalt en je teruggaat naar Idaho.' Hij kuste het kuiltje in haar hals. 'Ik zal je missen als je weg bent.'

Ze had zoveel kunnen zeggen. Bijvoorbeeld dat ze hem ook zou missen als ze wegging, maar ze deed het niet. Haar gevoelens voor hem waren nog zo pril. Misschien was het wel het verliefde gevoel uit het verleden dat boven was komen borrelen. Ze was bang en in de war en wist niet wat ze moest doen.

'Heb je honger?' vroeg ze.

'Berenhonger,' zei hij en hij deed zijn hoofd naar achteren om haar aan te kunnen kijken. 'Heb je nog van die wafels voor in de broodrooster?'

'Eggo's?'

'Ja, die. Daar ben ik dol op.'

Ze schudde glimlachend haar hoofd. Hij hield niet van haar, maar wel van haar Eggo's.

Toen Zach was vertrokken, ging Adele druk aan de slag met haar nieuwe serie. Ze bedacht allerlei karakters uit verschillende sterrenstelsels en had ook al een geweldige plot. Ze wilde niet nadenken over haar gevoelens voor Zach. Ze had totaal geen zin om haar verliefdheid te analyseren, observeren of determineren. Het was zoveel makkelijker om nieuwe vormen van reizen door de ruimte te bedenken en de levensvormen die daarbij hoorden.

Om halfzes haalde ze Kendra op bij school. Op het moment dat ze achter de bussen parkeerde waarmee de meisjes waren vervoerd, zag ze al dat er iets mis was. Haar nichtje stond afgezonderd van de rest en had een behuild gezicht.

'Wat is er aan de hand?' vroeg ze zodra Kendra was ingestapt.

'Niets.'

'Waar is Tiffany dan? Heeft ze geen lift nodig?'

'Die rijdt met Lauren Marshall mee.'

'Is dat niet de stiefdochter van Geneviève Brooks?'

'Ja.' Adele wist vrij zeker dat Tiffany haar niet leuk vond.

'Waarom?' Ze voegde in en reed de kant van het ziekenhuis op. 'Wij hadden haar toch thuis kunnen brengen?'

'Ze wil niet meer met ons meerijden.'

Adele keek opzij naar haar nichtje. 'Hebben jullie soms ruzie gehad?'

Kendra schudde haar hoofd en haar staartje veegde langs de kraag van haar jasje. 'Ze heeft gezien dat haar vader met jou zoende na de wedstrijd.'

'O.' Ze richtte haar blik weer op de weg. Shit. 'En nu haat ze mij.'

'Ze zei dat jij net zo bent als de rest. Dat je alleen maar hebt gedaan of je haar aardig vond om haar vader te krijgen.'

'Wat een onzin.' Ze moesten wachten voor het rode licht en Adele veegde een haarlok achter haar oor. 'Geloof jij dat?'

Kendra haalde een schouder op. 'Niet echt... maar...'

'Maar wat?'

'Ze zegt dat ik niet meer bij haar thuis mag komen om de nummers te oefenen. En als ik niet kan oefenen voor vrijdag, dan verliezen we de wedstrijd tegen Pampas.' Er verschenen tranen in haar ogen. 'Als zij me niet meer aardig vindt, vinden de andere meisjes me ook niet meer leuk.'

'De andere meisjes vinden jou nog wel aardig.'

'Nietes,' snoof ze en ze veegde haar ogen droog. 'Niet als zij me stom vindt.'

Adele dacht weer terug aan haar middelbareschooltijd, die een hel was geweest.

'Ik wou dat we nooit verhuisd waren,' huilde Kendra. 'Ik mis mijn oude school en mijn vriendinnen.'

'Kun je niet vragen of een van de andere meisjes met jou thuis komt oefenen?'

'Misschien.'

'Vraag het ze gewoon en dan halen we morgen wel alles weg uit de zitkamer. Dan kunnen jullie daar oefenen.'

'Ik vraag het wel.'

Maar toen Adele de volgende dag Kendra kwam ophalen, stond ze weer helemaal alleen. Ze was nog een dag genegeerd door Tiffany en voelde zich nog eenzamer dan anders. Toen de situatie de vrijdag erop niet was veranderd, vertelde Adele het Zach, toen ze samen de babygym van Harris in elkaar zetten. De meisjes waren met de rest van het team in het winkelcentrum koekjes aan het verkopen om geld in te zamelen voor een competitiereis die ze binnenkort hadden.

'Heeft Tiffany jou verteld dat ze ons heeft zien kussen na de kampioenswedstrijd?'

Hij keek op van de gebruiksaanwijzing die hij in zijn handen had. 'Nee, ik geloof niet dat ze dat gezien heeft.'

'O, jawel hoor.'

'Ze heeft niets tegen mij gezegd.' Hij legde de instructies neer en pakte een metalen poot op. 'Heeft ze er iets over tegen jou gezegd?'

'Nee, want ze spreekt niet meer tegen mij. Ze heeft het tegen Kendra gezegd. Ik denk dat ze heel boos is.'

'Ze is er misschien eventjes van overstuur, maar daar is ze zo weer overheen.'

'Ik denk het niet.' Adele trok een plastic zakje met allemaal bouten en moeren open.

'Waarom denk je dat?'

Adele wilde eigenlijk niet klikken over Zachs dochter. 'Je moet er gewoon even met haar over praten.'

'Dat zal ik doen, maar waarom vertel jij niet eerst wat je erover weet?'

'Ze is boos op mij dus wil ze niet langer vriendin zijn met Kendra.'

Hij nam het zakje van haar over en viste er een lange schroef uit. 'Ik zal er vanavond met haar over praten en dan zien we wel. Het zal wel loslopen.' Hij boog zich voorover en kneep zijn ogen tot spleetjes om de gebruiksaanwijzing nogmaals te lezen. 'Jezus, wat een ingewikkeld ding.'

Adele pakte een klein beestje uit de verpakking en streek met haar hand over de vrolijke jungleprint. 'Maar het is zo schattig.' Ze haalde het muziekdoosje tevoorschijn en wond het op. Een vrolijk kindermelodietje vulde de kamer. 'Krijg je daar geen vadergevoelens van?'

Hij keek op van het papier en fronste zijn wenkbrauwen. 'Nee.'

Ze lachte. 'Maar je weet wel hoe je een hele babykamer in elkaar moet zetten. Als ik een kind krijg, zal ik je inhuren.'

'Als jij een kind krijgt?' Hij reikte naar een tweede poot. 'Ga me nou niet vertellen dat bij jou de klok ook al gaat tikken.'

Ze hield haar hoofd schuin. 'Het is meer een tikje op mijn schouder dan een tikkende klok. Ik wilde altijd al graag kinderen, maar nu Sherilyn zwanger is word ik pas echt broeds.'

'Broeds?'

'Ja, dat ik er zelf ook graag een of twee wil.'

'Twee?'

'Heb jij altijd maar één kind gewild?'

Hij haalde zijn schouders op. 'Devon was enig kind en wilde dat Tiffany dat ook zou zijn. Dat vond ik prima.'

'Tiffany wil wel een broertje.'

'Ik weet het, maar ze wil zoveel dingen die ze niet krijgt.'

'Ze wil dat wij elkaar niet meer zien.'

Hij schoof de buizen in elkaar. 'Als Tiff en ik op 1 januari terug zijn, weet ik zeker dat ze eroverheen is.'

Adele wilde dat ze zijn optimisme kon delen.

'Wij nemen de meisjes samen wel een keertje mee naar de bioscoop, of zoiets.'

Dat zou kunnen werken, of juist de gevoelens verergeren. 'Oké.'

'Afgesproken.'

Ze schudde haar hoofd. 'Geen date.' Ze vond Zach zo leuk dat ze het niet wilde verpesten door de vloek in werking te laten treden.

'Wat heb jij toch tegen dates?'

Als ze hem dat zou vertellen, zou hij denken dat ze gek was.

Zach overhandigde Tiffany de doos met kerstversieringen en haalde er een gouden ster uit. Hoewel ze kerst zouden vieren in Austin, tuigden ze elk jaar samen de boom op. Devon had daar altijd iemand voor ingehuurd, maar Tiffany en hij hielden ervan een boom uit te kiezen en het zelf te doen. 'Waarom heb je me niet verteld dat je laatst zag dat ik Adele een kus gaf?'

Tiffany haalde haar schouders op, maar keek niet op van de doos met gekleurde ballen. 'Ik vond het zo erg. Nog een geluk dat het niet op het journaal was. De hele stad kon zien hoe je met haar stond te vrijen.'

Dat was nogal overdreven. Het was maar de halve stad geweest en die kus die hij haar had gegeven kon je onmogelijk vrijen noemen. Erop terugkijkend had hij beter kunnen wachten tot hij met Adele alleen was geweest, maar op dat moment had hij niet geweten dat Tiffany had staan kijken. 'Ik vind Adele leuk.'

'Ik haat haar.'

'Je hebt alleen maar een hekel aan haar omdat ik haar leuk vind.' Hij klom op een stoel. 'En dat is een stomme reden.' Soms leek Tiffany zo op Devon dat hij zich zorgen maakte. 'Ik heb Kendra hier al een hele tijd niet gezien om te oefenen. Ik hoop niet dat je dat nou op je vriendinnetje afreageert.'

Tiffany hing met opeengeklemde lippen een paar ballen in de boom. Ze zei niets, maar dat was ook niet nodig. Zach kende haar goed genoeg om te weten wat ze dacht. Hij reikte naar de top van de boom en maakte de ster vast. 'Zit hij recht?'

Ze keek omhoog en knikte.

'Ik weet zeker dat je slim genoeg bent om Kendra te blijven helpen, ook al ben je misschien boos op Adele. Er komt een belangrijke wedstrijd aan.' Hij wist wat Tiffany eigenlijk wilde horen, maar dat ging niet gebeuren. Hij was niet van plan Adele aan de kant te zetten omwille van zijn dochter. 'Het zou jammer zijn als jullie verliezen omdat jij boos bent.'

'Ik weet wel wat je bedoelt.' Ze zette de doos neer en pakte er een slinger uit. 'Ik zal aardig zijn tegen Kendra omdat ik haar graag mag en omdat ze in mijn dansteam zit. Maar ik vind haar tante niet aardig en ik ga niet aardig doen tegen haar.'

Zach schudde zijn hoofd. Dat was beter gegaan dan hij had gehoopt. 'Maar je vond haar leuk tot je ontdekte dat ik haar ook leuk vond. Ik wist niet dat je zo kinderachtig kon zijn.'

'Maar papa...' Er rolden twee tranen over haar wangen, 'ze nam me zelfs mee uit winkelen en ze vertelde over mama. En ik heb haar nog advies gegeven vanwege die stomme wokkels die ze draagt. En de hele tijd deed ze net of ze mij aardig vond, alleen maar omdat ze jou leuk vond.'

'Lieverd, ik denk niet dat mensen net doen alsof ze jou leuk vinden.'

'Hmm.'

Het was natuurlijk onzin dat Tiffany dacht dat mensen net deden alsof ze haar leuk vonden. Dat was maar een smoesje. Het ging er eigenlijk om dat ze niet wilde dat er een andere vrouw dan Devon in hun leven kwam. Dat zag hij heel goed, alleen kon hij aan haar gevoelens weinig veranderen.

Hij liep naar de keuken en pakte een flesje water uit de ijskast. Tiffany en hij zouden over een paar dagen naar Austin vertrekken. Pas op nieuwjaarsdag zouden ze terugkeren. Misschien had Tiffany die tijd gewoon nodig. Eventjes vakantie. Hij had ook tegen Adele gezegd dat het in orde zou zijn, als ze terugkwamen. Dat ze dan niet meer boos zou zijn en hij hoopte dat hij gelijk had. Hij was wel toe aan een beetje ontspanning na alle stress van de kampioenswedstrijd. Hij had geen zin in drama. Maar dan ook helemaal niet.

Hoofdstuk 16

Het was Kerstmis en buiten een graad of twaalf. De vloer van Sherilyns kamer was bezaaid met gekleurd papier en stapels kerstcadeaus lagen onder en naast het boompje dat ze er vorige week hadden neergezet. Met een beker warme chocolademelk en donuts keken ze gedrieën naar een kerstfilm op televisie en voelden om beurten hoe de baby bewoog in Sherilyns buik, die met de dag leek te groeien.

Adele nam foto's van Sherilyn en Kendra met kerstmutsen op. Daarna gingen ze zichzelf te buiten aan chocola en pepermuntstokken en vertelde Adele haar zus hoe moeilijk het was geweest om de commode en de babygym in elkaar te zetten, al vertelde ze haar niet over Zach. Nog niet. Haar gevoelens waren nog te pril en te verwarrend. En bovendien, het zou niet lang duren. Ze ging weer weg als Sherilyn was bevallen. Ze zag ernaar uit weer in haar eigen huis te zijn, met haar eigen spullen om zich heen en haar eigen dingen. En nu ze er vrijwel zeker van was dat de vloek met betrekking tot de waardeloze dates was opgeheven, wilde ze haar eigen leven weer leiden, al voelde de gedachte om weer met andere mannen uit te gaan helemaal niet goed. Haar hart kromp ineen als ze dacht aan de omhelzing van een andere man dan Zach.

De afgelopen twee dagen was hij in Austin geweest en hij had haar niet gebeld. Natuurlijk had hij het druk met de feestdagen en met zijn familie, maar misschien was het ook maar beter dat hij weg was. Ze had tijd nodig om tot zichzelf te komen. Tijd om na te denken. Nu haar zus in het ziekenhuis lag en zij voor haar puberdochter zorgde en haar vrije tijd met Zach doorbracht, had ze wel even behoefte te ontsnappen aan de emotionele achtbaan die haar leven in Cedar Creek voorstelde.

Tegen vieren verliet ze met Kendra het ziekenhuis. Ze aten thuis nog wat en daarna gingen ze naar bed. Ze werd de volgende ochtend tegen zevenen wakker. Ze voelde zich nog steeds moe en ook een beetje misselijk, maar ze vermoedde dat alle opwinding en chocolade haar parten speelde. Toen ze zich omdraaide om weer verder te slapen, ging de telefoon. Heel even dacht ze dat het Zach was.

Maar het was het ziekenhuis. Sherilyn was zojuist naar de operatiekamer gereden. Haar bloeddruk was plotseling huizenhoog gestegen en ze gingen nu met een keizersnede haar kind halen.

'Kendra!' riep Adele terwijl ze naar de kamer van haar nichtje holde. 'We moeten naar het ziekenhuis. Je moeder gaat bevallen.'

Zo snel als ze konden, kleedden ze zich aan.

'Gisteren ging het nog zo goed,' zei Kendra, die moest huilen omdat ze het zo spannend vond.

Adele reed door alle rode lichten die ze op weg naar het ziekenhuis tegenkwam, maar tegen de tijd dat zij en Kendra op de afdeling verloskunde arriveerden, was Harris Morgan al geboren en lag hij veilig in de couveuse op de afdeling neonatologie. Kendra zat onbedaarlijk te snikken in het kleine wachtkamertje waar ze moesten wachten tot Sherilyn naar de verkoeverkamer werd gebracht. Adele hield haar nichtje stevig vast en had zichzelf nog net onder controle. Toen kwamen ze haar zusje langsrijden, die onder een wit laken lag. Ze zag er doodmoe uit en had een behuild gezicht. Kendra legde meteen haar hoofd tegen haar borst. Ze zag er ineens heel jong en broos uit.

'Gaat het, mama?' vroeg ze tussen twee snikken door.

'Ik ben ontzettend moe, maar verder gaat het wel.'

'Ik vind het zo erg dat ik er niet was toen je me nodig had,' zei Adele, die veel moeite moest doen om het droog te houden.

'Jij was er al die keren dat ik je nodig had,' antwoordde Sherilyn en tegelijkertijd streelde ze Kendra over haar bovenarm. 'Ik weet niet wat ik de afgelopen maanden had moeten doen zonder jouw hulp, Dele. Dank je wel.'

Adele glimlachte. 'Ik ben alleen maar blij dat ik gekomen ben.' En dat was nog waar ook.

'Heb je hem al gezien?' vroeg Kendra.

Sherilyns blik bleef nog even op Adeles gezicht rusten, en toen legde ze haar hoofd tegen haar dochters voorhoofd. 'Hij heeft donker haar, net als jij. Toen hij geboren werd, begon hij meteen te huilen en dat is een goed teken. Het klonk net als een klein poesje.' Ze keek weer naar Adele, die juist een traan van haar wang veegde. 'En nou ophouden met huilen. Ik voel me goed en met de baby gaat het ook goed. Het komt allemaal in orde.'

Later die dag reden Kendra en Adele met Sherilyn in een rolstoel naar de afdeling neonatologie, waar ze met zijn drieën naar Harris keken in zijn couveuse. Hij droeg een blauw mutsje en in zijn neus stak een slangetje van de beademing. Op zijn buik zat een sensor geplakt en in zijn handje stak een infuusslangetje. Ze mochten zijn voetjes en beentjes aanraken en hij opende zijn oogjes alsof hij ze wilde aankijken. Toen gaapte hij eventjes, alsof hij een heel vermoeiende dag had gehad, en viel weer in slaap.

De drie dagen die erop volgden waren druk, zorgelijk en vermoeiend. Sherilyns bloeddruk zakte maar heel langzaam en Harris nam een paar gram toe in gewicht. Op zaterdagmiddag mocht Sherilyn eindelijk naar huis, al moest haar kind nog blijven tot het iets sterker was geworden. Met zijn longetjes ging het goed en hij ging elke dag vooruit; dat was een goed teken.

Terwijl Adele en Sherilyn de spullen bij elkaar zochten en wachtten tot de rolstoel werd gebracht om Sherilyn naar de uitgang te vervoeren, kwam William Morgan ineens de kamer binnen. Hij zag er ouder uit dan in Adeles herinnering. Kleiner ook. En hij werd steeds kaler. Ze was blij dat hij zijn vriendinnetje niet had meegenomen.

'Wil je ons even excuseren,' zei hij tegen Adele, op dat toontje van hem dat ze altijd zo haatte.

Adele keek naar haar zus. 'Wil je dat ik ga?'

Sherilyn schudde haar hoofd. 'Nee, tenzij jij zelf wilt vertrekken.'

Adele glimlachte en keek naar haar zwager, die binnenkort haar ex-zwager zou zijn. Ze ging op het bed zitten en sloeg haar armen over elkaar. 'Dan denk ik dat ik blijf.'

William keek verongelijkt.

Er verscheen een vermoeid glimlachje om Sherilyns lippen. 'Heb je de baby al gezien?' vroeg ze, terwijl ze ondertussen haar haarborstel in haar toilettas stopte. 'Hij lijkt sprekend op Kendra toen ze pas geboren was.'

'Ja.' William keek haar aan. 'Ik wil hem graag naar mijn vader vernoemen.'

'Alvin?' Sherilyn schudde haar hoofd. 'Misschien als tweede naam.'

'Maar in mijn familie...'

'Hij heet Harris,' onderbrak Sherilyn hem en ze ritste haar tas dicht. 'Ik heb zijn geboortebewijs al ingevuld.'

'Zonder dat met mij te overleggen?'

'Jij was er niet.'

'Hij is mijn zoon.'

'Die je tijdens de schoolvakanties zult kunnen zien. Als hij oud genoeg is, tenminste.' Er kwam een verpleegkundige binnen met een rolstoel en Sherilyn glimlachte. 'Aha, daar is mijn lift.' Ze schuifelde door de kamer en ging zitten. 'Pak jij mijn tassen even?' vroeg ze aan Adele.

'Tuurlijk.'

'Kendra is thuis alles aan het versieren voor me,' zei Sherilyn tegen haar man, die binnenkort haar ex-man zou zijn. 'Bel haar even. Ik weet zeker dat ze het heel fijn zal vinden om je te zien.'

De verpleegkundige duwde Sherilyn de kamer uit en Adele pakte de tassen van het bed. 'Als je met Kendra op stap gaat, laat die tandartsassistente van je dan thuis. Je dochter heeft al genoeg aan haar hoofd.'

William kneep zijn ogen tot spleetjes en keek alsof hij iets viezigs zag. 'Je hoeft mij niet te vertellen wat mijn dochter nodig heeft. Ik weet heel goed hoe ik voor haar moet zorgen.'

'Inderdaad, dat heb je de afgelopen maanden wel laten zien.'

'Jij hebt het recht niet mij te vertellen hoe ik met mijn gezin omga.'

Adele was moe en voelde zich niet lekker, vanwege de stress van de afgelopen dagen. Ze had de avond ervoor het enige telefoontje van Zach gemist en ze zat niet te wachten op kritiek van William. 'Ik heb mijn gezin niet in de steek gelaten.'

'Jij was al zes jaar niet bij je zus langs geweest.'

Die was raak. 'Ik mag dan misschien wel niet zo vaak bij jullie zijn langsgekomen, maar toen Sheri iemand nodig had, belde ze wel mij. Ik was degene die de afgelopen maanden haar hand heeft vastgehouden toen ze knokte voor haar kind.' Ze wees op zichzelf. 'Ik was degene die voor jullie dochter heeft gezorgd. Jij niet! Jij hebt je gezin in de steek gelaten voor een of andere griet die je dochter had kunnen zijn. Dus kom hier niet aanzetten met het idee dat je mij mag afzeiken.'

'Echte klasse heb je nooit gehad.'

'En jij hebt het altijd veel te hoog in je bol gehad.' Adele vond het nodig om dit eens tegen hem te zeggen nu hij niet langer tot de familie behoorde en Kendra er niet bij was. 'Je bent maar een tandarts, William. Geen cardioloog. Je plaatst kronen, geen hartkleppen. Jezus, man, doe toch eens normaal.'

Adele stormde de kamer uit en struikelde bijna over haar zusters voeten. 'Ik dacht dat je al weg was,' zei ze.

Sherilyn glimlachte. 'Ik besloot even te wachten voor het geval ik je moest redden van William, maar ik denk dat het eerder andersom was.' Nu begon de verpleegkundige de rolstoel weer in de richting van de uitgang te duwen. Sherilyn pakte Adeles hand en zei met een glimlachje: 'Je weet toch dat tandheelkunde een nobel beroep is.'

'Ja, tuurlijk.'

Op weg naar huis leverde Adele de recepten die Sherilyn had meegekregen bij de apotheek af. Daarna reed ze door naar het appartement en stopte Sherilyn in bed.

'Ik ga je medicijnen ophalen,' zei ze tegen Sherilyn terwijl ze haar jas weer aantrok. 'Kendra is in de zitkamer, mocht je iets nodig hebben.' Ze was een beetje misselijk en haalde diep adem. 'Ik ben zo terug.' Ze pakte haar tasje van het bed.

'Wat is er aan de hand? Je ziet spierwit.'

'Niets.' Maar ze liet haar tasje weer vallen en holde naar de badkamer. Ze voelde zich de afgelopen paar dagen al niet zo lekker, maar dit was de eerste keer dat ze moest overgeven. Toen ze klaar was spoelde ze haar mond en poetste ze haar tanden. 'Niet uit mijn beker drinken,' riep ze toen ze uit de badkamer stapte. 'Ik heb een griepje.'

'Hoe lang heb je dat al?'

'Een paar dagen. Het komt en het gaat.' Ze pakte haar tasje weer. 'Het ergste is het 's ochtends, als ik opsta.'

'Ben je soms zwanger?'

'Alsjeblieft zeg, nee!' Ze pakte haar sleutels uit haar tasje. 'Jij bent te veel met baby's bezig. Ik ben niet zwanger.'

Haar zus keek haar peinzend aan. 'Het klinkt echt alsof je last hebt van ochtendmisselijkheid. Ik kan het weten. Ik heb het twee keer gehad.'

'Sherilyn, alsjeblieft. Ik ben niet zwanger. Ik heb een spiraaltje.'

'Interessant dat je dat zegt, in plaats van: ik heb geen seks gehad.'

'Zei ik dat niet?'

'Heb je soms verkering?'

Adele haalde haar schouders op.

'Wie is het dan?'

Wat maakt het nou uit of Sherilyn het wist? Zach zou over een paar dagen thuiskomen en Sherilyn zou hem dan toch zien als ze samen gingen joggen. *Als* ze samen gingen joggen, tenminste.

'Zach Zemaitis.'

'De footballcoach.' Sherilyn trok haar wenkbrauwen op. 'Die een paar weken geleden in alle kranten stond?'

'Ja.'

'De vader van Kendra's vriendin?'

'Ja, hij heeft me ook geholpen de spullen voor de babykamer in elkaar te zetten.'

'Het klinkt alsof hij meer heeft gedaan dan dat.' Sherilyn keek bedenkelijk. 'Wat ga je nu doen?'

'Niets, ik ben niet zwanger.'

'Als je dan toch bij de apotheek bent, koop dan meteen een zwangerschapstest.'

Adele rolde met haar ogen en verliet de slaapkamer.

'Heb je het?' riep Sherilyn vanuit de slaapkamer.

'Je pillen?' Ze zette de tas op het aanrecht. 'Ja, hier zijn ze!'

'Nee,' Sherilyn kwam met haar hand tegen haar onderbuik gedrukt de keuken binnen schuifelen, 'de zwangerschapstest!'

'Sst. Zachtjes. Ik wil niet dat Kendra het hoort.'

'William kwam langs en heeft haar meegenomen.' Ze ging voorzichtig op een kruk zitten. 'Heb je hem nou?'

'Ja, maar die doe ik alleen zodat jij erover ophoudt.' Ze maakte zich nog steeds geen zorgen. 'Ik heb een spiraaltje. Hij gebruikte een condoom.' Die was weliswaar gescheurd, maar wat dan nog?

Sherilyn reikte in de tas en haalde de doos tevoorschijn. Ze trok de verpakking open en las de instructies. 'Je moet het staafje vijf seconden in je urinestraal houden.' Ze overhandigde Adele het staafje. 'Er staat dat je hem niet in je vagina moet stoppen.'

'Goh, dat was ik nou net van plan.'

Adele nam het staafje van haar aan en trok zich terug in de wc, die ze een paar minuten later weer verliet. Ze legde het staafje op een stukje keukenpapier op het aanrecht en schonk daarna voor Sherilyn een glas water in.

'Heb je je handen gewassen?' vroeg Sherilyn met een schuine blik op het staafje.

'Ja, mama,' antwoordde Adele terwijl ze een geroosterde boterham maakte.

'Opeten en deze slikken,' zei ze en ze overhandigde Sherilyn de boterham en de pillen. Ze hield het staafje achter haar rug tot de twee minuten om waren en staarde vervolgens naar een plusteken.

'Wat is het?' vroeg Sherilyn met volle mond.

Adele griste de gebruiksaanwijzing van tafel en las hem door. 'Deze is niet goed, denk ik. Hij droeg een condoom.'

'Elke keer?'

'Er ging er eentje kapot.'

'Zo snel kan het gaan.'

Het bloed trok weg uit Adeles gezicht en ze graaide haar jas en tas bijeen.

'Waar ga je naartoe?'

'Nog een zwangerschapstest halen.' Drie kwartier later stonden er nog vijf zwangerschapstesten op tafel. Allemaal positief. Adele kon haar tenen en vingers niet meer voelen en ze was nog misselijker dan ze zich de afgelopen dagen al had gevoeld. Haar gezicht gloeide en ze zat naast Sherilyn aan de keukentafel in de hoop dat ze niet flauw zou vallen. Ze kon niet geloven dat de tests positief waren. Er moest iets niet in orde zijn.

Sherilyn wuifde met haar hand voor Adeles gezicht.

'Hallo, ben je er nog?'

'Wat?' Haar stem klonk ver weg, alsof ze in een lange, donkere tunnel zat.

'Waarom heb je me niet verteld dat je een vriendje had?'

'Omdat ik niet weet hoe serieus het allemaal is.'

'Het is nu anders behoorlijk serieus.'

'Zo help je me niet.' Ze hield haar handen tegen haar wangen. 'Wat een nachtmerrie. Ik kan gewoon niet zwanger zijn.'

'Wat ga je nu doen?'

'Geen idee! Ik weet het net.'

'Je moet het hem vertellen.'

'Misschien ben ik niet zwanger.'

Sherilyn wees op de tests. 'Zes keer positief.'

'Misschien waren ze niet goed,' zei ze wanhopig. 'Dat kan toch?'

'Nee, dat kan niet.'

Verschillende gedachten en gevoelens tuimelden over elkaar heen in haar hoofd. 'Misschien heeft Zach het niet in de gaten.' Ze hoefde zich niet af te vragen hoe Zach zou reageren. Ze wist nog maar al te goed hoe hij was op die avond dat het condoom scheurde.

Haar zus keek haar aan zoals Kendra dat ook wel eens deed. Alsof ze in haar hele leven nog nooit zoiets stoms had gehoord. 'Het zal hem heus niet ontgaan. Je moet het hem gewoon vertellen.'

'Maar hij komt pas woensdag terug. Tot dan heb ik de tijd om uit te vogelen wat ik ga doen.'

Sherilyn pakte haar hand en omklemde haar koude vingers. 'Wat voel je precies voor hem?'

'Voor Zach?' Ze schudde haar hoofd alsof ze het niet wist, maar ze wist het wel. 'Ik hou van hem,' fluisterde ze en het was de eerste keer dat ze dat hardop zei. 'Het was niet mijn bedoeling om verliefd op hem te worden, maar het is toch gebeurd. Ik voelde dat het zou gebeuren en ik wist dat ik het moest tegenhouden. Maar het lukte niet.'

'Misschien komt alles dan toch nog goed.'

'Nee.' Ze voelde de tranen in haar ogen prikken. 'Dat komt het niet. Hij houdt niet van mij.' En hij wilde al helemaal geen kind van haar. Ze schudde haar hoofd en de tranen biggelden over haar wangen. Dit kon niet waar zijn. Wat voor gevoelens hij ook voor haar kon hebben, dit zou alles veranderen.

Ze veegde haar tranen weg en liet haar handen zakken toen er ineens een gedachte bij haar opkwam. Jezus, stel je voor dat dit bij de vloek hoorde? Een slechte date die afliep met een ongewenste zwangerschap? En was het heel gek als ze dat dacht?

Sherilyn stond op en klopte op Adeles schouder. 'Ik zorg wel voor je, zoals jij voor mij hebt gezorgd.' Ze zuchtte diep en haar ogen werden groter. 'Wauw, die pil doet eindelijk zijn werk en ik voel me een beetje stoned.'

Hoofdstuk 17

Zach belde aan en wipte op zijn hakken heen en weer. Hij had tegen Adele gezegd dat hij op 2 januari weer terug zou zijn, maar gisteravond had hij Tiffany en al haar spullen bij elkaar gegraaid en was vertrokken. Tiffany had met Kerstmis de hele tijd zitten simmen en hij miste de kalmte die hij altijd bij Adele vond. Morgen was het nieuwjaarsdag. Als ze iemand kon vinden die op Kendra kon passen, wilde hij haar meenemen naar een groot feest in het nieuwe hotel in de stad. Ze deed eigenaardig over een date, maar daar moest ze dan maar eens overheen stappen. Wat er tussen hen beiden speelde, was inmiddels meer dan seks.

De deur zwaaide open en voor hem stond een vrouw in een blauwe badjas. Ze had blond haar en ze stond een beetje krom.

'O, sorry.' Hij wilde zich omdraaien, keek nog eens naar het huisnummer en draaide zich toen weer terug. 'Is Adele er?'

'Die is met Kendra naar haar vader in het ziekenhuis. Jij bent vast Zach.'

'Eh, ja.' Hij keek de vrouw aan en zag lichtblauwe ogen in een vermoeid gezicht. 'Dan ben jij zeker Sherilyn.'

Ze zwaaide de deur nog verder open en hij volgde haar naar binnen. 'Adele is zo terug.'

'Ben je net bevallen?'

Ze sloot de deur achter hem. 'Ja, inderdaad.'

'Gefeliciteerd. Hoe gaat het met hem?'

'Hij ligt nog in het ziekenhuis, maar het gaat goed met hem. Bedankt dat je alles voor zijn kamer in elkaar hebt gezet.'

'Graag gedaan.' Hij volgde haar terwijl ze naar de woonkamer schuifelde. 'Kan ik iets voor je doen?' Koffiezetten, of thee. Een rolstoel pakken?

'Nee.' Ze ging heel voorzichtig op de bank zitten. 'Hoe goed ken jij mijn zus eigenlijk?'

Zach wilde ook net gaan zitten, maar stopte halverwege. 'We hebben elkaar leren kennen op de universiteit van Texas en kwamen elkaar een paar maanden geleden weer tegen.' Hij besloot toch maar te gaan zitten en staarde naar de klok aan de muur. 'Heb je enig idee wanneer Adele terugkomt? Jij moet vast rusten en ik zou het vervelend vinden als ik je daar nu van weerhoud.'

Ze keek hem onderzoekend aan en wuifde zijn bezwaren weg. 'Wat voel je precies voor haar?'

Het werd een echt kruisverhoor en dat was niet meer gebeurd sinds hij in die wedstrijd in 2001 achter elkaar vijf strakke passes had gegooid. 'Ik vind Adele geweldig.'

'Ja, dat is ze ook. Maar wat voel je voor haar?'

Zo'n ondervraging met betrekking tot een meisje had hij niet meer gehad sinds... ja, nog nooit eigenlijk. 'Ik kan ook straks even terugkomen.'

Toen hoorden ze de garagedeur opengaan en Sherilyn liet zich terugzakken in de kussens. 'Daar is ze al.'

Het duurde één minuut, maar het leken er wel vijf. De keukendeur ging open en weer dicht en Adele riep vanuit de keuken: 'Ik ben er weer. William was in het ziekenhuis. Die sukkel droeg een toupet.'

'Ik ben hier.'

Zach had Adeles stem al een week niet gehoord en nu hij haar hoorde praten, deed het hem meer dan hij had gedacht. Hij had een paar keer geprobeerd haar te bellen, maar het was niet gelukt haar te bereiken.

'Ik ben onderweg bij Starbucks langsgegaan voor thee. Ik

denk dat thee nog het beste helpt tegen de...' Ze stopte halverwege de zin omdat ze hem zag zitten. Ze had een wijde sweater aan en droeg twee bekers thee.

'Hallo,' zei hij en hij stond op.

'Ik verwachtte je pas woensdag.'

Hij haalde zijn schouders op. 'Ik verveelde me.' Ik miste je. Als Adeles zus niet op die bank had gezeten en naar hem had gekeken alsof hij een misdadiger was, zou hij zijn handen om Adeles gezicht hebben gevouwen en haar hebben gekust tot zij zijn hand zou hebben gepakt en hem mee had genomen naar de slaapkamer, of in bad, of onder de douche, of op de vloer. Maar daar stuitte hij op een probleem. Hij zou Adele graag mee naar zijn huis nemen om met haar de liefde te bedrijven in zijn eigen bed, maar Tiffany was thuis.

'Ik laat jullie alleen.' Sherilyn schoof voorzichtig naar de rand van de bank en Zach hielp haar overeind. 'Dank je wel,' zei ze en ze schuifelde naar Adele. Daar pakte ze een beker met thee van haar over. 'Zeg het tegen hem.'

'Sst.' Adele keek even naar Zach en toen weer naar haar zus. 'We weten het niet eens zeker.'

'Dele, doe niet zo stom. We weten het wel zeker.'

Adele keek haar zus even heel boos aan en deed een poging tot glimlachen. 'En nu naar je bed.'

Sherilyn keek over haar schouder. 'Leuk je te ontmoeten, Zach.'

'Insgelijks.' Hij keek Sherilyn na tot ze uit het zicht verdwenen was. Er speelde duidelijk iets tussen de zussen. Maar eerst ging hij doen waarvoor hij was gekomen. Hij liep naar haar toe en legde zijn handen om Adeles gezicht. Toen bracht hij zijn lippen naar haar mond en kuste haar zacht en wachtte tot ze eraan toe zou geven. Maar ze bleef stijfjes staan, net als een paar maanden geleden toen ze nog van mening was dat ze niets met elkaar moesten beginnen. Hij hield haar op een armlengte afstand. 'Wat is er aan de hand?' Al had hij het gevoel dat hij het wel wist. Al sinds Adele in Cedar Creek was, had ze gesproken over haar vertrek zodra haar zus was bevallen. Hij wist dat er een moment zou komen dat ze zou vertrekken, maar hij had er niet bij stilgestaan dat het zo snel zou zijn en evenmin dat hij dat zo erg zou vinden.

'O…' Ze haalde haar schouders op en sloot haar ogen met een diepe zucht.

Hij bewoog zijn handen naar haar schouders. 'Wat is er?' Hij zou het niet erg vinden als ze zou besluiten naar Cedar Creek te verhuizen. Hij wilde best regelmatig seks. Hij vond het leven erg prettig als zij daar deel van uitmaakte.

Ze deed haar ogen weer open en zei in één adem: 'Ik moet je iets vertellen.'

Hij pakte haar schouders steviger vast en zette zich schrap. Nu kwam het nieuws dat ze zou vertrekken. Hij vroeg zich af hoe ze zou reageren als hij haar zou vragen te blijven.

'Ik denk dat ik zwanger ben. Misschien.'

Hij liet zijn handen zakken en staarde in haar bleke gezicht. Hij voelde het bloed uit zijn gezicht wegtrekken en zijn maag kromp ineen. 'Zeg me dat het een grap is.'

'Was dat maar zo.'

Het leek alsof de grond onder zijn voeten wegzakte en zijn leven verdween in het gat dat daardoor ontstond. 'Weet je het echt zeker?'

Adele nam een slok thee. De warme vloeistof gleed door haar keel en bracht haar onrustige maag enigszins tot bedaren. Ze keek Zach aan en zag de diepe denkrimpel in zijn voorhoofd. 'Ik heb zes zwangerschapstests gedaan en ze waren allemaal positief.' Ze hield zielsveel van hem. Ze hield van de manier waarop zijn blonde haar over zijn voorhoofd viel en van de vorm van zijn mond als hij glimlachte. Ze hield ervan dat hij haar aan het lachen maakte en de manier waarop hij naar haar keek als ze samen waren. Maar zo keek hij nu helemaal niet, terwijl ze zo graag wilde dat hij haar in zijn armen zou nemen en haar zou zeggen dat alles in orde was, zelfs als dat niet zo was. 'Ik ben in verwachting.'

Hij deed een stap achteruit alsof ze ineens radioactief was. 'Verdomme.' Hij wreef met zijn handen over zijn gezicht en streek met zijn vingers door zijn haar. 'Fuck. Hoe kan dat nou gebeurd zijn?'

De moed zonk Adele in de schoenen, maar ze was niet verbaasd. Ze liep langs hem heen en ging op de bank zitten. Ze was moe en misselijk en het liefst wilde ze naar bed om te kunnen ontwaken met de gedachte dat dit allemaal een nare droom was. 'Ik weet het niet. Het was niet de bedoeling.'

Hij liet zijn handen zakken en draaide zich naar haar om. 'Jij zei dat je zo'n spiraaltje had.'

'Heb ik ook. Of, had ik ook. Ik weet het niet.' Ze nam een slokje thee. 'Jouw condoom is die ene keer kapotgegaan. Ik begrijp er niets van. Ik kan het maar niet geloven. Ik ben in shock, net als jij.' Ze keek naar hem en toen voelde ze dat alles verloren was. Hij keek haar op dezelfde manier aan als die keer dat het condoom scheurde. Vol wantrouwen. 'Zeg het niet, Zach,' waarschuwde ze.

Maar hij deed het toch. 'Ik geloof niet dat je zo geschokt bent als ik. Blijkbaar heb je dus helemaal geen spiraaltje.'

Ze vroeg zich af of ze begrip voor zijn reactie zou kunnen opbrengen omdat hij zo geschrokken was, maar ze voelde dat het er niet in zat. Ze was zelf nog in shock, maar zij nam het hem in ieder geval niet kwalijk. 'Denk je soms dat ik het zo gepland heb?'

Hij sloeg zijn armen over elkaar en zei niets. Dat hoefde ook niet.

'Ik heb niet gelogen over het spiraaltje en waag het niet te suggereren dat ik iets heb uitgespookt met dat condoom. Kan ik er wat aan doen dat jij turbozwemmers hebt die zelfs een spiraaltje kunnen laten verwijderen.'

'Jij wist dat het de enige reden zou zijn waarom ik weer zou trouwen.'

Ze zette haar beker thee op de tafel en stond op. Ze hield van hem en zijn woorden sneden dwars door haar ziel. 'Wie heeft het hier over trouwen?'

'Is dat niet wat hier aan de hand is?' Hij hief zijn hoofd en keek op haar neer. 'Ik maak je zwanger en dan moeten we trouwen?'

'Nee.'

'Laat ik heel duidelijk zijn. Ik ga het deze keer niet vragen.'

Dat was meer dan haar hart kon verdragen. 'Ga weg.' Ze wees naar de voordeur. Ze was moe en ziek en niet in staat om met Zachs boosheid om te gaan. 'Ik heb morgen een afspraak bij de dokter,' zei ze, haar lippen samengeknepen van woede. 'Ik bel je wel wanneer ik meer weet.'

Hij pakte zijn autosleutel uit zijn broekzak. 'Hoe laat?'

Ze had Sherilyns gynaecoloog gebeld, die gelukkig onverwacht een nog een gaatje had. 'Om halfelf. Ik bel je om twaalf uur.'

'Ik ga mee.'

'Ik kan zelf wel rijden.'

'Ik zei dat ik meega.'

'Prima.' Maar het zou er niets aan veranderen. Ze zouden gewoon horen dat ze zwanger was en Zach zou nog steeds niet van haar houden. Dus zou ze alleen en bang blijven en zich afvragen wat ze in godsnaam moest doen.

De volgende ochtend, onderweg naar de dokter, was Zach ongebruikelijk stil. De geur van zijn deodorant en zeep vermengde zich met de geur van de leren autobekleding. Hij droeg een kakibroek en een wollen jasje over een blauw overhemd. Zijn haar was nat, alsof hij net uit de douche was gestapt, en hij zag er moe uit. Ze kende dat gevoel. Hij had gevraagd hoe ze zich voelde en of hij nog iets voor haar kon doen, maar dat was het wel zo'n beetje.

Ze zaten in de wachtkamer met andere stellen, waarvan de vrouwen buiken van verschillende omvang hadden. Terwijl Adele een formulier invulde, hing Zach hun jassen op naast de deur. Vervolgens ging hij naast haar zitten bladeren in een golfblad. Adele keek van haar formulier op naar het paar tegenover hen. De man had zijn hand op de grote toeter van zijn vrouw gelegd en fluisterde iets in haar oor. De vrouw glimlachte en legde haar hoofd op zijn schouder. Een verliefd stelletje dat blij was met de komst van hun baby.

Adele richtte haar aandacht weer op het formulier en haar hart kromp ineen. Ze keek vanuit een ooghoek even naar Zach. Dat zou zij nooit hebben. Geen lieve aanraking of iets aardigs in haar oor gefluisterd. Geen sterke schouder waarop ze kon leunen. Hij keek op. In zijn ogen lag geen sprankje emotie.

Na ongeveer een halfuur kwam er een verpleegkundige voor Adele. Toen zij opstond, deed Zach dat ook. Ze draaide zich naar hem om en fluisterde: 'Hier blijven.'

Hij schudde zijn hoofd. 'Ik dacht het niet.'

De gedachte dat ze in zijn aanwezigheid haar benen in de beugels moest leggen deed haar al blozen. 'Het wordt daarbinnen nogal intiem.'

Hij bracht zijn mond dicht bij haar oor en zei zacht: 'Ik heb je kruis regelmatig van dichtbij gezien, dat was ook nogal intiem.'

Ze bloosde nu echt. 'Oké, maar als ik echt zwanger ben, ga dan niet weer vloeken en roepen dat ik je er ingeluisd heb.'

Hij zat ter hoogte van haar schouder terwijl dokter Helen Rodriguez haar onderzocht. Hij zei niets toen zij de zwangerschap bevestigde en Adele durfde niet naar hem te kijken om zijn gezichtsuitdrukking te zien.

Toen het inwendig onderzoek klaar was ging Adele rechtop zitten. 'Waar is mijn spiraaltje dan? Toen ik in juni voor onderzoek bij mijn arts was, zei hij dat het er nog zat.'

Dokter Rodriguez ging staan en trok haar handschoenen uit. 'Ik vermoed dat het nog in je baarmoeder zit, maar dat moeten we zien op de echo.' Ze wierp de handschoenen in de vuilnisbak en pakte Adeles dossier op. 'Kleed je maar aan, dan komt er een verpleegkundige die je meeneemt voor een echo.'

Talloze gedachten gingen door Adele heen; ze brachten haar in de war. Ze was zwanger. Het was echt zo. Ze zou een kind krijgen. Pas toen de deur achter de dokter dichtging, bedacht ze dat ze haar allerlei vragen had willen stellen. Zoals: was het erg dat het spiraaltje nog in haar baarmoeder zat?

'Je bent echt in verwachting,' zei Zach peinzend en hij gaf haar haar slipje en spijkerbroek aan.

Ze sprong van de onderzoekstafel af en moest zich vasthouden om niet te vallen terwijl ze zich aankleedde. Zach ving haar op en ze wilde maar dat het anders voelde.

'In tegenstelling tot wat je denkt, ben ik hier helemaal niet blij mee.' Ze was misselijk en verdrietig. Ze was ook bang en ze wenste dat iemand haar zou zeggen dat het allemaal wel goed zou komen. 'Ik ben er net zomin blij mee als jij.'

'Dat betwijfel ik.' Hij liet haar los. 'Jij bent degene die door de biologische klok op haar schouder wordt getikt.'

Ze keek naar hem terwijl ze haar spijkerbroek dicht ritste over haar nu nog mooie, platte buik. 'Je mag mijn woorden niet verdraaien. Ooit een kind willen krijgen en geconfronteerd worden met een ongeplande zwangerschap, zijn twee totaal verschillende dingen.'

Zijn gezicht sprak boekdelen. Hij wilde niet geloven dat ze het niet gepland had.

Samen met Zach volgden ze de verpleegkundige naar een tweede onderzoeksruimte en een kwartier later lag ze weer op een tafel, ditmaal met een transparante gel op haar buik. De dokter wreef met het apparaat over haar buik. 'Ik zie nergens een spiraaltje,' zei ze. 'Als het er nog zat, zou ik het moeten zien.'

Adele keek naar haar en toen weer naar de monitor. 'Is het gewoon verdwenen?'

'Het zit in elk geval nergens in je buik.'

'Dat is toch goed, of niet?'

'Heel goed. Een zwangerschap met spiraaltje nog in de buik is zeer risicovol. Om het te verwijderen zouden we je baarmoedermond moeten openen, waardoor spontaan een miskraam kan plaatsvinden. Als we het er niet uit halen, zou je bij zeven weken vijfentwintig procent kans hebben op een miskraam en bij vier maanden een kans van vijftig procent.'

'Maar hoe kan een spiraaltje zomaar verdwijnen?' vroeg Zach.

Nu keek de dokter hem aan. 'Ongeveer zeven procent van de spiraaltjes wordt door de vrouw zelf uitgescheiden. Meestal binnen het eerste jaar na plaatsing.' Ze wendde zich weer tot Adele. 'Daarom is jouw geval zo ongebruikelijk. Jij hebt het jouwe al drie jaar.' Ze wees op de monitor en bewoog haar hand. 'Daar zie ik een hartslag.'

Adele kneep haar ogen tot spleetjes en Zach schoof naar voren op zijn stoel om het beter te kunnen zien. 'Dat kleine witte dingetje?' vroeg hij.

'Ja. Dat is een kindje.'

Adele vond het net een garnaaltje.

De dokter bewoog het apparaat een paar centimeter. 'En hier zit nummer twee.'

Adele keek nog eens goed. Het beeld was als van een oude zwart-wittelevisie, met een zwart vlak en daarin twee kloppende witte vlekjes. 'Kun je de hartslag op twee plaatsen zien?'

De dokter lachte. 'Het zijn twee kindjes.'

'Wat?'

'Shit.' Zach liet zich naar achteren vallen.

'Twee?' Adeles oren begonnen te suizen.

'Ja. Je bent in verwachting van een tweeling,' zei de dokter tegen haar.

Ze kneep haar ogen dicht. 'Shit.'

Een half uur later hielp Zach haar in haar jas. Bewapend met allerlei vitamines, een afsprakenkaart en een uitdraai van de echo van de tweeling, verliet Adele de kliniek. Ze was verdoofd door de schok toen ze met Zach naar zijn auto liep. Ze zag wazig en keek nog eens naar de foto. 'Die wazige, witte dingen zien er helemaal niet uit als baby's.' Haar stem leek van ver te komen. 'Ik wil helemaal geen tweeling,' zei ze en ze wees met het fotootje naar Zach. 'Dit heb jíj gedaan, Zach.'

'Ja, ik en mijn turbozwemmers.'

'Het is niet grappig. Wat moet ik nou...' – ze stak haar wijs-vinger en middelvinger in de lucht – 'met twee baby's?'

Hij hield het portier voor haar open.

'Een tweeling. Jezus, heb je soms hormonen geslikt?' Ze sloeg hem tegen zijn schouder. 'Je maakt mij zwanger, van een tweeling nota bene, en dan ga jij het slachtoffer uithangen!' Ze dacht aan Sherilyns enorme buik en maakte die in haar hoofd twee keer zo groot. 'Ik word een olifant,' jammerde ze. 'En mijn handen en voeten worden twee keer zo dik en het is allemaal jouw schuld!' De tranen rolden nu over haar wangen terwijl ze in de auto klom. Zach deed het portier achter haar dicht en ze veegde de tranen gauw weg. *Een tweeling!* Ze wist niet eens wat ze met één baby moest beginnen, laat staan met twee. Hoe moest ze nou voor twee kinderen zorgen? Eén kind was al lastig genoeg, maar twee? Ze keek uit het raam terwijl Zach instapte. Hij startte de motor en liet zijn handen in zijn schoot zakken. Zo bleef hij een tijdje zitten, terwijl alleen het geluid van de verwarming te horen was.

'Voor de verandering,' zei hij na een hele poos, 'zou ik wel eens willen trouwen met een bruid die niet al zwanger is.'

Adele draaide zich naar hem om. 'Wat? Ik ga niet met jou trouwen.'

Hij leunde met zijn hoofd tegen de steun van zijn stoel en sloot zijn ogen. 'Jij bent zwanger,' zei hij met een diepe zucht. 'Van een tweeling. Je kunt niet in je eentje voor twee kinderen zorgen.'

Dat had ze zelf ook al bedacht, maar ze was niet van plan dat toe te geven. 'Dat is nog geen reden om te trouwen.' Ze schudde haar hoofd. 'Jij wilt net zomin met mij trouwen als ik met jou.'

'Doet er niet toe.' Hij schakelde en ze reden het parkeerterrein af. 'Prik maar een datum, dan gaan we naar de rechtbank en dan is het voor elkaar,' zei hij, zonder een greintje emotie.

'Ik ben zwanger, niet gek. Ik ga niet twee stomme fouten ma-ken.' Het was allemaal zo vreselijk onromantisch, zo liefdeloos, dat het ze erom had kunnen lachen als het niet zo verdrietig was.

'Jij houdt niet van mij, en ik wil geen slecht huwelijk om het allemaal nog erger te maken. Geef maar toe, je zit net zomin op een huwelijk met mij te wachten als destijds met Devon.'

Hij keek even naar haar en daarna naar haar bos met krullen. 'Het zou waarschijnlijk minder erg zijn.'

Pas toen hij was uitgesproken, besefte ze dat ze haar adem had ingehouden, omdat ze hoopte dat hij zou zeggen dat hij met haar wilde trouwen omdat hij van haar hield. Ze was voor de tweede keer voor de man gevallen die niet van haar hield. Alleen was het deze keer erger. Veel erger.

'Jij bent Devon niet.' Hij keek haar aan.

Ze lachte en huilde tegelijk. Hoe was het mogelijk. Devon en zij hadden elkaar altijd gehaat en toch raakten ze allebei zwanger van dezelfde man, terwijl hij van hen allebei niet hield. Het enige verschil was dat Adele het niet expres had gedaan. En natuurlijk zou Adele veel meer verwachten van een huwelijk met een man dan alleen geld en status. 'Inderdaad. Ik verwacht meer van jou dan Devon. Geld alleen is veel te makkelijk. Ik verwacht iets van je wat je me vast niet kunt geven.'

'Wat is dat dan?'

'Dat je me trouw blijft.'

'En jij denkt dat ik dat niet kan?'

Ze schudde haar hoofd. 'Een man moet een reden hebben om zijn vrouw trouw te blijven.'

'O ja?' zei hij spottend. 'En wat is dat dan wel?'

'Hij moet van zijn vrouw houden.'

Zach keek hoe Tiffany met haar ravioli zat te spelen. Ze had maar de helft van haar pasta en haar salade opgegeten.

'Ben je klaar?' vroeg hij.

Ze knikte maar keek hem niet aan.

'Ik moet je iets belangrijks vertellen.'

'Gaat het over Adele?'

'Ja.'

'Dan wil ik er niet over praten.'

Jezus, hij wilde er zelf eigenlijk ook niet met Tiffany over praten. Niet tot hij het zelf in zijn hoofd op een rijtje had. Maar hij dacht dat het verstandiger was om het te vertellen voordat ze het van Kendra zou horen. 'Ze krijgt een baby.'

Tiffany hield haar vork stil en keek hem eindelijk aan.

'Twee baby's, om precies te zijn.'

'Van jou?'

'Ja.'

Ze kreeg ogen als schoteltjes. 'Dus jullie hebben...' ze zweeg even en besloot toen het woord te spellen 's.e.k.s. gehad?'

'Dat is wel de methode om kinderen te krijgen.'

Ze liet zich achterover in haar stoel vallen en keek naar hem alsof hij ineens een of andere viezerik was geworden. 'Getver! Dat is zo... goor.' Haar mond viel open. 'En jullie zijn niet eens getrouwd.'

O god, nu voelde hij zich helemaal een zondaar. Een perverse zondaar.

'Hoe kun je dat nou doen?'

Hij stond op en pakte de borden van tafel. 'Ik ben volwassen en soms doen volwassenen "dat" nou eenmaal. Dat begrijp je nog wel een keer.'

'Getver, wat goor!'

Dat kon er ook nog wel bij, dacht hij toen hij naar de keuken liep, een dochter die hem goor vond. Hij zette de borden op het aanrecht en steunde met zijn handen ernaast. Hoe had hij van zijn leven zo'n puinhoop kunnen maken? Net toen hij dacht dat het voor het eerst sinds tijden weer een beetje liep, was alles ineens één doffe ellende. Allemachtig, hij zou er alles voor over-hebben om zijn leven terug te draaien tot een paar weken gele-den. Toen ze net kampioen waren geworden en hij zich eindelijk kon ontspannen. Toen hij Adele elke ochtend kon zien en ze de liefde bedreven en daarna samen een wafeltje aten.

Hoe had dit zo ver kunnen komen? Hij had zijn lesje toch wel geleerd, de eerste keer? Hij was heel voorzichtig geweest met Adele. Zelfs toen zij hem vertelde dat ze een spiraaltje had, was hij condooms blijven gebruiken.

Hij zag haar gezicht weer voor zich, toen de dokter haar onderzocht. Ze zag er zo moe en bleek uit. Toen ze zich van de tafel liet glijden en haar roze onderbroekje aantrok, leek het alsof ze flauw zou vallen en hij had haar arm vastgehouden om te voorkomen dat ze onderuitging. Hij had zich nog net kunnen beheersen, om haar niet tegen zich aan te drukken en in haar krullen te fluisteren dat alles wel goed zou komen. Want het zou niet goed komen.

Een tweeling. Hij kon het begrip baby al amper bevatten, laat staan als het er twee waren. Hij wilde niet nog meer kinderen. Jezus, hij wist meestal niet eens wat hij met het ene kind dat hij al had aan moest. Hij wilde geen tweede vrouw. Hij wilde haar niet meteen ten huwelijk vragen, maar toen ze in zijn auto naast hem zat en was gaan huilen omdat ze zo dik als een olifant zou worden, had hij zich toch verantwoordelijk gevoeld. Toen had ze hem er nog van beschuldigd dat hij haar zwanger had gemaakt en zich gedroeg alsof hij het slachtoffer was. Het voelde net als veertien jaar geleden, toen Devon hem vertelde dat ze zwanger was. Dus had hij, evenals veertien jaar geleden, gezegd dat ze moesten trouwen. Maar in tegenstelling tot Devon had Adele zijn aanbod niet aangenomen. Daar mocht hij eigenlijk wel blij mee zijn.

Ik ben zwanger, niet gek. Ik ga niet twee stomme fouten maken, had ze gezegd. *Jij houdt niet van mij, en ik wil geen slecht huwelijk om het allemaal nog erger te maken.* Dat was eigenlijk reden voor een vreugdedansje, maar zo voelde het helemaal niet. *Geef maar toe, je zit net zomin op een huwelijk met mij te wachten als destijds met Devon.* Hij wilde met niemand trouwen. Of ze nou zwanger was van een tweeling of niet. Hij wist nog hoe hij zich had gevoeld toen hij met Devon was getrouwd. Verantwoordelijk. Berustend. Gevangen. En nu herhaalde de geschiedenis zich, was hij opnieuw verantwoordelijk voor een nieuw leven, nee, voor twee nieuwe levens zelfs; en het was even slikken, maar hij voelde zich niet gevangen. Adele had niet geprobeerd hem in de val te lokken, anders was ze zelf niet zo overstuur geweest. Dat zou hij recht moeten zetten. Misschien moest hij zelfs zijn excuses aanbieden voor het feit dat hij haar voor leugenaar had uitgemaakt. Ja, dat zou hij gaan doen, als ze niet meer zo emotioneel was.

'Pappie?'

Zach draaide zijn hoofd om en keek naar Tiffany. 'Ja?'

'Ga je met Adele trouwen?'

'Ik heb haar gevraagd.' Hij draaide zich om. 'Maar ze wil niet.'

'Vindt ze jou niet leuk?' vroeg Tiffany, alsof die gedachte alleen al onmogelijk was.

Adele weigerde met hem te trouwen en dacht dat hij haar onmogelijk trouw kon blijven. 'Nee, ik geloof niet dat ze me op dit moment graag mag.'

'Vind jij haar leuk?'

'Ja.' Hij vond haar heel leuk. Hij vond het heerlijk om met zijn handen door haar krullen te gaan. Hij vond het leuk als haar wangen rood werden van de inspanning tijdens het joggen. Hij vond het lief dat ze naar Texas was gekomen om haar zus te helpen. En hij vond nog een heleboel andere dingen leuk aan haar waar hij niet eens aan wilde denken met zijn dochter in de buurt. Maar vooral vond hij het fijn dat ze hem een goed gevoel gaf als hij bij haar was. Voor het eerst in heel lange tijd had hij weer het idee gehad dat hij leefde.

Tiffany kwam op hem af en sloeg haar armen om zijn middel. 'Het spijt me dat ik zei dat het goor was. Jij bent de liefste vader.'

Op dat moment voelde hij zich helemaal niet zo lief. Hij was vooral terneergeslagen. Nu moest hij zichzelf weten op te peppen en een plan van aanpak bedenken.

Want één ding was zeker, met de tweeling op komst, was er wat Zach betrof geen sprake van dat Adele zou vertrekken uit Cedar Creek.

Adele zat op het randje van de bank waarop ze de nacht had doorgebracht en nam voorzichtig een slokje thee. Ze deed de televisie aan en keek naar het staartje van het journaal. Kendra en Sherilyn waren een uur eerder naar het ziekenhuis vertrokken. Vanochtend zou de kleine Harris thuiskomen met zijn moeder en zijn grote zus.

Adele kroop weer onder haar deken en nam nog een slokje, in de hoop dat ze het ditmaal binnen zou houden. Haar schouder was stijf van het slapen op de bank en ze verlangde naar haar eigen bed. Naar haar eigen huis. Ze voelde iets in haar buik wat niets met de zwangerschap te maken had.

De bel ging en ze deed net of ze het niet hoorde. Opnieuw ging de bel en ze duwde het dekbed opzij. Zach. Wie anders? Wie zou er anders zo aandringen op de vroege ochtend? Adele liep naar de deur en keek recht in Tiffany's groene ogen, waarboven blauwe oogschaduw schemerde.

'Pappie zegt dat jullie in verwachting zijn,' zei het meisje, zonder er iets van een groet aan vooraf te laten gaan.

'Klopt.' Ze stak haar hoofd om de hoek van de deur en keek om zich heen. 'Weet je vader dat je hier bent?'

'Nee. Joe en Cindy Ann Baker kwamen langs. Hij is met ze gaan ontbijten in Caralinda's Cozy Café.' Ze speelde met de rits van haar jas. 'Ik geloof dat ze verkering hebben.'

'Wie? Joe en Cindy Ann?'

Tiffany knikte.

En een paar weken geleden had Joe haar nog een triootje voorgesteld met een van haar vriendinnen. 'Kom binnen.' Ze deed de deur achter Tiffany dicht en het meisje volgde haar naar de zitkamer.

'Weet je of het jongens of meisjes worden?'

'Wat?'

'De baby's.'

'Nee, nog niet.'

Ze keek naar Adeles buik. 'Je ziet er nog niks van.'

'Zover is het nog niet.'

Tiffany keek weer op. 'Wanneer komen ze dan?'

'In augustus.'

Met een verbaasde blik legde ze een hand op haar borst. 'Ik ben jarig in augustus.'

Adele glimlachte. Uiteraard.

'Pappie vertelde dat je niet met hem wilt trouwen.' Tiffany sloeg haar armen over elkaar. 'Waarom niet?'

Ze wist werkelijk niet hoe ze dat moest uitleggen aan een dertienjarige. Daarom zei ze simpelweg: 'Omdat hij niet van me houdt.'

'Misschien gaat hij dat wel doen.' Tiffany haalde haar schouders op. 'Ooit. Denk er alsjeblieft nog een keer over na.'

Adele was niet van plan op 'ooit' te wachten. Ze keek het meisje onderzoekend aan. 'Ik dacht dat jij me niet aardig vond.'

'Nu ligt het anders.'

En dat was nog zachtjes uitgedrukt.

'Waar is Kendra?'

'Ze is met Sherilyn naar het ziekenhuis om Harris op te halen.'

'Jeetje. Vandaag al?'

Op dat moment hoorde Adele de auto de oprit op rijden. 'Op dit moment zelfs.' Een paar minuten later stonden ze met zijn allen in de babykamer te kijken hoe de kleine Harris lag te slapen in het wiegje dat ze met Zach in elkaar had geschroefd. Adele verliet als eerste de kamer. Ze ging weer op de bank liggen en deed haar ogen dicht. Ze was doodop en wilde wel een jaar lang slapen.

Ze wilde naar huis.

Hoofdstuk 18

'Wát ben je?' Lucy Rothschild-McIntyre ging rechtop zitten in haar stoel, een stukje chocoladetaart nog aan haar vork, halverwege haar mond.

Clare Vaughan staarde vanaf de overkant van de keukentafel met grote ogen naar Adele en Maddie Jones zette haar glas met een frons op tafel. 'Neem je ons in de maling?' vroeg Maddie.

Adele schudde haar hoofd. Haar drie hartsvriendinnen zaten bij haar aan tafel, in haar huis in Boise, en ze genoten van de taart die Lucy had gebakken. Adele was pas anderhalve dag thuis en haar vriendinnen waren langsgekomen om voor haar te koken en bij te praten. Adele had gewacht tot het dessert om hun het nieuws te vertellen.

'Nee,' zei Adele en ze nam nog een hapje taart. 'Ik neem jullie niet in de maling. Ik ben zwanger.'

'En dat vertel je ons nu pas.'

Adele haalde haar schouders op. 'Ik wist dat we anders alleen maar daarover zouden praten en ik wilde eerst weten waar jullie allemaal mee bezig waren.'

'Hoeveel weken ben je zwanger?' vroeg Clare.

'Acht weken.' Twee maanden. Ze was nog steeds misselijk en haar borsten deden pijn. Ze voelde ze gewoon groeien en binnenkort zou ze geen C-cup meer kunnen dragen.

De drie vriendinnen keken elkaar veelbetekenend aan en uiteindelijk was het Maddie die vroeg: 'En wie is de vader?'

'Zijn naam is Zach Zemaitis.' Bij het noemen van zijn naam maakte haar hart een sprongetje. Het was niet zo dat de afstand tussen hen beiden haar liefde voor hem had verminderd.

Er verscheen een denkrimpel in Lucy's voorhoofd. 'Die naam komt me bekend voor.'

'Hij was professioneel footballspeler.' Ze dacht weer aan de dag dat ze in zijn studeerkamer had gelezen over zijn ervaren handen. Ze nam nog een hap en zei met haar mond vol: 'Hij heeft voor Denver gespeeld.'

De frons verdween. 'Díé Zach Zemaitis?'

'Die quarterback?' Maddie pakte haar glas weer op. 'Die is gigantisch.'

'Klopt.' Tjonge, die taart smaakte haar geweldig. Net als die keer dat ze spacecake at met Doug, toen ze nog studeerde. Ze probeerde aan hem te denken in plaats van aan Zach en hoe erg ze hem miste. Net als toen ze de eerste keer verliefd op hem was en hun samenzijn zo intens maar kort was geweest en hij haar met een gebroken hart had achtergelaten.

'Ik kijk nooit naar football.' Clare schudde haar hoofd. 'Sorry, ik weet niet wie het is. Hoe heb je hem leren kennen?'

'Ik heb hem jaren geleden aan de universiteit van Texas leren kennen,' antwoordde ze en toen vertelde ze het verhaal. Dat Zach de eerste jongen was met wie ze had gevreeën. Daarna vertelde ze over Devon. 'En nu woont hij in Cedar Creek met zijn dochter,' besloot ze haar verhaal. Ze nam een slok decafé en vroeg zich af wat hij op dit moment aan het doen was. Of hij al wist dat ze twee dagen geleden was weggegaan. Ze was vertrokken zonder afscheid te nemen. Niet omdat ze hem pijn wilde doen, maar omdat hij natuurlijk zou willen weten wanneer ze weer terugkwam en ze zelf het antwoord op die vraag niet wist. Of misschien wilde hij dat helemaal niet weten. Misschien kon het hem helemaal niets schelen. Hij had haar niet gebeld, dus dacht ze dat het hem niets kon schelen. Waarschijnlijk was hij aan het vieren dat ze niet met hem wilde trouwen.

'Ik denk dat ik mijn praatje over veilige seks niet meer hoef te houden,' zei Maddie.

'We gebruikten twee voorbehoedsmiddelen.' Tenminste, toen dacht ze nog dat ze een spiraaltje had.

'Wat doet hij?' wilde Clare weten.

'Hij coacht een high school footballteam.' Ze zag opeens weer voor zich hoe hij met zijn pet had gebaard langs de zijlijn. Ze voelde de pijn diep vanbinnen, maar ze wilde nu niet huilen. Niet nu haar vriendinnen er waren. Ze wilde niet helemaal verdrinken in haar liefdesverdriet. Nog niet.

'Wat vindt hij van de baby?'

Adele stak twee vingers op. 'Ik ben in verwachting van een tweeling.'

'Wat!'

'Nee!'

'Jawel. Een tweeling, en Zach denkt dat ik met opzet zwanger ben geworden, zodat hij met me moet trouwen.'

'Wat een eikel.'

'Hufter.'

Clare pakte Adeles hand. 'Dat zou jij nooit doen. Als hij dat denkt, dan is hij jou niet waard.'

Adele glimlachte en gaf een kneepje in Clares vingers. 'Dank je.'

'Wat ga je nu doen?' vroeg Lucy.

Adele haalde haar schouders op en staarde naar het donkere venster achter Lucy's hoofd. Buiten dwarrelden dikke sneeuwvlokken naar beneden, die de grond met een witte deken bedekten. Het was het eerste weekend van januari. Van het nieuwe jaar. Nieuwe sneeuw. Nieuw leven.

'Als je maar weet dat wij je zullen helpen, op welke manier dan ook,' sprak Lucy namens hen alle drie.

'Weet ik.' Ze keek naar haar vriendinnen. Ze waren zo belangrijk voor haar. Ze waren heel close. Ze hadden veel meegemaakt en deelden hun schrijverschap met alle blijdschap en verdriet met elkaar. Ze hield van haar vriendinnen alsof ze familie waren, maar een groot deel van haar hart, van haar leven, was elders; wel meer dan duizend kilometer ver weg. Bij Sheri en Kendra en Harris. En bij Zach. Ze kon haar twee kinderen niet zo ver van hun vader laten opgroeien. Dat zou niet eerlijk zijn tegenover hen. Al mocht Zach het prima vinden als zijn kinderen een paar staten verderop zouden wonen. Zo had hij met Tiffany tot drie jaar geleden tenslotte ook geleefd. Maar Adele vond het niks. Ze was niet in haar eentje zwanger geworden en ze zou de kinderen ook niet in haar eentje opvoeden. Zodra de baby's geboren waren, zou ze met Zach afspraken over een soort van co-ouderschap moeten maken. Ze kon niet van hem verlangen om daar alles op te geven en Texas te verlaten. Dat zou ook niet eerlijk zijn tegenover Tiffany. Nee, Adele zou degene zijn die ging verhuizen en de gedachte dat ze haar vriendinnen moest verlaten, maakte haar nog verdrietiger.

'Hoe voel je je nu?' vroeg Lucy. 'Je ziet er moe uit.'

'Ik ben moe. Ik slaap veel en als ik wakker word, ben ik nog steeds moe. Op weg hiernaartoe heb ik zo'n boek voor aanstaande moeders gelezen en het schijnt er allemaal bij te horen.' Ze had de afgelopen twee dagen veel gelezen en veel gekeken naar de foto van haar baby'tjes. 'Ik moet jullie iets laten zien,' zei ze en ze liep de keuken uit. In de slaapkamer pakte ze een foto van de ladekast en legde hem op tafel. De afgelopen dagen had ze iets van gevoelens voor die kleintjes gekregen. Hoe vaker ze naar het fotootje keek, des te meer ze een moederlijk instinct begon te ontwikkelen. Het was nooit haar bedoeling geweest op deze manier aan kinderen te beginnen, maar zij konden er ook niets aan doen. Heel onverwacht werd ze overspoeld daar warme en liefdevolle gevoelens en ze legde haar hand beschermend op haar buik. Zij konden er ook niets aan doen dat ze eruitzagen als garnaaltjes.

'Nou,' zei Clare glimlachend, 'ze zijn schattig.'

Lucy lachte. 'Ze lijken sprekend op je.'

Maddie boog zich voorover voor een nadere inspectie. 'Heeft deze nou een piemeltje?'

'Geen grappen. Ik krijg meisjes.' De deurbel ging. De vrolijk-
heid van haar vriendinnen volgde haar toen ze naar de deur liep.
Toen ze opendeed bleef ze als aan de grond genageld staan, en
dat had niets te maken met de winterkou.

'Dwayne.'

'Hoi, Adele.' Het was haar ex-vriendje, gekleed in een gevoerd
spijkerjack. 'Je ziet er goed uit.'

Adele wist niet of ze moest gillen, de politie bellen of Dwayne
een klap voor z'n kop geven. Drie jaar lang had hij in het geniep
spullen voor haar deur gelegd, alsof hij een vreemdsoortige versie van zakdoekje leggen speelde.

'Ik kom deze terugbrengen.' Hij hield een papieren zak omhoog. 'Het is dat verpleegsterspakje dat we samen hebben gekocht in de Pleasure boetiek.'

Ze nam de zak van hem aan en sloeg haar armen over elkaar.
'Waarom heb je die niet gewoon op mijn stoep gelegd, zoals je
de afgelopen drie jaar hebt gedaan?'

Hij bloosde een beetje. 'Omdat ik je wilde zeggen dat ik dat
niet meer zal doen.' Zijn adem kwam als een wolkje uit zijn
mond. Hij haalde zijn schouders op. 'Ik kan ook niet verklaren
waarom ik dat deed. Ik weet het gewoon niet.'

Maar zij wel.

'Ik werd gewoon een beetje gek en...'

'Dus deed je het gewoon?' Het was de vloek.

'Ja, maar nu is het voorbij.' Hij glimlachte naar haar op een
manier die haar vroeger helemaal wee maakte. 'Je ziet er echt
goed uit,' zei hij weer.

Ze droeg een dikke trui, een spijkerbroek en warme pantof-
fels. Haar haren had ze in zo'n ouderwetse wokkel bijeengepakt.
Niet haar idee van er goed uitzien.

'Misschien kunnen we een keertje afspreken.'

Ook al was ze niet zwanger geweest van iemand anders, dan
nog had ze zijn uitnodiging niet aangenomen. Ze deed dus haar
mond open om hem hier voorzichtig op voor te bereiden, toen

een stem achter Dwayne zei: 'Ze gaat helemaal niks met jou afspreken.'

Adele keek van Dwayne, die geschrokken achteromkeek, naar Zach, die haar veranda op kwam lopen. Hij droeg een donkere wollen winterjas en door het buitenlicht zag ze de sneeuw op zijn haren en zijn jas liggen. Haar hart maakte een salto mortale.

'Wie is dat?' vroeg Dwayne.

Dwayne was groot en sterk, maar Zach was nog groter en sterker. Zijn bruine ogen boorden zich in die van Dwayne, alsof hij het lef had gehad een van zijn perfecte passes te onderscheppen. 'Gaat je geen donder aan.' Zach ging tussen Adele en Dwayne in staan. 'Je bent twee dagen weg en meteen staat er al een of andere gozer klaar om je mee uit te vragen? Als je maar niet denkt dat ik ga wachten tot je een keer tijd hebt.' Hij gebaarde naar achteren met zijn duim. 'Heb je hem al verteld dat je zwanger bent?'

'Daar was ik nog niet aan toegekomen.'

Hij keek haar onderzoekend aan. 'Je bent toch nog wel zwanger?'

Ze fronste. 'Natuurlijk. Waarom denk je van niet?'

'Misschien omdat je bent vertrokken zonder met me te praten.'

De gedachte een einde te maken aan de zwangerschap was heel kort door haar hoofd gegaan en was er ook vliegensvlug weer uit verdwenen. Misschien had ze er iets langer over nagedacht als ze geen echo had gezien. Maar nu ze de baby's had gezien, werden ze met het uur echter. 'Als ik zou vinden dat ik een einde moest maken aan de zwangerschap, zou ik dat zeker met je hebben besproken.'

'Eh...' zei Dwayne en hij deed een paar passen naar achteren. 'Ik zie je nog wel, Adele.'

'Oké.'

'Nee, dat zie je niet.'

Adele keek recht in Zachs ogen. Ze kon nog niet geloven dat hij hier gewoon voor haar stond. 'Hoe ben je hier gekomen?'

'Op de gebruikelijke manier. Vliegtuig genomen. Auto gehuurd met GPS. En hier ben ik dan.'

'Hoe wist je waar ik woon?'

'Sherilyn.' Zijn adem bleef tussen hen in hangen. 'Ik ging vanochtend bij haar langs en toen vertelde ze dat je weg was. Je bent weggegaan zonder een woord tegen me te zeggen over wat je ging doen en wanneer je weer terug zou komen.'

'Ik hoef geen verantwoording aan jou af te leggen, Zach.'

Hij verplaatste zijn gewicht van zijn ene voet op de andere. 'Ik laat jou niet naar de andere kant van het land vertrekken met twee van mijn kinderen.'

Ze was wel van plan geweest om weer terug te komen, maar dat hoefde hij niet te weten. Niet op dit moment, nu hij zo bazig deed. Ze priemde een wijsvinger in zijn borstkas. 'Jij hoeft mij niet te vertellen wat ik moet doen.'

Hij keek even naar haar hand maar richtte daarna zijn blik weer op haar gezicht. 'Het draait nu niet meer alleen om jou, Adele. Jij draagt mijn kinderen en je kunt er dus niet zomaar vandoor gaan als jij daar zin in hebt.'

Ze liet haar hand zakken. 'Ik ging er niet vandoor.'

'Net als veertien jaar geleden.'

'Ik ging er niet vandoor. Ik was even weg.'

'Dat is hetzelfde.'

'Nee, dat is het niet.'

'Daar kunnen we binnen beter over verder discussiëren.'

Ze had helemaal geen zin om er verder over te discussiëren.

'Adele, mijn ballen vriezen eraf.'

Hoewel zijn bevroren ballen niet konden rekenen op haar sympathie, deed ze toch een stap achteruit zodat Zach naar binnen kon lopen.

'Dag dames,' zei hij, met een blik over haar schouder.

Met haar verpleegsterspakje in haar hand sloot Adele de deur en draaide zich om. Haar drie vriendinnen stonden in de zitkamer met hun armen over elkaar naar Zach te kijken. Adele liep langs hem heen en legde de tas op een stoel. 'Zach, dit zijn mijn vriendinnen. Dit is Lucy Rothschild-McIntyre. Zij schrijft misdaadromans.' Daarna wees ze op Clare. 'Dit is Clare Vaughan, schrijfster van historische romans. En dit is Maddie Jones. Zij schrijft waar gebeurde misdaadverhalen.'

'Adele heeft me al over jullie verteld en ik vind het leuk om jullie te ontmoeten.' Hij knoopte zijn jas open en deed hem uit, alsof hij van plan was heel lang te blijven. Daaronder droeg hij een blauw met wit gestreept overhemd en een spijkerbroek. 'Lekker winterweertje, hè?'

'Ja hoor.'

'Niet slecht.'

Maddie hield haar hoofd schuin en keek hem aan. 'Het is wel eens kouder geweest.'

'Ik heb geen echte sneeuwstorm meer meegemaakt sinds ik in Denver woonde. Maar ik had nooit gedacht ik het zou missen.' Hij glimlachte, en de plotselinge stijging van het testosteronniveau maakte Adeles vriendinnen, die meestal zo nuchter waren, helemaal week. De spanning die in de lucht hing verdween en ze glimlachten vriendelijk terug naar Zach. Terwijl Adele zijn jas ophing, vroegen ze hem naar zijn reiservaringen in de sneeuw.

Toen kwam Maddie ter zake. 'Adele is in verwachting. Wat zijn jouw plannen?' vroeg ze, alsof ze Adeles vader was.

Zach glimlachte. 'Dat is iets tussen Adele en mij.'

Maddie knikte en verzamelde haar spullen om te kunnen vertrekken. Toen ze langs Adele liep, legde ze een hand op haar arm en keek haar diep in de ogen. 'Heb je die taser gun nog die ik je gegeven heb?'

Adele dacht diep na. 'Ergens.'

'Haal die tevoorschijn en die bus traangas ook.' Ze wierp een blik op Zach. 'Als ie te ver gaat geef je hem ervan langs.'

Adele wist dat het een grapje was, althans gedeeltelijk.

Lucy was de volgende die afscheid nam. 'Als je iets nodig hebt, bel me dan.'

'Doe ik.'

Tot slot vertrok Clare. 'Ik hou van je.'

'Weet ik.' Adele omhelsde haar. 'Ik hou ook van jou.' Ze zwaaide haar vriendinnen uit, deed de deur achter ze dicht en liep naar de zitkamer. Zach stond bij de open haard naar de foto-lijstjes te kijken.

'Ik ben niet weggelopen, Zach. Ik was van plan weer terug te komen naar Cedar Creek.'

'Wanneer dan?' Hij zette een van de lijstjes terug en draaide zich om.

'Dat weet ik niet precies.'

'Vind je niet dat je met mij had moeten overleggen voordat je vertrok? Denk je niet dat je je plannen kenbaar had moeten maken?'

'Misschien.' Ze wreef met beide handen over haar gezicht. 'Maar ik moest gewoon even weg om na te kunnen denken. Ik ben bang en ik ben in de war. En ik weet niet wat ik wel of niet moet doen. Ik ben vijfendertig en dit is me nog niet eerder over-komen.' Ze slikte haar tranen in, maar het liefst had ze haar hoofd op Zachs schouder gelegd om lekker te kunnen huilen. Maar dat zat er niet in. 'Ik voel me zo stom, maar ik heb echt alles gedaan om niet zwanger te worden. Ik weet dat je me niet gelooft, maar ik weet echt niet hoe dit gebeurd kan zijn.'

Hij keek haar aan en zei: 'Ik geloof je.'

Eindelijk. Maar een echte troost was het niet.

'Ik had beter moeten weten. Ik wist ook beter, maar ik was te veel met mezelf bezig. Het spijt me.'

Ze schrok van zijn verontschuldiging, en omdat ze van hem hield gaf het haar weer hoop – tevergeefs. 'Nou,' zei ze, en ze deed haar armen over elkaar. 'Maar goed ook.'

'En geloof het of niet, ik ben hier niet naartoe gekomen om ruzie te maken.'

Ze fronste diep. Maak dat de kat wijs. 'Kwam je dan langs om te zien of ik een abortus had ondergaan?'

'Hoewel ook dat door mijn hoofd speelde, is het evenmin de reden van mijn komst.'

'Waarom ben je dan gekomen?' Ze keek hem vragend aan. 'Had je dan niet beter de telefoon kunnen pakken?'

'Ja, tuurlijk. Maar er is iets wat ik je moet vertellen, en dat kan ik je niet via de telefoon zeggen.' Hij liep naar haar toe. 'Je zei dat een man pas trouw kan zijn als hij van zijn vrouw houdt. Daar heb ik over nagedacht en je hebt gelijk. Het kon Devon niet schelen wat ik uitspookte en bovendien hield ik niet van haar.' Hij zweeg even en keek haar recht aan. Toen haalde hij diep adem en zei: 'Met jou is het anders. Ik hou van je, Adele. Daarom ben ik hiernaartoe gekomen, om je dat te zeggen. Ik hou van je.'

Ze keek naar hem en haar hart zwol op.

'Toen je me vertelde dat je zwanger was dacht ik dat mijn leven voorbij was, maar ik zag het helemaal verkeerd. Toen ik je gisteren bij je zus kwam opzoeken en je was er niet, toen dacht ik pas echt dat mijn leven voorbij was.' Hij legde zijn warme handen tegen haar wangen. 'Ik kan me een leven zonder jou niet meer voorstellen.' Hij bracht zijn gezicht dicht bij het hare en sprak met zijn mond bij die van haar: 'Ik wil me een leven zonder jou niet eens voorstellen.'

'Ik hou van jou, Zach,' fluisterde ze en toen kuste hij haar, teder en zacht maar tegelijkertijd vol vuur. Ze sloeg haar armen om hem heen en kuste hem terug, met evenveel hartstocht, tot hij haar losliet. Zijn adem kwam gehaast en heet en hij trok haar stevig tegen zich aan.

'Kom mee naar huis, kom bij me wonen,' fluisterde hij. 'Trouw met me, Adele, niet omdat je zwanger bent. Niet omdat ik me verantwoordelijk voel of omdat je bang bent. Trouw met me omdat ik van je hou en jij van mij en we bij elkaar horen.'

Ze legde haar hoofd in haar nek en keek omhoog. Recht in zijn omfloerste blik. Er viel een traan van haar wimpers en ze probeerde de brok in haar keel weg te slikken. 'Ja,' zei ze. 'Ik wil met je trouwen. En niet omdat ik bang ben, of zwanger, maar omdat ik van je hou.'

Hij veegde de traan met zijn duim weg. 'Toen ik je voor het eerst weer zag, dacht ik dat je om een bepaalde reden terug was gekomen.' Hij glimlachte even. 'Heel even dacht ik zelfs dat het een seksuele reden was.'

'Ik kwam om mijn zus te helpen.'

'En mij hielp je ook.' Hij gaf haar een tedere kus die al haar zorgen wegnam en haar hart deed smelten.

Hij had haar ook geholpen. Hij had de vloek opgeheven, maar ze dacht dat ze dat maar beter niet kon zeggen. 'Jij hebt mij geholpen en je hebt Sherilyn geholpen. Door te klussen in Sherilyns huis.'

'Dat was maar een smoesje om bij jou te zijn.'

Ze sloeg haar armen om hem heen en drukte zich dicht tegen zijn warme lijf. 'Ik begon echt verliefd op je te worden op de dag dat je mij die gereedschapsgordel gaf.'

'Aha, je werd betoverd door het prachtige gereedschap.'

Ze knikte. 'Je hebt inderdaad prachtig gereedschap.'

Hij lachte. 'Ik weet nog dat ik je voor het eerst weer zag, toen je onder die galerij stond. Je keek alsof je een spook had gezien, maar je was beeldschoon.'

'Tja, je werd betoverd door een tekort aan slaap en gek haar.'

'Jouw gekke haar heeft altijd al een betoverend effect op mij gehad.' Hij streelde haar rug en kreeg op de een of andere manier haar trui over haar hoofd getrokken. 'Vóór die bewuste dag was je alleen nog maar een herinnering. Een herinnering aan een mooi meisje dat ik kende tijdens mijn studie en dat mij uitkoos voor haar eerste keer.' Hij boorde zijn blik in de hare en gooide de trui op de grond. 'Ik dank God op mijn blote knietjes dat je niet langer een herinnering bent maar een vrouw van vlees en bloed.'

Ze knoopte zijn overhemd los. 'En Tiffany?'

'Dat komt wel goed. Ik denk dat zij het leuk vindt, broertjes.'

Adeles vingers bleven bij de laatste knoop in de lucht hangen. Ze keek geschrokken op. 'Broertjes?'

Hij trok zijn overhemd uit zijn broek en keek naar haar blote buik. 'Hoe is het met de jongens?'

'Meisjes zijn het. En ze maken me elke ochtend misselijk.'

'Hè, wat vervelend.' Hij schudde zijn overhemd van zijn armen en trok haar toen tegen zijn warme lichaam. Hij glimlachte en fronste vervolgens: 'Je borsten zijn groter.'

'Ze doen pijn.'

'Hè, wat vervelend.' Maar hij zag er niet uit alsof hij het vervelend vond.

Ze schudde haar hoofd. 'Een tweeling. Je hebt me niet alleen zwanger gemaakt, je hebt me ook nog eens met een tweeling opgescheept.'

'Ja, hè,' zei hij met een brede grijns, maar deze keer nam hij niet eens de moeite meer om te zeggen dat hij het vervelend vond.

Ze streelde zijn bovenlijf. Wie had kunnen denken dat ze de liefde zou vinden waar ze die helemaal niet verwacht had? Nota bene bij de man die ooit haar hart gebroken had. Wie had kunnen denken dat het uitgerekend Zach Zemaitis zou zijn die de vloek zou opheffen waar ze al die jaren onder gebukt was gegaan?

Adele in elk geval niet. Maar hij had haar zijn hart geschonken en haar gered van de foute dates voor de rest van haar leven. Hij zou haar zelfs twee kinderen geven, die nu groeiden in haar buik, en daar zou ze nooit spijt van krijgen.

Epiloog

Devon staarde naar de winkeljuffrouw van de afdeling lingerie die in haar beeldige overslagjapon langs paradeerde. Die jurk was voor haar bestemd, maar ze was letterlijk opzijgeschoven door deze omhooggevallen vrouw. Wie had kunnen denken dat die grootsteedse troela zo gehaaid zou zijn?

Devon staarde in de vitrine vol nepparels en ringen met zirkonen. Hoe kon het nou een promotie zijn als ze werd overgeplaatst van de schoenenafdeling van Walmart naar de afdeling juwelen van Sears? Dat was toch niet eerlijk? Het deed haar alleen maar denken aan haar eigen sieraden. Sears was niet meer dan een andere versie van dezelfde hel als Walmart.

Ze tuurde naar het driekleurengoud dat er om zoveel redenen zo verkeerd uitzag. Sears was dol op groene en roze stenen en driekleurengoud. Maar, werkelijk, als je je geen platina kon veroorloven, waarom dan de moeite doen?

Net toen ze een robijnen hanger zag die ze wel interessant vond, begon de vitrine voor haar ogen te verdwijnen. De muren van Sears gingen in rook op en haar huid tintelde tot ze weer haar bouclépakje van Chanel en het Mikimoto-snoer droeg. Ze keek op en zag mevrouw Highbarger die uit het niets was verschenen.

'Het is maar goed dat je op je plek gebleven bent. Ik had geen zin om je te gaan zoeken. Ik heb wel wat anders te doen.'

Devon wist het niet zeker, maar ze had het gevoel dat ze nog niet zo lang bij Sears was geweest.

Zeven maanden, zei haar vroegere lerares zonder de woorden hardop uit te spreken. 'Je hebt weer wat verdiend.'

Ze schrok ervan en was een beetje in de war. 'Is dinges niet zwanger?'

'Jazeker, van twee jongens.'

Twee jongens. 'Yes!' Ze balde haar vuist. 'Dan is er toch een God.'

Natuurlijk is er een God. En Hij kan je horen ook.

Oeps.

Alsof ze samen één waren bewogen ze de onzichtbare roltrap op. Ze vroeg: 'Wat gaan we doen?'

'Kijk zelf maar.'

Ze bleven staan en de mist trok weg en Devon keek neer op haar eigen achtertuin. Hoe heet ze droeg een lange, witte jurk en een krans rozen in haar wilde krullen. Zach stond achter haar in een donkerblauw pak. Hij had zijn armen om haar dikke buik geslagen. Hij zag er gelukkig uit. Veel gelukkiger dan ze hem ooit had gezien buiten het footballveld. Gelukkiger dan hij ooit met haar was geweest. Dit was niet de bedoeling geweest van de vloek. Dit was niet eerlijk. Het was niet eerlijk dat zij een eeuwigheid in Sears moest blijven, achter de nepparels en de zirkonen, terwijl hij dolgelukkig was met hoe heet ze.

'Zijn ze getrouwd of zo?'

'Zojuist.'

Ze voelde de woede en haat in haar binnenste kolken. Dit kon niet waar zijn. Dit kon ze niet laten gebeuren. 'En ik heb nog een geschenk verdiend?'

'Ja, gebruik het verstandig.'

Ze legde een wijsvinger op haar bovenlip en dacht na over een volgende stap. Alles wat ze tot nu toe had gèprobeerd, had verkeerd uitgepakt. Ze had iets beters nodig. Iets wat wel moest werken. Iets...

Opeens verscheen Tiffany in beeld, die naar haar vader toe liep. Devons hart zwol op van trots en liefde. Wat zag haar meisje er al groot uit. Ze droeg een lichtroze jurkje van zijde en haar haren waren opgestoken met een kransje roze rozen eromheen. Ze zag er beeldig uit en leek precies op Devon toen ze zo oud was.

Zach zei iets waar Tiffany om moest lachen en ze gaf hem speels een stomp. Toen boog ze zich voorover, maakte een toeter van haar handen en zei iets tegen de buik van haar stiefmoeder.

'Wat is je volgende geschenk?' vroeg mevrouw Highbarger.

Devon deed haar mond open en sloot hem toen weer. Ze haatte Zach omdat hij niet zo gelukkig was geweest met haar als hij nu met hoe heet ze leek. En ze haatte haar nog meer... maar Tiffany zag er gelukkig uit. Echt gelukkig. 'Ik weet het niet.'

'We hebben geen eeuwigheid de tijd. Wat ga je doen?'

Ze knipperde met haar ogen. Ook al wilde ze wraak nemen op Zach en zijn nieuwe bruid, ze wilde nog veel liever dat haar kind gelukkig was. Ze deed haar mond open en hoorde zichzelf zeggen: 'Ik denk dat ik helemaal niets doe.' Zelfs als dat zou betekenen dat ze terug moest naar Sears en de rest van de eeuwigheid nepparels om haar nek moest dragen en een zirkoon aan haar vinger.

Mevrouw Highbarger glimlachte. 'Eindelijk.'

'Eindelijk wat?'

De lerares deed een stap naar achteren door een paar gouden deuren die uit het niets verschenen. De zware deuren zwaaiden dicht en de grijze mist vormde muren. Ook al had Devon het eerder meegemaakt, ze was toch doodsbang toen ze haar huid voelde prikken en zag hoe haar mooie Chanel-pakje begon te verdwijnen. 'Waar ben ik nu weer?' riep ze. In de plaats van het witte bouclé verscheen er een Carolina Herrera-cocktailjurkje van zwarte zijde en aan haar voeten een paar pumps van Christian Louboutin.

Ze keek om zich heen en de adem stokte in haar keel. Gucci, Fendi, Louis Vuitton. Bevend bracht ze een hand naar haar mond terwijl al haar zintuigen haar omgeving in zich opnamen. 'Saks 5th Avenue,' fluisterde ze. De *flagship store*. Als ze het had gekund, was ze in tranen uitgebarsten.

Eindelijk was Devon Hamilton-Zemaitis in de hemel beland.